Un intelectual en tiempos sombríos

Cuadernos de la Fundación Francisco Ayala, 14

Primera edición: 2022

© Del texto: Javier Krauel Vila
© Del prólogo: Pura Fernández Rodríguez
© Fundación Francisco Ayala / Universidad de Granada

ISBN: 978-84-338-6970-8
Depósito Legal: GR 201-2022
Diseño de la colección: Juan Vida
Fotocomposición e impresión: Imprenta del Arco, Granada
Impreso en España / Printed in Spain

Un intelectual en tiempos sombríos

Francisco Ayala,
entre la razón y las emociones
(1929-1949)

Javier Krauel

Prólogo de
Pura Fernández

Fundación Francisco Ayala

Universidad de Granada

2022

Índice

Para mis padres, Juan Carlos y Cecilia

Luz de la razón y gobierno de las emociones en tiempos sombríos: Francisco Ayala y el *sentir* de la política

Pura Fernández
Consejo Superior de Investigaciones Científicas (CSIC)

> *Aquellos que instituyen la inteligencia como regidora de conductas no tienen fuerza, pues la inteligencia pondera, juzga, mide, mientras que el sentimiento multiplica; pasión y pides más pasión, rabia y pides más rabia, melancolía, y pides más melancolía.*
> *Por ello, el sentimiento puede, por ello la sensación domina, porque está en su naturaleza invadir, acumular, expansionarse [...].*
>
> Belén Gopegui, *La conquista del aire* (1998)

La plasticidad y las tonalidades de la voz humana pueden ser la más viva expresión de las emociones contenidas en esa suma indiscernible de cuerpo y mente en que habitamos. Paradójicamente, las palabras articuladas, con su inmediatez e instantánea disolución, constituyen, a la vez, el armazón de la memoria y, por tanto, de su pervivencia como motor posible de otras emociones ajenas. No es otro el origen de este libro de Javier Krauel, *Un intelectual en tiempos sombríos. Francisco Ayala, entre la razón y las emociones (1929-1949)*, una propuesta de disección de la subjetividad ideológica, literaria y política de Francisco Ayala en unas décadas capitales en su biografía y obra. Al mismo tiempo, este volumen plantea un nuevo reto al

11

entramado teórico que ha presidido los jugosos debates en torno a las emociones, su naturaleza y su función histórica en la cultura occidental. En su nuevo trabajo, Krauel vuelve a desarrollar con habilidad un proyecto de dimensión hermenéutica que logra arrancar la *verdad textual* –en terminología de Sheldon Pollock– de las palabras, repositorios complejos de emociones, a menudo envueltas en sutiles paradojas.

Con el instrumental académico de que proveen la filología, la historia, la filosofía y el ensayo político, el nuevo libro de Javier Krauel, profesor en la Universidad de Colorado Boulder, culmina un proceso de indagación que se retrotrae a los actos conmemorativos del centenario del nacimiento de Francisco Ayala, en 2006. Dos años antes, Krauel realizó una entrevista al escritor granadino –incluida en el volumen VII de las *Obras completas, Confrontaciones y otros escritos* (2014)–, un flujo invisible del que germinó la idea fundacional de *Un intelectual en tiempos sombríos*, como señala el autor en la nota previa: «De alguna manera, el origen del libro está en ese encuentro y en la impresión, vivísima, que me causó el autor». El ensayo previo «El centenario de Francisco Ayala: entre la filología y la alegoría» (2009) anticipaba ya el interés por una biografía intelectual fundada en su incursión en el debate público como representante de una élite cultural de procedencia burguesa y filiación liberal. Así, la lealtad sin fisuras de Ayala a la causa de la Segunda República española, la gestión de la derrota sobrevenida tras la Guerra Civil, su recepción crítica y su interpretación actual, al igual que el efecto monumentalizador o panteonizador derivado de la celebración de 2006, conforman el núcleo impulsor de *Un intelectual en tiempos sombríos*.

El eje analítico propuesto es un acierto en estos tiempos que parecen simbolizar un oxímoron, con sus debates en torno a la memoria y sus usos históricos y la cada vez más extendida *cultura de la amnesia* que, al ritmo de una desbocada comunicación social, fagocita los límites entre pasado, presente y futuro. Krauel se inspira en esta imagen de Andreas Huyssen para reclamar la memoria como necesario remanso para adquirir la distancia interpretativa que restaure la dimensión temporal e histórica y, con ella, nuestra capacidad crítica. Los hitos que han marcado el devenir de la primera mitad del siglo XX ilustran, por el sistema de *a contrario*, la disolución paulatina de la figura del intelectual, incluso su irrelevancia en los últimos tiempos; en paralelo, se produce la multiplicación y diversificación de los foros públicos y mediáticos con su atropellada vorágine informativa que engulle cualquier intento de reflexión mesurada más allá de los límites inmediatos de referencia. La turbadora realidad del intelectual *menguante*, con el punto de inflexión de la caída del muro de Berlín y el triunfo de la hegemonía neoliberal, justifica el rescate reflexivo de la figura del intelectual como voz de la conciencia del cuerpo social, más ahora en el contexto del populismo actual y el imperio totalitario de las posverdades, tal como lo argumentó Francisco Ayala, especialmente en *Razón del mundo* (1944).

Javier Krauel cita una elocuente respuesta del escritor granadino cuando en enero de 1928 se le dirigía la siguiente cuestión periodística: «¿Siente usted la política?». Sin circunloquios, Ayala afirmaba: «Sí; siento con gran intensidad la política. Como espectáculo, y, sobre todo, como actuación. En términos generales, creo que un intelectual no puede eludir un deber de atención hacia la política –tema–, como hacia ninguna cosa que tenga un sentido y una vitalidad. (De otro modo no será un intelectual, sino un *señorito profesional*)». Estas palabras parecen configurar un pórtico conceptual en una etapa medular en su biografía y justifican el arranque del marco cronológico de estudio, 1929, que culmina a finales de la década de 1940: unos años en los que Krauel fundamenta el paradigma del intelectual racional, cincelado por los embates de los intereses y pasiones que agitaron el mar social de la época.

A partir de la lúcida y nada complaciente lectura de las colaboraciones periodísticas, textos literarios y ensayísticos, Javier Krauel dilucida este trayecto del escritor que *siente con gran intensidad la política* como el resultado de una negociación entre el sistema de la razón y las emociones constitutivas de la experiencia vital. En la ecuación del intelectual que fue Francisco Ayala, con su abierta separación entre la esfera estética y la acción política, Krauel reclama el fundamento emocional como parte indisociable de un escritor asociado siempre con la racionalización occidental. En este camino, la especialización académica de Krauel, autor entre otros trabajos de *Imperial Emotions. Cultural Responses to Myths of Empire in Fin-de-Siècle Spain* (2013), enriquece el debate en torno a las emociones, su inestabilidad ontológica en términos históricos y sus efectos en la vida pública española durante unas décadas que anticipan las corrientes de pensamiento de *Un intelectual en tiempos sombríos*.

Los avances de las neurociencias han marcado de manera irrebatible los métodos y perspectivas de la investigación en las áreas de las humanidades y las ciencias sociales a través de las teorías vinculadas al llamado *giro afectivo*. La visión del ser humano como la integración interrelacionada de cuerpo y cerebro se acompasa con las evidencias científicas que sustentan propuestas de innegable calado teórico como las de Martha Nussbaum, Sarah Ahmed o Eva Illouz, y su abordaje multidisciplinar del componente cognitivo de las emociones, uno de los basamentos del libro de Krauel; asimismo, reclaman la necesidad de avanzar en su conocimiento para erradicar los binarismos que permean habitualmente el sistema de referencias tradicional y sus consiguientes argumentaciones –mente/cuerpo, razón/emoción, pensamiento/lenguaje, individuo/colectividad, mundo/objeto–. Como reconocía el propio Ayala en su texto de inspiración biográfica «Sentimientos y emociones», el sujeto que logra interactuar con sus emociones y reconoce la influencia que en la soberanía de su agencia tiene su sensibilidad y reactividad afectiva refuerza la potencia de su racionalidad; tal como concluye Krauel, solo así se reconoce la genealogía de las diferentes lógicas que la motivan. En este camino, la instrumentación de base filológica que aplica el autor de este libro revela en su complejidad los procesos argumentativos del propio Ayala en unos años cruciales en su biografía intelectual, años escasamente atendidos por la crítica y ahora desentrañados hábilmente a la luz del valor emocional del lenguaje y de su eficacia comunicativa.

Un intelectual en tiempos sombríos responde a una implícita y clara división en dos bloques temáticos. El primero, compuesto por los dos capítulos iniciales, exhibe el armazón teórico señalado, con un rico análisis en torno a la emergencia de la figura del intelectual en la Europa del momento. El trabajo de Krauel indaga en las implicaciones del proyecto de reformismo democrático burgués de Ayala y en las claves de su conciencia liberal como una vía para reconducir la convulsa situación sociopolítica de la época de entreguerras, en un contexto de violentas pasiones sociales, auge de los totalitarismos y episodios bélicos de una magnitud desconocida. En este escenario, la contención del nuevo liberalismo ayaliano se erige como fórmula contra la intransigencia, el antagonismo y la beligerancia intensificados por las polarizaciones del fascismo y el marxismo y, al tiempo, como una guía interpretativa de las claves de su conciencia política y sus prácticas de autocontrol personal.

El segundo bloque del libro se centra en las cuatro coyunturas históricas que pusieron a prueba la conciencia afectiva del Ayala liberal y la orientaron en un proceso regulativo que trasladó fundamentalmente a *Razón del mundo*, pero cuya modulación previa se rastrea en colaboraciones y ensayos en la prensa, traducciones de obras de derecho y de sociología política, relatos y poesías de experimentación artística, cartas e incluso un rico aporte archivístico relacionado con su estancia en la Legación diplomática en Praga para recabar el apoyo de las potencias europeas (1937-1938). Se trata de un corpus plural de referencias esenciales para reconstruir veinte años magmáticos que forjaron al intelectual y al escritor: desde el Ayala espectador en la desintegración de la República de Weimar y la crisis del Estado alemán; pasando por el actor estrechamente implicado en la Segunda República española y en los avatares de la Guerra Civil, hasta el trashumante exiliado en Argentina, con estancias en otros países como Brasil o Estados Unidos. El periodo escogido resulta idóneo porque, como señala Peter Burke en «Is there a Cultural History of the Emotions?» (2005), el reto más ambicioso para el estudio diacrónico de las emociones reside en detectar las variaciones de intensidad y de cambio en épocas diferentes; periodos como los citados son privilegiados para registrar esas fluctuaciones y recategorizaciones emocionales, tanto en el plano individual como en el social, a través de una biografía que trasciende los límites e intereses nacionales, y que por su formación y experiencia está dotada de una mirada de aspiraciones holísticas.

Enmarcados por la estancia de Ayala en Berlín a finales de 1929 y por la experiencia del exilio argentino, los cuatro capítulos de la segunda parte revelan a un testigo de la historia que codifica en sus escritos los rasgos definitorios de su obra posterior. Estos son, a juicio de Krauel, la objetividad, la distancia y la sensibilidad afectiva con los protagonistas colectivos de los avatares históricos. Estos fogonazos temporales exhiben el tránsito del joven Ayala al maduro escritor y profesor universitario del periodo argentino. Si en Berlín empatizó con la angustia y el dolor de los alemanes ante el colapso de la República de Weimar, de regreso a España la prensa fue la forja fundamental para trabajar y propagar esa templanza emocional en la que se establecía la comunidad moral del nuevo modelo de Estado cuya legitimidad defendió sin tregua. No eran otros los pilares de la modernización vinculada a la República a través, principalmente, de la reforma de las instituciones y la apelación al deber cívico, fundado este en una dimensión ética de la conducta emocional: tal es la panacea que emerge de sus escritos para combatir las pasiones contrarias al orden social y al progreso.

La propuesta analítica de Javier Krauel, desgranada a través de un coherente hilo biográfico que permite exhibir las tensiones y equilibrios en un periodo de radicalización extrema, presenta la experiencia berlinesa como el alimento de esa mirada holística para registrar las fuerzas esencialmente afectivas que, como corrientes internas, atravesaban a la sociedad alemana. En esta atmósfera emocional sitúa Krauel la activación de la conciencia afectiva de Ayala, un rasgo esencial destacado especialmente en las crónicas de *Política* durante 1930 y que matiza el retrato del autor distante e irónico, asociado con el sociólogo y jurista. El desapasionamiento fue el ingrediente esgrimido para navegar entre el creciente miedo, odio y resentimiento con el frágil faro de las palabras, pieza clave para desentrañar la textura emocional de una época. En la ciencia que las estudia, la epistemología filológica, se funda la arquitectura de esta parte del ensayo, donde Krauel interpela a textos de variada estirpe e índole.

La Segunda República española surgió del entusiasmo popular en una atmósfera afectiva jubilosa, y Krauel contextualiza brillantemente la estructura de sentimiento dominante, siguiendo la terminología de Raymond Williams. Así, con la convicción que fundamenta los trabajos de Eva Illouz, parte de la propuesta de que la mayor parte de las estructuras sociales son estructuras emocionales, y en ellas rastrea las dificultades internas y las anomalías en el entorno de una Europa punteada por la tensión social, la violencia y el despliegue fascista que originaron, en España, la transformación afectiva en los debates constitucionales y el modelo territorial de Estado, la cuestión religiosa y la reforma agraria, punto de arranque del cuestionamiento progresivo de la legitimidad republicana. También, el flujo de esas voces permeadas por el temor secular por las masas y sus reacciones incontrolables, una irracionalidad inescrutable que empapaba, por ejemplo, el discurso receloso en la polémica en torno al voto femenino.

La Guerra Civil, con su pulverización del proyecto político al que Ayala se asoció desde su inicio, conformó un nuevo banco de pruebas para la regulación de la conducta emocional del escritor, ahormada a una lealtad fundada en la fe en las reformas legislativas como modelo urgente de transformación social. En este entorno, Francisco Ayala luchó por la causa republicana en tres grandes ámbitos, como recuerda Krauel: en la depuración de los funcionarios desafectos a la República, en la internacionalización del conflicto armado y en la gestión de la derrota republicana. El decenio siguiente explora la fenomenología afectiva de la política a partir, fundamentalmente, del duelo por las dimensiones alcanzadas por el odio como emoción predominante; frente a sus efectos, Ayala exhibe la ejercitación del *ethos*, la contención y el equilibrio emocional predicados años antes, como ratificación de las palabras de Sarah Ahmed acerca de que el odio surge del contacto entre el individuo que odia y el objeto o sujeto de odio, esto es, de la interacción del individuo y el mundo.

El punto de partida del trabajo de Javier Krauel se sitúa en el desciframiento de esta propuesta a los lectores: la práctica para una correcta socialización de las emociones colectivas. Los escritos de Ayala son un testimonio fundamental para filiar esa virtud cívica de la sensibilidad ilustrada que actuaba en colaboración y equilibrio con la razón para controlar el contagio social de las emociones negativas. Ayala, consciente de una época poseída por las pasiones desbocadas y la sentimentalización de la vida política, surge como el símbolo del intelectual de estirpe ilustrada que dialoga con la situación presente, hondamente marcada por un avance del discurso hostil al conocimiento científico y al racionalismo, como destaca Krauel en la introducción. Es fácil trazar el paralelismo con el avance de la posverdad que cuestiona la universalidad de la certeza científica en estos tiempos nuestros.

Francisco Ayala, símbolo de una rica bicefalia artístico-académica, suma cómplice del hombre de acción, del ensayista y del autor de ficciones narrativas, se alimentó de la confluencia entre los discursos científico y artístico de las primeras décadas del XX y de los nuevos lenguajes expresivos de un mundo en intensa transformación cultural y política. En una sociedad polarizada ideológicamente, el discurso civil de apoyo a la ciencia —en palabras de Thomas F. Glick, en *Einstein y los españoles. Ciencia y sociedad en la España de Entreguerras* (2005)— fue una consigna generalizada entre las élites intelectuales como motor general de modernización y europeización, sobre todo en la tertulia de Ortega y Gasset, un foro de debate de novedades como la nueva física o la psiquiatría freudiana y emblema de un liderazgo reclamado por los jóvenes intelectuales.

La prensa fue el escenario en el que, en la década de los treinta, algunos intelectuales liberales como Josep Maria de Sagarra, Manuel Chaves Nogales o Francisco Ayala, comprometidos con las reformas republicanas, fomentaron pautas emocionales para templar e incluso controlar la conducta de sus lectores; para afianzar, en definitiva, la legitimidad legal y racional de la Segunda República, esfuerzos a los que Krauel ha dedicado estudios previos. En la línea argumental trazada por Max Weber, la atribución de legitimidad racional-legal a un orden político implicaba una contención de los afectos, mientras el establecimiento de un nuevo orden carismático suponía una movilización de las pasiones, el uso práctico de la dimensión afectiva de las ideas políticas, una realidad subyacente a cualquier forma de comunicación ideológica ampliamente analizado en la

teoría política contemporánea. La prensa de la época es un magnífico muestrario para radiografiar estos intentos que fracasaron ante
la acción de otras voces en ambos lados del espectro político; unas
voces que lograron inflamar emocionalmente la vida pública, como
las de José Antonio Primo de Rivera o Miguel de Unamuno. En
un trabajo anterior, Javier Krauel (2015) ya abordó la actitud de
algunos escritores que, como Stefan Zweig, vivieron un horizonte
de inestabilidad política, violencia y guerra con el desgarro de comprobar que ni la tolerancia ni la conciliación, ni los patrones del
parlamentarismo liberal, eran válidos en una Europa devastada por
las atroces experiencias del siglo. La razón no era ya la garante de la
estabilidad y el orden políticos; así, la vida afectiva y las emociones
adquirieron una dimensión fundamental en la política, y lograron
movilizar a las masas, dotarlas de esperanza y de fe en valores sub-
jetivos como el carisma. Por tanto, el deber moral republicano se
orientó al control emocional a través del uso de la razón, en nombre
de una legitimidad y autoridad políticas frente a la fe carismática
y puramente emotiva. Este componente no fue bien calibrado por
los republicanos liberales en toda su intensidad por su temor a las
emociones negativas y amenazadoras de la normalidad democrática
a la que aspiraban en medio de un profundo malestar social. Este
libro, pues, contribuye a la reflexión en el ámbito de la historia
cultural de las emociones contemporáneas a través de una figura
de gran brillantez intelectual que, no obstante, no estuvo exenta
de cierto empañamiento crítico que impidió a Ayala, y a sus contemporáneos, intuir el alcance del triunfante nacionalsocialismo y
el paulatino bloqueo de las emociones cívicas.

En el mirador del exilio, como define Krauel la etapa tras el final
de la guerra, asistimos a la gestión de la derrota, una gestión que
trasluce el pragmatismo de quien se recompone afectivamente en
la experiencia diaspórica ante la evidencia de lo irremediable, de lo

irreversible. El horizonte intelectual de Ayala superaba ya los límites de la cultura nacional lo que lo situó en la perspectiva de un universalismo distante de la melancolía y de la politización de la contienda ante la desolación de un duelo global por la barbarie; a este duelo, paralelo al proceso de desactivación afectiva e ideal, dedica Javier Krauel luminosas y brillantes páginas, muy pegadas a la lectura de *Razón del mundo*. La propuesta del transterrado dialogaba y se cifraba en una comunidad de cultura de base histórica y ética, enraizada en la tradición liberal del individualismo humanista en un periodo creativo de gran fecundidad. El título del ensayo de Francisco Ayala en *Cuadernos Americanos* en 1949, «Para quién escribimos nosotros», determinaba ya ese lugar de enunciación sin un punto fijo, en cierto modo enajenado respecto a la vida previa al exilio.

Es muy significativo que *Razón del mundo* apareciera en la editorial argentina Losada, uno de los sellos transatlánticos que estableció un diálogo cultural más estrecho y plural con la España Peregrina; este dietario acerca de la misión, conciencia y responsabilidad del intelectual demócrata comprometido con la libertad y la aspiración al ejercicio objetivo de una ética, testimonia un presente en disolución, un horizonte nuevo en el que detectar las *tendencias profundas*, un sentido *de la existencia humana* y *una restaurada dignidad del hombre*. El eje de análisis propuesto por Javier Krauel asemeja la transustanciación depurativa de un proceso emocional que se va constituyendo en un necesario diálogo restaurativo alimentado por la razón sociológica, pragmática y objetiva que el autor granadino encontró en la casa de la palabra que fue Losada.

Por último, Krauel contextualiza, a través de los grandes movimientos sociales escenificados en la última década, la irrelevancia a que parece condenada la figura actual del intelectual español en términos de contribución y efecto ante los desafíos contemporáneos; una transformación que incluso se avista como la antesala de la desaparición de las formas tradicionales de autoridad intelectual y las formas democráticas de cultura, como preconizan Marina Garcés en *Filosofía inacabada* (2015) y Luis Moreno Caballud en *Culturas de cualquiera* (2017). Es en este contexto en el que sitúa el pensamiento de Ayala en una línea biográfica que interpela a nuestro presente y reivindica el legado intelectual del escritor.

Pero Krauel no se alinea con quienes impugnan la relevancia de los intelectuales, anunciando el advenimiento de *nuevos sujetos de pensamiento y acción*, no necesariamente portadores de un conocimiento experto o de la acreditación académica tradicional, sino que aboga por la recuperación de una propuesta intelectual de un protagonista de la modernización política y económica cuyas reflexiones y respuestas sobre la libertad, la justicia y la verdad pueden contribuir al debate actual; un debate en el que la tan traída y llevada Transición democrática ha sido redimensionada en su proyecto nacional como articulador de sensibilidades, identidades y comunidades diversas en un marco sociopolítico y jurídico armonizado en torno a símbolos afectivos como la democracia, la Constitución y la fórmula de consenso autonómico. En definitiva, en la escala constructiva de la subjetividad intelectual de Ayala, Krauel enraíza con la propuesta del sujeto postsoberano de M. Arias Maldonado en *La democracia sentimental* (2016). Frente a la fantasía del individuo autónomo y soberano en sus decisiones, la razón escéptica a que apela Arias Maldonado es el antídoto contra la sentimentalización de la política y la clave para la relación entre el sujeto postsoberano y su relación con la comunidad política. Y en algunos textos ayalianos, Javier Krauel filia esa figuración de la crisis del sujeto volteriano que desatiende el efecto formativo de los afectos y su *afectación* en los individuos.

Como señala Victoria Camps en *El gobierno de las emociones* (2011), estas perfilan nuestra personalidad moral y, lejos de ser contrarias a la racionalidad, la explican y fundamentan, lo que asienta su necesario gobierno para adquirir una responsabilidad y autoridad morales para el ejercicio legítimo de las virtudes cívicas y el gobierno legal. En esta línea, sin presentistas analogías o fáciles derivaciones, Javier Krauel combate la sobredimensión de la racionalidad en la configuración diacrónica de la figura del intelectual y reclama la necesidad de indagar en las continuidades y discontinuidades en la dimensión afectiva de la vida pública, entendida como un *continuum* en el que los lectores y las lectoras de *Un intelectual en tiempos sombríos. Francisco Ayala, entre la razón y las emociones (1929-1949)*, protagonistas y espectadores también de un tiempo complejo y convulso, sabrán encontrar sutiles correspondencias y, sobre todo, un espacio de reflexión sobre la conciencia y la responsabilidad ciudadanas.

Introducción

En 1944, en un mundo devastado por los horrores de la Segunda Guerra Mundial, Francisco Ayala todavía podía referirse a los intelectuales como «la conciencia del cuerpo social» (*Obras* V: 298) en las páginas de su ensayo *Razón del mundo*, una de las mejores obras de la primera posguerra. La metáfora del intelectual como conciencia del cuerpo social depende de una serie de oposiciones (mente/cuerpo, razón/afectos, lo espiritual/lo material) que, sin duda, tienen un marcado aire de época. Hoy tal vez se nos antojen anticuadas. Pero en 1944, y desde posiciones liberales, todavía era posible pensar al intelectual como representante de la universalidad de la razón (la conciencia) y como guía de un pueblo (el cuerpo social) dominado por las pasiones y los intereses.

Si hoy, en 2022, la metáfora parece haber perdido gran parte de su validez es porque, en cierto modo, llevamos unas cuantas décadas asistiendo a la transformación radical de la figura del intelectual, cuyas raíces se hunden en la cultura ilustrada del siglo XVIII. Y es que ¿cuánta gente apuesta hoy en día por la existencia de ciertas conciencias privilegiadas que puedan guiar, orientar o de algún modo encauzar la discusión pública? Basta con abrir al azar cualquier periódico, sintonizar cualquier emisora de radio o canal de televisión, o conectarse a internet y a una de sus muchas redes sociales para entender que los fragmentos de discurso que por allí circulan esbozan una imagen del espacio público en la cual el intelectual se ha convertido en una presencia residual y, en muchos casos, acomodaticia. Algunos –entre los que por cierto no me encuentro– incluso llegarán a decir: en una presencia superflua.

Son estos tiempos inciertos y difíciles para los intelectuales, en parte porque vemos día a día cómo muchas de las certezas que antaño apuntalaron su figura se desvanecen ante nuestros ojos y en parte porque no resulta fácil imaginar cómo se transformará dicha figura en la nueva realidad digital. Con esta alusión a las nuevas tecnologías de la comunicación, no quiero sugerir una visión apocalíptica de la contemporánea digitalización de la esfera pública. En realidad, internet y las redes sociales no han hecho más que acelerar unos procesos de larga duración que fueron transformando profundamente la figura del intelectual desde el final de la Segunda Guerra Mundial. El acceso generalizado a la educación, la creciente democratización y mercantilización de la cultura, la mayor capacidad de consumo de amplios sectores de la población, las rebeliones universitarias de los años sesenta, y la creciente complejidad de sociedades cada vez más diversas y multiculturales, son todos ellos factores que conspiraron para disminuir la posición de privilegio de las élites culturales. Es algo que hace unos años Santos Juliá diagnosticó certeramente:

> La función del intelectual como minoría selecta y guía de la masa en sociedades semialfabetas o recién llegadas a la alfabetización universal se ha desvanecido ante el proceso de democratización que transforma al público en actor: hay muchos más intelectuales para unos públicos más diferenciados y mucho mejor equipados profesional e intelectualmente. Este trasiego de posiciones, que ha ocurrido bajo nuestra mirada, compendia bien la disolución del gran intelectual como estrella que brilla en el cielo rodeada de una constelación de estrellitas de diferente brillo pero siempre menores, y su sustitución por el observatorio crítico que como foro o plataforma se asienta en la tierra y al que sube todo aquel que tenga algo que decir, esté dispuesto a debatirlo entre iguales y a movilizarse y salir a la calle para conseguirlo. (*Nosotros* 123)

En España, prosigue Juliá, estas transformaciones implicaron un desplazamiento de la figura predominante de intelectual: si durante el largo periodo de la dictadura franquista prevaleció el intelectual disidente (procedente de la Falange o de la Acción Católica) o resistente (procedente del mundo comunista), a mediados de los años ochenta estas figuras fueron reemplazadas por el modelo del intelectual como gestor cultural, lo que produjo «un notable desplazamiento de quienes habían sido disidentes y opositores al ejercicio de cargos públicos» (*Nosotros* 105). En otras latitudes, el ocaso del modelo del *maître à penser* con tintes mesiánicos produjo otras figuras de intelectual. En Francia, por ejemplo, podemos cifrar este desplazamiento en la diferencia existente entre el discurso profético de un intelectual total como Jean-Paul Sartre, que dominó la escena francesa desde mediados de los cuarenta hasta finales de los sesenta, y el modelo de intelectual específico propuesto por Michel Foucault a finales de los años setenta del siglo pasado. En una entrevista de 1980, Foucault dejó dicho que «el intelectual hoy no debe dedicarse a hacer la ley, a proponer soluciones o a profetizar ya que, realizando esa función, solo puede contribuir al funcionamiento de una situación de poder determinada que debe, en mi opinión, ser criticada» (86).[1] Bajo la sencilla naturalidad de estas palabras, podemos detectar una serie de desplazamientos conceptuales asociados con el posestructuralismo y la obra del propio Foucault: desde la sospecha ante los relatos totalizadores y unitarios, con la consiguiente pérdida de prestigio de las utopías, hasta la puesta en crisis de la idea misma de sujeto y el abandono de la visión teleológica de la historia.

---

1. «Le rôle de l'intellectuel aujourd'hui n'est pas de faire la loi, de proposer des solutions, de prophétiser, car, dans cette fonction, il ne peut que contribuer au fonctionnement d'une situation de pouvoir déterminée qui doit, à mon avis, être critiquée».

En los últimos veinte años, esta crisis de los valores y las prácticas constitutivos de la figura del intelectual moderno se ha acelerado a una velocidad insospechada. En efecto, las tecnologías de comunicación digital han transformado profunda e irreversiblemente la fisonomía de una figura –el intelectual– que había venido desempeñando un papel muy relevante en el debate público desde las postrimerías del siglo XIX hasta al menos los años ochenta del siglo pasado. Si los intelectuales esgrimieron sus conocimientos para luchar contra la ignorancia, hoy vemos cómo la ciencia y el conocimiento de los expertos acaban convertidos por algunos en relatos comparables a los mitos –recordemos la campaña electoral del Brexit en 2016, la presidencia de Donald Trump (2017-2021) o la presencia mediática del negacionismo y los movimientos antivacunas durante la pandemia del COVID-19–. Tampoco las armas tradicionales de los intelectuales –sus ideas y sus opiniones– parecen valer mucho frente a los rumores que circulan por las redes sociales y acaban creando un clima de histeria y confusión colectivas. Todo ello por no hablar de los debates y las argumentaciones complejas, antaño expresadas en periódicos y revistas especializadas, que hoy van perdiendo, día a día, un palmo más de terreno ante las emociones, las soluciones mágicas y las posverdades que saturan una industria cultural de masas todopoderosa, concentrada en torno a un puñado de grupos mediáticos.[2]

---

2. Por poner solo un ejemplo del primer exilio, recuérdese la polémica sostenida en 1947 por Ayala con Claudio Sánchez-Albornoz en las páginas de *Realidad* acerca de la decadencia del Imperio Habsburgo, y compárese el dispositivo discursivo del debate con los que hoy nos ofrecen los medios de comunicación masivos (*Obras* V: 411-19). Para un análisis contemporáneo de la posverdad, véase Ibáñez Fanés.

Más allá de las transformaciones impulsadas por la llegada de internet a nuestro debate público, Juliá identificaba la creciente democratización de nuestra sociedad como una variable fundamental para entender la disolución del «gran intelectual». En la medida en que el nivel cultural medio de la población aumentaba y aparecía gente con mayor preparación intelectual, la figura del *maître à penser* iba perdiendo sentido. Frente al gran intelectual que proponía diagnósticos y soluciones a los temas más diversos, pontificando desde la tribuna de un periódico prestigioso, llevamos unos años asistiendo a la organización de la gente en movimientos sociales que reclaman en la calle cambios políticos, económicos y culturales. Pondré tres ejemplos conocidos por todos: las multitudinarias manifestaciones que vienen ocurriendo en Cataluña en favor de la causa independentista desde 2010; la movilización feminista contra la violencia machista y la desigualdad de género que se viene sintiendo con fuerza cada 8 de marzo en las calles de España y de muchos otros lugares; y, más recientemente, las espectaculares concentraciones contra la injusticia racial y el racismo institucionalizado promovidas por Black Lives Matter, que se originaron en Estados Unidos y se extendieron por todo el mundo en respuesta al asesinato de George Floyd en una calle de Minneapolis el 25 de mayo de 2020. Cuando la gente se auto-organiza, debate entre ella las cuestiones que son relevantes para su vida, y sale a la calle para conseguir sus objetivos, ¿qué margen de actuación les queda a las élites intelectuales y qué tipo de contribución pueden hacer al debate público?

Según el reciente diagnóstico de Ignacio Sánchez-Cuenca en *La desfachatez intelectual*, las contribuciones que han hecho los intelectuales españoles de mayor visibilidad social y mediática (Félix de Azúa, Javier Cercas, Luis Garicano, Jon Juaristi, César Molinas, Antonio Muñoz Molina y Fernando Savater) han sido más bien irrelevantes. Empleando un estilo rotundo y prepotente, habrían ejercido la opinión irresponsablemente y no habrían estado a la altura de los desafíos de los últimos años (terrorismo, nacionalismo catalán, crisis económica). Más que elevar el tono y el contenido del debate público, estos intelectuales señeros lo habrían rebajado y lo habrían llenado de opiniones poco fundamentadas. De hecho, Sánchez-Cuenca detecta en el debate público «un exceso de opinionismo» porque «los autores no conocen suficientemente la materia de la que hablan y pasan por alto las pocas cosas que se saben con cierta seguridad en asuntos económicos y políticos» (170). Aunque el diagnóstico de Sánchez-Cuenca es ciertamente demoledor, el autor todavía reserva un papel orientador a los intelectuales siempre que lo ejerzan de manera responsable; es decir, siempre que emitan criterios fundamentados, relevantes y abiertos a la crítica.

¿Dónde están los intelectuales?

Más allá de los vicios coyunturales que puedan aquejar a nuestra conversación pública, hay otro factor de orden estructural que puede ayudar a entender el ocaso de los grandes intelectuales. Me refiero a la caída del Muro de Berlín en 1989, que abrió un periodo en el cual el intelectual crítico empezó a transformarse en una figura menguante encaminada a una creciente irrelevancia. Tal vez por eso, hace unos años, el historiador italiano Enzo Traverso publicó un libro titulado *¿Qué fue de los intelectuales?* Su respuesta incidía en la aparente incapacidad del intelectual contemporáneo para inventar utopías, para construir un nuevo imaginario:

> El silencio de los intelectuales críticos probablemente se deba
> a la interiorización de una derrota [la del comunismo como gran

utopía del siglo XX en 1989]. Es lo que viven muchas personas de mi generación. En 1975 habíamos marchado contra la guerra de Vietnam, y descubrimos cuatro años más tarde el genocidio de los Jemeres Rojos, en el momento en que una nueva revolución conservadora se afirmaba en el mundo anglosajón con Margaret Thatcher y Ronald Reagan… Todo esto no podía carecer de consecuencias. (62-63)

Si la hegemonía neoliberal se afianzó con la derrota histórica del comunismo, hoy estamos asistiendo a la mutación populista de esa hegemonía, acelerada por una transformación sin precedentes del espacio público democrático, cuyos parámetros y reglas de juego están siendo alterados por las nuevas tecnologías de la comunicación. Hay incontables ejemplos de esta mutación, y cualquier lector mínimamente atento a la realidad podrá aportar los suyos. Tal vez entre todos destaque, por sus implicaciones globales, el discurso hostil a la verdad, al racionalismo y al conocimiento científico que aupó a Donald J. Trump a la presidencia de los Estados Unidos en enero de 2017. Las decisiones políticas de Trump trasladaron ese discurso a la realidad, lo que llevó a un comentarista a observar que «los estadounidenses han llegado a un punto en que la ignorancia, especialmente en lo que atañe a las políticas públicas, se ha convertido en virtud» (Nichols X).[3] Se ha ido diseñando entonces un espacio público en el cual hay cada vez menos lugar para la producción de pensamiento crítico y en el cual, como contrapartida, surgen nuevos actores sociales –desde expertos y técnicos cercanos al poder hasta los llamados *influencers*, pasando por figuras mediáticas de distinto pelaje– investidos de la relevancia

---

3. «Americans have reached a point where ignorance, especially of anything related to public policy, is an actual virtue».

pública y el prestigio antaño reservados a los intelectuales.[4] En esta esfera pública digitalizada, las razones o visiones del mundo articuladas por medio de la palabra de los intelectuales cada día cuentan menos. Y no solo porque la individualidad del intelectual está perdiendo peso frente a la energía colectiva de los movimientos sociales, sino también porque la palabra misma está cediendo ante la fuerza arrolladora de una serie de imágenes que evocan pasiones, soluciones mágicas y posverdades. En las democracias mismas surgen entonces unas poderosas tendencias antiliberales que configuran un orden político tendencialmente tiránico, alguno de cuyos aspectos resuena poderosamente con los regímenes fascistas de los años veinte y treinta del siglo pasado. Dice Timothy Snyder:

> Los fascistas menospreciaban las pequeñas verdades de la vida cotidiana, adoraban los eslóganes que evocaban una nueva religión y preferían los mitos creativos a la historia o al periodismo. Utilizaron los nuevos medios como la radio para crear una insistente propaganda que excitaba las pasiones antes de que la gente pudiera contrastar los hechos. Y ahora, como antes, mucha gente está confundiendo la fe en un líder con muchísimos defectos con

---

4. Que los intelectuales son cada vez menos escuchados por el poder político también se hizo patente en una noticia que llegó de Australia en el verano de 2018 y que habría arrancado una sonrisa al Ayala de *El jardín de las delicias*. Para promover una campaña de salud dirigida a las jóvenes australianas (*#girlsmakeyourmove*), el Ministerio de Sanidad de aquel país primero decidió utilizar los servicios de *influencers* en las redes sociales y, al cabo de unos meses, suspendió tal decisión porque una investigación periodística había revelado que dichas *influencers* promovían también, en las mismas redes sociales, los valores contrarios a los defendidos en la campaña de salud. Es decir, las *influencers* predicaban los beneficios del ejercicio y de una dieta equilibrada en Instagram y, a la vez, exhibían en la misma red social una vida rutilante, absolutamente sedentaria, y llena de excesos. Véase «Federal Health Minister».

la verdad acerca del mundo que todos compartimos. La posverdad es el prefascismo. (71)[5]

¿Qué hacer ante la ignorancia desvergonzada, el arcaico régimen de opinión de las tertulias, las burbujas informativas de las redes sociales, las emociones desbocadas, y la proliferación de posverdades y soluciones mágicas? ¿Todavía tiene sentido aspirar al conocimiento y la sabiduría, la coherencia y el estudio, la racionalidad y las argumentaciones complejas? Y suponiendo que esos valores estén todavía vigentes para algunos –para muchos, desde luego, no lo están–, ¿quién podría representarlos y esgrimirlos? ¿Qué sujetos podrían pensar y vivir de acuerdo con ellos?

En una época no demasiado lejana, alguien podría haber contestado la pregunta diciendo: el intelectual. Tal como hemos visto, en 1944, el mismo Ayala, con todas las prevenciones que llegó a expresar respecto de la función de los intelectuales en la sociedad, no lo dudó y dejó dicho que el intelectual era una suerte de conciencia del cuerpo social. ¿Es todavía posible decirlo hoy en día? ¿Quién hoy se atreve a decir que los mejores representantes de esos valores y de esas prácticas son los intelectuales? Y si muchos factores parecen indicar que la era de los intelectuales está tocando a su fin, o incluso está para algunos clausurada, ¿qué puede ofrecernos hoy en día un libro dedicado a entender mejor la actividad de Francisco Ayala en tanto intelectual? ¿Tiene sentido mirar hacia atrás, hacia la obra de un escritor que tuvo una experiencia del mundo muy diferente de la nuestra?

---

5. «Fascists despised the small truths of daily existence, loved slogans that resonated like a new religion, and preferred creative myths to history or journalism. They used the new media, which at the time was radio, to create a drumbeat of propaganda that aroused the feelings before people had time to ascertain facts. And now, as then, many people confused faith in a hugely flawed leader with the truth about the world we all share. Post-truth is pre-fascism».

Francisco Ayala: un intelectual en tiempos oscuros

A pesar de las dudas que en la actualidad se ciernen sobre la figura del intelectual,[6] creo que todavía resulta valioso rescatar las intervenciones de Francisco Ayala (1906-2009) en una serie de conversaciones públicas que tuvieron lugar entre los años 1929 y 1949. Primero, porque se trata de una dimensión poco conocida de la biografía intelectual de un escritor de primer orden. Se ha escrito mucho, y muy bien, sobre el Ayala narrador. Disponemos de sofisticadas interpretaciones de sus ficciones narrativas –desde los relatos juveniles de *Cazador en el alba* (1930) hasta la prosa de madurez de *El jardín de las delicias* (1971)– pero nos falta un estudio que aborde los primeros años de su actividad como intelectual y que analice su particular manera de intervenir en el debate público. Y segundo, y más importante: porque dichas intervenciones nos ayudan a entender mejor cómo un intelectual liberal –masculino y burgués, perteneciente a la élite cultural– se posicionó ante algunos de los acontecimientos que marcaron la historia del siglo veinte. A lo largo de estas páginas intentaré reconstruir, sin nostalgia alguna, sus posiciones ante cuestiones tan diversas como la desintegración de la República de Weimar, las reformas emprendidas por la conjunción republicano-socialista durante los inicios de la Segunda República (1931-1933) y los conflictos planteados por la Guerra Civil (1936-

---

6. Dos excepciones notables al escaso interés que concita la figura del intelectual en la actualidad serían el excelente libro de Luis Bautista Boned *Disenso y melancolía* (de próxima aparición en Publicacions Universitat de València) y el valioso recorrido, español y europeo, propuesto por Gonzalo Navajas en *El intelectual público y las ideologías modernas*, donde el autor urge restablecer la autoridad del intelectual revitalizando su conciencia crítica en un contexto posideológico y poshumanista.

1939) y la primera etapa de su exilio en la Argentina (1939-1949, con un paréntesis brasileño en 1945). Y lo haré argumentando que una forma (sin duda no la única) de aproximarse a la obra de Ayala sin perder de vista el horizonte del presente consiste en reconstruir sus contribuciones desde la historia de las emociones (véase el capítulo «Los intelectuales, entre la razón y las emociones»).

Para volver la mirada hacia atrás y reconstruir el itinerario de Ayala durante los años 1930 y 1940 sin perder de vista nuestros deseos y ansiedades, nuestras formas de vivir y de pensar, procuraré ampliar el lugar construido para la obra de Ayala por los protocolos de lectura de la filología tradicional, cuyos rasgos principales la encuadran en una tradición historicista y nacional. Sin duda, el lugar que ya tiene Ayala en las letras españolas no es menor: no solo es una figura asentada en el canon de la literatura española del siglo XX, sino que tiene el honor de integrar lo que podríamos llamar el «patrimonio cultural nacional». En efecto, la exposición patrocinada por la Sociedad Estatal de Conmemoraciones Culturales, que tuvo lugar en 2006 para conmemorar el centenario de nuestro autor, le aseguró ese lugar de privilegio.

La apuesta de este libro, sin embargo, es otra. En lo que sigue, procuraré atenerme al proyecto de Sheldon Pollock, que concibe la práctica filológica como una actividad «orientada simultáneamente a lo largo de los tres planos que configuran la existencia de un texto: el momento de su génesis, su recepción conforme avanza el tiempo y su presencia ante mi propia subjetividad» (399).[7] La atención simultánea a estas tres dimensiones de la empresa filológica determina

---

7. «That orients itself simultaneously along three planes of the text's existence: its moment of genesis; its reception over time; and its presence to my own subjectivity».

que la reconstrucción del contexto de los enunciados de Ayala, o su interpretación de acuerdo con las intenciones del autor, operaciones que podríamos denominar historicistas en un sentido clásico, no constituirán la única perspectiva desde la cual abordar los textos del escritor granadino. En la medida de lo posible, también tendré en cuenta las interpretaciones posteriores de sus textos (la historia de su recepción) y, lo que tal vez sea más importante, el significado que puedan tener los textos de Ayala aquí y ahora, para nosotros.[8]

Esto implica, sin duda, que «hay tres dimensiones de sentido que pueden llegar a ser radicalmente diferentes (la del autor, la de la tradición y la mía) y tres formas de verdad textual (la historicista, la derivada de la tradición y la presentista) que también pueden llegar a ser radicalmente diferentes» (401).[9] Desde luego, en las páginas que siguen no siempre será posible conjugar estas tres dimensiones –entre otras cosas porque algunos de los textos examinados fueron

---

8. Si de alguna manera incluyo la dimensión presentista de mi lectura es porque considero que la gran mayoría de la crítica ayaliana ha privilegiado las interpretaciones historicistas de su obra, produciendo una serie de notables estudios, ya sean de crítica literaria (Ellis, Irizarry, Mermall, Prado, Richmond, Viñas Piquer) o de carácter historiográfico (Escobar, Gil Cremades, Martín, Quaggio, Ribes Leiva). También es de obligada mención la biografía de Luis García Montero así como el catálogo de la exposición comisariada por él mismo en 2006, *Francisco Ayala. El escritor en su siglo*, coordinado por Susana Martínez-Garrido. Hay unas palabras de Ayala en el prólogo de 1962 a *Razón del mundo* que avalan mi aproximación presentista a su obra. Más allá del entendimiento positivista de la historia, argumenta Ayala, es preciso reconocer que «la historia está constituida en función del presente, y que solo en conexión con la vida actual adquiere sentido» (*Obras* V: 295). En mi opinión, esta conexión con «la vida actual» no ha sido suficientemente tematizada por la crítica ayaliana.

9. «There are thus three, potentially radically different, dimensions of meaning (the author's, the tradition's and my own) and three, potentially radically different, forms of textual truth (historicist, traditionist and presentist)».

recuperados recientemente– y por lo tanto la historia de su recepción es exigua. Pero de manera general, sí que procuraré explicar, de un lado, lo que los textos de Ayala significaron para sus contemporáneos y para las generaciones posteriores de lectores, y, de otro, lo que pueden significar para nosotros. Para llevar a cabo este proyecto hermenéutico, desempolvaré algunos textos olvidados por la crítica, abordaré una etapa de la carrera de Ayala que ha sido relativamente desatendida –la que media entre 1929 y 1949– y, sobre todo, argumentaré que es necesario volver a la obra de Ayala, precisamente hoy, y desde una perspectiva contemporánea.

En este sentido, mi propósito es bien distinto al de algunos libros recientes que optan por impugnar la relevancia de los intelectuales para mejor acompañar la emergencia de nuevos sujetos de pensamiento y acción, ya sean los movimientos sociales, las multitudes, las personas sin conocimientos expertos, o las de otras razas y culturas. Marina Garcés, por ejemplo, argumenta en *Filosofía inacabada* (2015) que la fragmentación de la esfera pública, la devaluación de la idea de «cultura general» y la erosión de la universalidad de la verdad, determinan que hoy los intelectuales hayan perdido gran parte de su estatuto privilegiado y de su reconocimiento público. Lejos de lamentar esta situación, sin embargo, Garcés acepta de buen grado la expulsión del pensamiento del «panteón de los grandes hombres» (97). Eso es así en la medida en que «la feminización del pensamiento, la precarización y proletarización del trabajo académico y cultural, y la colectivización del conocimiento» (98) abren nuevas posibilidades, permiten otras formas de pensar y de vivir. Aparecen entonces nuevos sujetos –mujeres, precarios, portadores de saberes colaborativos– que piensan cosas nuevas porque su experiencia de la vida no es, precisamente, la de «los grandes hombres». La apuesta de Garcés por estos nuevos sujetos es clara. Su esperanza: alumbrar un pensamiento otro, el cual, siguiendo el viejo sueño de Marx, transformaría radicalmente el mundo, «no con recetas o modelos, sino entrando en conflicto con las formas de vida existentes desde la realización concreta de otras formas de pensar y de vivir» (15). Sin restar valor alguno a la opción tomada por Garcés, la que yo he tomado es distinta. Así el lector podrá ver que Ayala, a pesar de ser uno de los «grandes hombres» de las letras españolas del siglo XX, tiene cosas importantes que aportar al opinar sobre temas diversos como las reformas políticas de 1931-1933 o las pérdidas engendradas por la guerra y el exilio.

También mi libro es diferente de *Culturas de cualquiera* (2017), el ensayo de Luis Moreno Caballud que celebra el carácter crecientemente residual del intelectual al explorar la tensión entre las formas tradicionales de autoridad intelectual y las formas democráticas de cultura que surgieron en respuesta a la gran recesión de 2008 (sus ejemplos son movimientos sociales como el 15-M u organizaciones como la Plataforma de Afectados por la Hipoteca). A lo largo y ancho de su argumento se puede leer una rotunda impugnación de los procesos de modernización política y económica que han venido produciéndose en España desde el siglo XVIII hasta esta parte. Como integrantes de las élites intelectuales que los impulsaron, los intelectuales no salen bien parados. Y ello no tanto por las diferentes posiciones políticas que hubieran podido adoptar, cuanto por la posición estructural que ocupan en la sociedad moderna en tanto poseedores, en régimen de monopolio, de la inteligencia y el saber. Moreno Caballud no solo lamenta las desigualdades sociales engendradas por la emergencia de los intelectuales, sino que también cuestiona la jerarquización cultural que se deriva de ellas. El resultado es una desvalorización del concepto mismo de cultura, el cual, en el argumento de Moreno Caballud, no es otra cosa que una forma de legitimación de la exclusión social (68-69). Mi visión de la cultura y de la figura del intelectual es muy diferente: a pesar de que Ayala, a lo largo de su fecunda trayectoria, ocupó lugares de privilegio en varias instituciones científicas, mediáticas y culturales, todavía opino que merece la pena recuperar sus contribuciones a los procesos de modernización política y económica del Estado durante la Segunda República y el primer exilio. En otras palabras, aunque Ayala encarne una forma de pensar y de vivir –un tipo específico de subjetividad intelectual– cuyas condiciones materiales y humanas ya no se dan –ni se darán–, estoy lejos de creer que su ejemplo esté destinado a ser barrido por los inclementes vientos de la historia. Mi ánimo consistirá, precisamente, en intentar más bien lo opuesto: que su ejemplo, convenientemente historizado y sometido a crítica, ilumine alguna región de nuestro presente.

Más allá de las objeciones que puedan suscitar los libros de Garcés y Moreno Caballud, sus propuestas tienen dos virtudes innegables.[10] La primera de ellas consiste en ofrecer argumentos que representan muy bien la época en que vivimos. No solo captan, de alguna manera, el aire del tiempo, sino que, al hacerlo, describen una tendencia que no podemos ignorar: la que apunta a la transformación radical de la era de los intelectuales. En segundo lugar, las posiciones teóricas de

---

10. En el caso de Garcés, sus brillantes argumentos teóricos serían más persuasivos si estuvieran acompañados por una mayor historización de la sociedad que aspiran a transformar, en especial en lo que respecta a las dos instituciones que garantizan su reproducción, el Estado y el Mercado. En cuanto a la propuesta de Moreno Caballud, Eduardo Hernández Cano escribe que «en su argumento toda forma de cultura de élites, independientemente de su contenido, contribuye a la formación de una cultura neoliberal en España, estrategia de argumentación que quedaría justificada porque es el complejo 'saber-poder' el responsable último de aglutinar y hacer posible esa cultura neoliberal. Pero [...] su argumentación es débil, sin atención directa a los materiales culturales de esa tradición o a la bibliografía [...] porque de nuevo responde a sus preguntas de manera exclusivamente teórica» (375).

ambos autores –la perspectiva feminista de Garcés y el populismo de Moreno Caballud– nos permiten entender mejor tanto algunas de las condiciones que hicieron posible la aparición de una figura como Francisco Ayala como las limitaciones de su pensamiento (lo que hay en él de impensado en relación, por ejemplo, con las desigualdades de género y de clase social).

Este libro está organizado en torno a algunos de los acontecimientos más complejos, decisivos y, en ocasiones, dramáticos, de la primera mitad del siglo XX: el desmoronamiento de la República de Weimar (1918-1933), el ocaso de la dictadura de Primo de Rivera y la proclamación y afianzamiento de la Segunda República (1931-1936), el estallido de la Guerra Civil (1936-1939) y la primera etapa de la nueva vida en exilio (1939-1949). Todos estos acontecimientos figuran en el argumento como ocasiones favorables a la intervención del intelectual y como circunstancias que lo llevaron a definirse. Como los otros hombres y mujeres de su generación, Ayala tuvo que sobrellevar esos acontecimientos. Pero en cuanto intelectual no solo hizo eso. Además, elaboró una respuesta a los mismos, intervino en el debate público de su tiempo y, de paso, con cada intervención, fue dando forma a su subjetividad intelectual, alterándola y constituyéndola a medida que tomaba la palabra en defensa de los valores que, desde la modernidad, habían informado la intervención de los intelectuales: la libertad, la justicia y la verdad. Esclarecer el papel que las emociones (propias y ajenas) jugaron en estas intervenciones, en el discurso y las acciones del Ayala intelectual, será el objetivo de cada capítulo.

Empezaré el primer capítulo del libro, «Los intelectuales, entre la razón y las emociones», explicando brevemente en qué consiste el llamado «giro afectivo» que se ha venido produciendo en las humanidades y las ciencias sociales desde los primeros años del siglo veintiuno. En un segundo momento, utilizaré los hallazgos de este conjunto de saberes para interrogar el predominio de la razón en el análisis de los intelectuales, un grupo social cuyos antecedentes hunden sus raíces en la cultura racionalista del siglo XVIII. Frente a las visiones exclusivamente racionales del intelectual, trataré de argumentar que resulta inevitable atender a la dimensión afectiva de su intervención en el debate público a partir de un análisis del ensayo del gran sociólogo francés Émile Durkheim, «L'individualisme et les intellectuels» (1898), un texto escrito al calor de su intervención en el *affaire* Dreyfus. Además del ejemplo de Durkheim, ofreceré otros ejemplos de cómo las emociones fueron ganando terreno en los modelos de intelectual que se abrieron paso tras la Primera Guerra Mundial –el intelectual fascista y el nacionalista–. Cerraré el capítulo ofreciendo una primera explicación de cómo el análisis de los afectos puede ayudarnos a entender mejor las diferentes intervenciones de Ayala en el debate público.

En «Afectos, vocación y liberalismo», el segundo capítulo del libro, se abordarán dos elementos constitutivos de la trayectoria intelectual de Ayala: la decisión de permanecer fiel a su doble vocación (las letras y el pensamiento político) y las primeras expresiones de su conciencia política liberal. Apoyando mi interpretación en unos pasajes de las memorias de Ayala *Recuerdos y olvidos*, trataré de argumentar que el autor concebía los afectos y su capacidad para neutralizarlos como una dimensión indispensable tanto de su escritura como de su actuación política. También mostraré que cuando Ayala empezó a tomar una posición ante las convulsiones políticas que le rodeaban durante los últimos meses de la dictadura de Primo de Rivera (1923-1930), lo hizo en nombre de un nuevo liberalismo que era también un intento de canalizar las violentas pasiones que agitaban la vida social e intelectual de la época.

El tercer capítulo –«El colapso de la República de Weimar»– tomará como punto de partida su viaje a Berlín a finales de 1929 para ampliar su formación en derecho político. Allí Ayala, que a pesar de su juventud (contaba 23 años) tenía ya una obra considerable a sus espaldas, fue testigo de la desintegración de la República de Weimar. El capítulo examinará la respuesta a la crisis del Estado alemán que Ayala ofreció en las páginas de la revista *Política* (1930) pero también en otros textos creativos coetáneos («Erika ante el invierno» y «¡Alemania, despierta!»), y mostrará que en ellos desplegó algunas de las cualidades que resultarían decisivas en el resto de su obra: la objetividad y la distancia, sí, pero también una sensibilidad afectiva que sintonizó con el dolor, la angustia y la desesperación que observó en muchos alemanes durante sus dos estancias en Berlín.

El capítulo cuarto, titulado «Ante la Segunda República. Templanza emocional y legitimidad legal», se ocupará de la labor periodística desarrollada por Ayala en defensa del nuevo régimen democrático. Sobre todo en los dos primeros años de la Segunda República (1931-1933), Ayala acompañará el proceso de modernización social impulsado por el nuevo gobierno desplegando una intensa actividad: colaborará en periódicos como *Diario de Alicante, El Sol, Crisol* y *Luz*; publicará ensayos jurídicos y sociológicos en revistas especializadas; traducirá varias obras de derecho y sociología política (entre las que destaca la *Teoría de la Constitución* de Carl Schmitt en 1934); impartirá clases como profesor universitario de derecho constitucional; y, finalmente, asesorará a las Cortes como letrado de la institución. En este capítulo argumentaré que sus múltiples actividades, y en especial sus intervenciones periodísticas, pueden entenderse como una forma de defender las instituciones republicanas en nombre de lo que Max Weber llamó «la legitimidad de carácter racional-legal», para lo cual Ayala buscó regular la conducta emotiva de sus lectores, controlando o incluso suprimiendo las emociones generadas por las nuevas instituciones y libertades con el objetivo de consolidarlas.

El acontecimiento central del quinto capítulo, «En el fragor de la guerra. Variaciones sobre la lealtad», es el desmoronamiento del Estado republicano como efecto de la rebelión militar iniciada el 17 de julio de 1936. ¿Cómo reaccionó Ayala ante una rebelión que amenazaba la existencia misma del gobierno republicano, un proyecto político con el que estaba íntimamente vinculado desde sus inicios? En este capítulo defenderé que la disposición que mejor explica las diversas actividades desplegadas por Ayala durante la Guerra Civil es la lealtad. Como argumentaré, la lealtad es también una emoción que supone un sujeto constituido por las relaciones establecidas con los otros y las comunidades a las que pertenece. En este sentido, mostraré cómo la Guerra Civil propició la aparición de la lealtad en Ayala, una emoción que nos puede ayudar a entender no únicamente su decisión de regresar a España en el verano de 1936 para ponerse al servicio de la República (la guerra le sorprendió en Sudamérica, en una gira de conferencias académicas), sino también su posterior desempeño en la Legación española de Praga y su labor, cuando la guerra ya estaba perdida, como secretario general del Comité de Ayuda a España.

El sexto y último capítulo, titulado «Desde el mirador del exilio. Duelo, experiencia y universalismo», examinará los posicionamientos de Ayala en su exilio argentino entre 1939 y 1949. A partir del análisis de una serie de ficciones (el poema en prosa «Diálogo de los muertos» y «Día de duelo») y ensayos (*Una doble experiencia política* y *Razón del mundo*), se explicará que Ayala, a diferencia de muchos otros intelectuales republicanos, no vivió la derrota política y el exilio como una ocasión para la nostalgia, la frustración y el resentimiento. Si Ayala supo sobreponerse a la derrota sin caer en la melancolía es porque, como demostraré en el capítulo, consiguió desvincularse afectivamente de las pérdidas derivadas del fracaso de la República y de la guerra. En este sentido, dos conceptos con claras resonancias afectivas sostendrán el peso argumental de estas páginas: de un lado, el de duelo, un concepto derivado de la tradición psicoanalítica; y, de otro, el de «experiencia política viva», una expresión acuñada por el propio Ayala que integra la dimensión afectiva de la política.

A pesar de que estos seis capítulos están dedicados a esclarecer veinte años de la trayectoria intelectual de una única figura, no tienen ningún tipo de ambición biográfica. Su única aspiración es la de historiar críticamente, y desde las perspectivas abiertas por la historia de las emociones, las posiciones adoptadas por Ayala ante una serie de acontecimientos que han marcado la historia, esto es, el pasado y el presente, de la cultura española. Por supuesto, los capítulos tienen una clara dimensión personal y cierta densidad biográfica porque, como ha dicho Stephen Frosh, «los sentimientos son personales, pero desde luego no son privados» (9).[11] Y si se centran en un arco temporal relativamente reducido –los veinte años que median entre 1929 y 1949– es porque las ocasiones que propiciaron las sucesivas tomas de posición de Ayala son lo suficientemente complejas como para dedicarles un capítulo a cada una de ellas.

El estudio toma el año 1929 como punto de partida por la importancia que ese año tuvo en la biografía intelectual de Ayala. Con veintitrés años, Ayala ya había completado sus estudios de Derecho, era un colaborador habitual en algunas de las más significativas revistas culturales madrileñas –*Revista de Occidente, La Gaceta Literaria, Los Lunes de El Imparcial*– y tenía a sus espaldas dos novelas –*Tragicomedia de un hombre sin espíritu* (1925) e *Historia de un amanecer* (1926)– y una colección de ensayos sobre el cine –*Indagación del cinema* (1929)–. Su incipiente presencia en la

---

11. «Feelings are personal but they are certainly not private».

esfera pública durante los años más conflictivos de la dictadura de Primo de Rivera iba a adquirir una nueva dimensión con los acontecimientos que se produjeron en torno al año 1929. En efecto, en ese momento es cuando la conciencia política del escritor granadino tomó cuerpo, cuando decidió mantenerse fiel a su doble vocación de escritor y académico, y cuando viajó a Berlín y empezó a construir esa mirada exterior y distanciada que tan intensamente marcó su posición ante la Segunda República, la Guerra Civil y el exilio. Fruto de esta primera época de efervescencia literaria y política es la aparición de las ficciones vanguardistas de *Cazador en el alba*, que ve la luz en la editorial Ulises en 1930.

Si no hay duda, entonces, de la pertinencia de 1929 como año de arranque de este estudio, resulta legítimo preguntarse por la oportunidad de darle fin veinte años más tarde, en 1949. Y es que el año 1949 clausura, en muchos aspectos, el ciclo histórico de acontecimientos catastróficos ante los que Ayala, como todos los intelectuales de su época, tuvo que posicionarse. La derrota del fascismo y las conferencias de paz de la Segunda Guerra Mundial ponen fin a la vivencia de colapso civilizatorio propio de «la guerra civil europea» y abren una nueva época. Además, a nivel biográfico, 1949 es el momento en que Ayala pone fin a su experiencia argentina y da a la imprenta dos de sus obras mayores, los cuentos de *Los usurpadores* y *La cabeza del cordero*, que le aseguraron un lugar de honor en la historia de la literatura española.

A pesar de ser unos años decisivos en la historia de España y de Europa, y a pesar de que los posicionamientos intelectuales adoptados por Ayala resultaron fundamentales, las dos décadas de las que se ocupa este ensayo han pasado relativamente desapercibidas por la crítica. Los primeros estudiosos que se ocuparon de la obra de Ayala pusieron el acento sobre su dimensión narrativa y, consiguientemente, pasaron de puntillas sobre una época prácticamente huérfana de ficciones. Solo recientemente la producción ayaliana como escritor público ha empezado a recibir la atención que merece. Partiendo de una serie de estudios pioneros sobre la época, el libro hace un recorrido por el periodo comprendido entre 1929 y 1949 con vistas a entender mejor la influencia de las emociones en el discurso y las acciones del Ayala intelectual.[12]

Además de procurar entender mejor una época fascinante en la trayectoria intelectual de Ayala, durante la cual nuestro autor ejerció, entre otras cosas, de abogado, articulista, sociólogo, investigador, diplomático, profesor universitario, traductor y soldado, el libro aspira también a interrogar los marcos interpretativos heredados sobre el escritor granadino y sobre los años treinta y cuarenta del siglo pasado. Sin duda, este ensayo no aspira a sustituirlos por otros nuevos, ni quiere –ni puede– redefinir el significado entero de la producción intelectual de Ayala durante dos décadas extremadamente complejas. Lo que sí pretende, sin embargo, es introducir algunas dudas en los relatos heredados sobre la época al enfatizar el papel formativo que las emociones jugaron en ella.

Con esta insistencia en la importancia de las emociones para entender las intervenciones de Ayala en la realidad social y política de los años treinta y cuarenta del siglo pasado, no quisiéramos exagerar las analogías entre esa época y nuestro mundo. Sin duda, el mundo que Ayala vivió en su juventud y primera madurez (cuando contaba entre veintitrés y cuarenta y tres años, para ser exactos), no es, por fortuna, el nuestro. Entre muchas otras muchas diferencias, podemos destacar una: las democracias occidentales actuales exhiben un grado de racionalidad bastante superior al que era corriente en

---

12. Me han resultado especialmente útiles los estudios pioneros de Escobar, García Montero, Gil Cremades, Martín, Quaggio y Ribes Leiva.

los años treinta del siglo pasado. Pero la esperanza de este libro es que sus argumentos pueden ayudarnos a entender mejor nuestro mundo, señalando algunas de las continuidades y discontinuidades entre las dimensiones afectivas de la vida pública de ambos, identificando qué hay de novedoso en el presente, y qué de repetición o continuidad. De paso, también aspira a cuestionar la visión exageradamente racional del intelectual que se ha venido forjando desde el siglo XVIII, explicando su actuación como una manifestación no solo de la racionalidad sino también de la vida afectiva –la propia y la de los otros (a ese propósito dedicaré la conclusión del libro)–. En este sentido, y a partir del caso de Ayala, quisiera pensar que el libro también ofrece argumentos que pueden ser relevantes para los que se dedican a la historia cultural de los convulsos años treinta y cuarenta del siglo veinte.

Los intelectuales,
entre la razón y las emociones

La perspectiva contemporánea desde la que abordaré los posicionamientos intelectuales de Ayala durante el periodo 1929-1949 no es
otra que la abierta por el «giro afectivo», un fenómeno que, desde
aproximadamente los inicios del siglo veintiuno, se ha venido produciendo en las humanidades y las ciencias sociales. Con la expresión
«giro afectivo» se denota dos series de fenómenos complementarios
e interrelacionados entre sí.[13] El primero de ellos señala el creciente
interés que la vida afectiva –emociones, afectos, sentimientos, estados
de ánimo– ha despertado en investigadores afiliados a disciplinas
académicas que tradicionalmente no se habían ocupado de ella; el
segundo denota la paulatina colonización de diferentes ámbitos de
la vida –desde el espacio público hasta la economía, pasando por la
cultura– por parte de los afectos y las emociones. Aunque a lo largo
de estas páginas no distinguiré entre afectos y emociones cuando
los oponga a la dimensión racional del sujeto, sí que se trata de
entidades cualitativamente distintas. Como expliqué en otro lugar,

---

13. Esta breve descripción del «giro afectivo» sigue de cerca la exposición que
de él hacen Greco y Stenner en su muy útil introducción a *Emotions: A Social
Science Reader* (2008). El lector interesado en la historia de las emociones puede
consultar los siguientes textos en castellano: la introducción de Carolina Rodríguez-López al dosier sobre historia de las emociones publicado por *Cuadernos
de Historia Contemporánea*, el artículo de Jan Pampler en la misma revista y el
volumen colectivo editado por Delgado, Fernández y Labanyi.

las emociones poseen una intencionalidad (se dirigen a un objeto concreto), una dimensión cognitiva y una formulación lingüística de las que carecen los afectos, que son intensidades pre-lingüísticas y pre-subjetivas.[14] De forma más general, considero muy útiles las diferenciaciones que establece el politólogo Manuel Arias Maldonado en *La democracia sentimental.* Así, Arias Maldonado propone diferenciar entre

> [...] afectos (cuya cualidad pre-consciente y material los excluye a veces del campo de la vida subjetiva), emociones (incluidas las pasiones, o emociones no controlables), sentimientos (ligados a las emociones, pero distinguibles de ellas), estados de ánimo (pasajeros o prolongados, pertenecientes a la vida afectiva, pero difícilmente identificables con las categorías anteriores) y sensaciones (estímulos corporales o sensoriales provenientes del exterior y que pueden activar respuestas afectivas y/o emocionales). (55-56)

Hechas estas distinciones, cabe recordar que las dos disciplinas que monopolizaron el estudio de los afectos a partir del siglo XIX fueron la psicología y la biología, y que lo hicieron desde una perspectiva que enfatizaba los aspectos fisiológicos de las emociones, los cuales, a su vez, podían ser observados, descritos y controlados de acuerdo con parámetros científicos.[15] Desde las postrimerías del siglo XX y los inicios del siglo XXI, sin embargo, han surgido otras

---

14. Véase la introducción a mi libro *Imperial Emotions: Cultural Responses to Myths of Empire in Fin-de-Siècle Spain* (2013).

15. Como señala Dixon, en el contexto anglosajón las emociones se constituyeron en objeto de investigación psicológica únicamente a lo largo del siglo XIX. Anteriormente, en la Antigüedad, la Edad Media y la Edad Moderna las emociones, bajo otro nombres como pasiones, afecciones, apetitos o sentimientos, suscitaron sobre todo el interés de la filosofía y la teología.

teorías de la vida afectiva. Estas han incidido en los aspectos fisiológicos de las emociones, sí, pero también han venido enfatizando su dimensión cultural y social. Generadas tanto por las ciencias sociales (antropología, sociología, ciencia política, economía) como las humanidades (filosofía, historia, crítica literaria, estudios culturales, de género o de la religión), estas teorías de la vida afectiva tienen una dimensión claramente reflexiva: producen conocimiento sobre las emociones y, a la vez, interrogan dicho conocimiento.

Sin que se pueda detectar una forma común de conceptualizar la vida afectiva, pues algunos investigadores derivan sus concepciones de la neurobiología, pero otros siguen trabajando dentro del paradigma constructivista y culturalista hecho posible por el giro lingüístico y textual de los años sesenta y setenta del siglo pasado, sí que hay una serie de preocupaciones –o premisas– comunes. Entre ellas, destacan, en primer lugar, una clara insatisfacción con las explicaciones racionalistas del mundo y la sociedad. De esta manera, y para dar cuenta también de la materialidad y la corporalidad, se pone de manifiesto la centralidad de los afectos en la configuración de juicios políticos, en la toma de decisiones, en la elaboración de creencias o en la adhesión a determinadas ideas e instituciones.

En segundo término, muchos de los estudios que participan del giro afectivo comparten una forma de abordar la emocionalidad que pone en valor sus aspectos cognitivos. Por eso, desdibujan la frontera entre emoción y razón. La visión neoestoica de las emociones propuesta por Martha Nussbaum, por ejemplo, apunta a que las emociones son un tipo de juicio que supone la evaluación de un objeto fundamental para nuestro bienestar pero que a menudo elude nuestro control (19-88). De forma paralela, hay toda una rama de la psicología y de la economía conductual dedicadas a examinar los sesgos cognitivos, algunos de ellos derivados de afectos y emociones, que distorsionan la interpretación de los hechos y la toma de decisiones.

La tercera preocupación común de los partidarios del giro afectivo, según Greco y Stenner, consiste en pensar la relación entre el poder y las emociones. De ahí que para ellos las ciencias sociales puedan y deban proporcionar «un tipo de reflexión crítica acerca de cómo el conocimiento psicológico de las emociones contribuye al desarrollo de los procesos sociales, media en las relaciones de poder y gobernanza y, con ello, en las sensibilidades y las experiencias afectivas de los individuos» (14).[16] Hasta aquí las preocupaciones comunes que subyacen al interés suscitado por los estados afectivos en una multitud de disciplinas académicas.

Como he apuntado más arriba, el segundo fenómeno indicado por la expresión «giro afectivo» no solo es paralelo al primero, sino que se puede decir que de alguna manera se encuentra en su origen. En efecto, el creciente interés por la vida afectiva manifestado por las humanidades y las ciencias sociales surge de algún modo de la evidencia de que vivimos en un mundo cada vez más saturado de afectos y emociones. Se dice que vivimos en una «sociedad afectiva» (Watson), en la cual nuestro apego a ciertas formas de vida, creencias e instituciones pasa por los afectos (y no solo, o no tanto, por la razón). No pocos indicios señalan también que las emociones compiten con la racionalidad como protocolo de discurso en la esfera pública, ese ámbito de mediación social que hace posible la deliberación en común y la crítica del orden político vigente. La

---

16. «A form of critical reflection on how psychological knowledge of emotions contributes to social processes, how it increasingly mediates relations of power and governance, and with it also the sensibilities and likely affective experiences of participants».

clásica (e idealizada) descripción de la esfera pública ofrecida por Jürgen Habermas en *Historia y crítica de la opinión pública* (1962) consagraba el «uso público de la razón» como el modelo normativo de intervención en el debate público (66). Hoy varios diagnósticos señalan la insuficiencia de tal modelo. Lauren Berlant, por ejemplo, ha observado que el discurso nacionalista estadounidense contemporáneo ha transformado la esfera pública en una «esfera pública íntima». En ella, la política se privatiza: la construcción de una personalidad orientada hacia la participación en la vida política deja de ser considerada un bien público y, en su lugar, se promueve un concepto de ciudadanía vinculado a la intimidad, a los actos privados, a la lógica familiar, y a la heteronormatividad (1-6). Manuel Arias Maldonado, por su parte, ha indicado que las nuevas tecnologías de comunicación debilitan la argumentación racional. «Más que fomentar una deliberación racional e informada, las redes sociales modulan y amplifican un estado de ánimo; operan por contagio y de ahí el éxito de las metáforas virales» («Las bases afectivas» 162).

La sentimentalización de la vida, sin embargo, no queda circunscrita a su dimensión política. Además de impregnar nuestra identificación con instituciones y creencias y nuestra forma de intervenir en el debate público, las emociones se han convertido en los últimos años en un asunto clave del mundo económico. Como ha puesto de manifiesto la socióloga Eva Illouz, en los albores del siglo XX surge una nueva forma de capitalismo que ella denomina «capitalismo emocional», esto es, «una cultura en que los discursos y prácticas emocionales y económicas se configuran mutuamente» (5).[17] El auge de los discursos psicoterapéuticos y de autoayuda,

---

17. «A culture in which emotional and economic discourses and practices mutually shape each other».

tanto en el mundo de la empresa como en la cultura popular y la vida cotidiana, ha tenido un efecto doble: por un lado, ha integrado las emociones en nuestros comportamientos económicos y, por otro, ha transformado profundamente nuestra vida afectiva al intentar racionalizarla, como si se tratara de un intercambio económico. En la modernidad tardía, poseer un alto grado de «competencia emocional», lo que Illouz entiende como la capacidad de exhibir un estilo emocional caracterizado por el autoanálisis, la gestión de las emociones y la empatía, no solo es una forma de acumular capital social y de ascender profesionalmente; también es una forma de adaptarse a las contradicciones, tensiones e incertidumbres creadas por el capitalismo financiero, una adaptación que acaba creando, para las clases medias con acceso a la cultura psicoterapéutica, unas relaciones laborales y familiares más igualitarias y democráticas (64-71).[18]

Si hoy los afectos se han convertido en una forma más de capital, no debería sorprendernos su ubicuidad. Saturan, por ejemplo, las campañas publicitarias basadas en el «marketing emocional», una forma de comunicación comercial que intenta crear vínculos emocionales entre consumidores y marcas. Se infiltran en las aulas de colegios, institutos y universidades bajo la forma de la «pedagogía emocional», una disciplina que «ofrece una fundamentación científica a la educación emocional, mediante el conocimiento teórico y aplicativo de cómo se activan en los contextos educativos los procesos y competencias emocionales relacionadas con la motivación, el aprendizaje y el autodesarrollo humano» (Núñez Cubero 68).

---

18. Según Illouz, este proceso emancipador tiene sin embargo un coste: a medida que se consiguen mayores cuotas de igualdad y libertad en el mundo laboral y familiar, se produce también una mayor y más intensa racionalización y mercantilización del yo (110).

Y, como hemos venido viendo, colonizan las pantallas de nuestros hogares y el espacio público de la virtualidad. Pensemos en los *reality shows* y los programas del corazón, formas de entretenimiento entregadas a la exhibición de los sentimientos más descarnados y primarios; o en algunas páginas de internet y en redes sociales como Twitter o Facebook, espacios que en los últimos tiempos parecen especializarse en la creación de un hiperbólico clima de apasionamiento colectivo.

Los intelectuales: soberanía, razón y emociones

La contemporánea sentimentalización de la vida pública parece un terreno poco propicio para los intelectuales, un grupo social que hizo su primera aparición en las postrimerías del siglo XIX. Como ha observado recientemente Santos Juliá, en esa época la voz «intelectual» deja de ser empleada casi exclusivamente como un adjetivo y empieza a emplearse como sustantivo, preferentemente en plural: asistimos entonces al nacimiento de los intelectuales como colectividad que expresa un compromiso político con la realidad de su tiempo. Eran los intelectuales aquellos escritores que

> [...] habiendo alcanzado alguna notoriedad en el ejercicio de su oficio como literatos, artistas, científicos o sabios, intervenían en el debate público en defensa de valores universales, como la justicia, la libertad, la verdad, y lo hacían en nombre de esos nuevos sujetos colectivos surgidos tras el derrumbe del Antiguo Régimen, la masa, la clase obrera, el pueblo, la patria, o la verdadera, única y eterna nación. (*Nosotros* 9)

Es ya un lugar común de la historiografía señalar que el acontecimiento que más hizo por la constitución de los intelectuales como colectividad a finales del siglo XIX fue el llamado *affaire* Dreyfus, que partió a Francia en dos y llegó incluso a cuestionar la existencia misma de la república.[19] Sin duda, el episodio más recordado de este asunto se debe a la pluma de Émile Zola, quien solicitó con vehemencia al presidente de la República, el Sr. Félix Faure, la revisión de la condena del capitán Dreyfus en su arriesgado y célebre «J'Accuse...!», publicado en el periódico *L'Aurore* el 13 de enero de 1898.[20]

Para apreciar el peso relativo de la razón y las emociones en los intelectuales, sin embargo, conviene detenerse en una figura menos conocida de esta historia. Me refiero a Émile Durkheim (1858-1916), el gran sociólogo francés que se batió al lado de Zola y de los llamados intelectuales en el *affaire* Dreyfus. Al calor de la intensa

---

19. En la Francia de finales del siglo XIX, el capitán Alfred Dreyfus, que era alsaciano y judío, fue acusado de espiar para Alemania, juzgado por traición, y condenado con escasas pruebas a ser degradado y deportado a perpetuidad a la Isla del Diablo (Guayana Francesa). Varias figuras destacadas de la cultura y la política francesa de la época, identificadas con los valores republicanos, solicitaron la revisión del caso –desde el general Picquart hasta Émile Zola, pasando por Émile Durkheim, Georges Clémenceau, Jean Jaurès o Léon Blum–. Frente a ellos, se opusieron enérgicamente a dicha revisión una serie de escritores no menos destacados (desde Maurice Barrès hasta el antisemita Édouard Drumont), y lo hicieron en nombre de los valores contrarrevolucionarios supuestamente encarnados en la tradición cultural francesa. El caso terminó con la rehabilitación del capitán injustamente condenado. Para un relato del caso Dreyfus, véase Tuchman (171-226). Kritzman ofrece un útil y breve panorama de la cuestión de los intelectuales en Francia. Para el nacimiento y la historia de los intelectuales en España, véase Fox, Juliá y Serrano; Aubert (2019) ofrece un reciente estado de la cuestión acerca de la «historia de los intelectuales» considerada como una disciplina académica.

20. Se puede consultar el artículo de Zola, junto con una serie de entrevistas y cartas relacionadas con el caso, en *The Dreyfus Affair*.

y enconada polémica que se vivió en aquellos años, Durkheim identificó a los intelectuales como aquellos que «ponen su razón por encima de la autoridad» (4).[21] Si los intelectuales supieron protestar por la injusta condena de Dreyfus y comprometerse con una causa política, proseguía Durkheim, es porque su actitud estaba fundamentada en el individualismo filosófico de Kant y Rousseau, para quienes las únicas formas morales de comportamiento son aquellas que «pueden convenir a todos los hombres indistintamente, es decir, aquellas implicadas en la noción de hombre en general» (5).[22]

Esta apelación al individualismo filosófico del siglo XVIII nos recuerda que los precursores del intelectual hicieron su primera aparición en el marco del racionalismo ilustrado. De hecho, como observa Zygmunt Bauman, el surgimiento de los intelectuales no puede entenderse sin la emergencia conjunta, en los albores de la modernidad, de dos fenómenos marcados por la razón: de un lado, la emergencia de un nuevo tipo de poder estatal exigido por la implantación de un Estado absolutista que concibe la sociedad como una totalidad racional y ordenada y, de otro, la autonomización de un discurso que, una vez desligado de las servidumbres impuestas por el modelo de publicidad aristocrático, permite (en teoría) a cualquier ciudadano privado intervenir en el debate público mediante el uso de su razón (es lo que Habermas estudió como el desarrollo de la esfera pública burguesa).

Estas nuevas condiciones políticas y culturales inauguraron la posibilidad de ejercer una actividad insólita por parte de las élites culturales: diseñar y administrar un sistema social que hiciera posible

---

21. «Ils mettent leur raison au-dessus de l'autorité».

22. «Peuvent convenir à tous les hommes indistinctement, c'est-à-dire qui sont impliquées dans la notion d'homme en général».

la implantación del Estado absolutista. Esta fue la primera tarea de los intelectuales, esos hombres de letras a los que Zygmunt Bauman, en feliz expresión, denominó «legisladores». Se trataba de un grupo de pensadores que aspiraba a recuperar la figura del *philosophe* del siglo XVIII en la medida en que representaba la utopía de un saber unitario que en la práctica había sido irremediablemente fragmentado. De esta manera,

> [...] en el campo fragmentado de los especialistas y expertos, [el sustantivo colectivo «intelectuales»] evoca sin embargo el fantasma de los «pensadores como tales», personas que viven para y por ideas no contaminadas por ninguna preocupación limitada por la función o el interés; personas que preservan la aptitud y el derecho de dirigirse al resto de la sociedad (incluidos otros sectores de la élite culta) en nombre de la Razón y principios morales universales.[23] (Bauman 37)

De raigambre claramente ilustrada, el arquetipo del intelectual contemporáneo es un sujeto soberano y autónomo, dueño de sí mismo. Es un sujeto que habla, escribe y actúa exclusivamente en nombre de la razón porque está aislado de los otros y es aparente-

---

23. Un ejemplo tardío de la persistencia del fantasma de los «pensadores como tales», auténticos intelectuales inmunes a la fragmentación moderna de la Razón, nos lo proporciona José Ortega y Gasset en *La rebelión de las masas* (1930). Allí Ortega arremetía contra el especialista –prototipo del hombre-masa– que «‘sabe’ muy bien su mínimo rincón de universo; pero ignora de raíz todo el resto» (*Obras* IV: 444). Frente a este bárbaro y primitivo «sabio-ignorante» entregado a la técnica y a la ciencia experimental, Ortega reivindicaba las virtudes de un cada vez más escaso «hombre culto» que se esforzaba por dominar –tarea titánica si no imposible– las diversas regiones del saber. Hoy, se lamentaba Ortega en 1930, hay «muchos menos hombres ‘cultos’, por ejemplo, que hacia 1750» (445).

mente inmune a sus intereses y pasiones. Luis Bautista Boned lo ha expresado certeramente: «El control completo de las pasiones, las emociones y las sensaciones lo convierte, además, en un ser auto-contenido que establece una relación unidireccional con la realidad: él puede actuar sobre ella, como sujeto activo, pero no sucede lo mismo a la inversa, porque el sujeto activo devendría pasivo» (33).

No resulta difícil detectar la impronta de esta herencia ilustrada (y clásica, pues Bautista Boned la hace remontar a Platón) en el esquema de Durkheim. Para Durkheim, si el intelectual protesta solo puede hacerlo en nombre de una noción abstracta de persona: la persona desprovista de particularidades, de determinantes sociales o de pasiones; el individuo impersonal y anónimo, depositario de unos derechos imprescriptibles. De acuerdo con la genealogía ilustrada del intelectual trazada por Durkheim, los sentimientos de Dreyfus son completamente irrelevantes: no cuentan para nada, en la medida en que los intelectuales protestan en nombre del «hombre en general». En su primera cristalización contemporánea, la tarea del intelectual es ciega a las emociones de los otros en la medida en que se rige más bien por la fidelidad a unos principios abstractos de razón, justicia y verdad. Al hacer pie en el individualismo filosófico ilustrado, el intelectual no tiene más remedio que ser ciego a las emociones de las personas en cuyo nombre toma la palabra. El destinatario de la intervención del intelectual es un individuo –o un grupo social– sin otras cualidades o particularidades que las de ser depositario de unos derechos formulados durante la Ilustración y consagrados por la Revolución francesa.

¿Pero qué hay de las emociones propias, de la vida afectiva de los intelectuales? ¿Es relevante atender a la dimensión afectiva de su intervención en el debate público? ¿Qué mueve a los intelectuales a tomar la palabra en nombre de un individuo o de una colectividad? Sobre este punto concreto el esquema de Durkheim ya no sigue exclusivamente los dictados de la razón. La clave del asunto reside en su concepción de las sociedades liberales contemporáneas –y en concreto de la Francia de 1898–. Para asegurar la cohesión social, observa Durkheim, las sociedades liberales han hecho del individualismo algo más que un simple fundamento racional: el individualismo se ha convertido en una auténtica religión, un conjunto de creencias y prácticas colectivas que, a pesar de surgir de la razón, acaban adquiriendo visos religiosos al concitar una adhesión mayoritaria de los miembros de la sociedad. A su vez, esta «religión de la humanidad cuya moral individualista es la expresión racional» (9) se convierte en lo más preciado de una nación. Transformado en una suerte de religión cívica, el individualismo hace que el hombre se convierta en un dios para los otros hombres. «Y como cada uno de nosotros encarna alguna cosa de la humanidad, cada conciencia individual tiene en ella algo de divino y, de esta suerte, está marcada por un carácter que la hace sagrada e inviolable ante los otros» (9).[24] Es en este punto concreto que Durkheim abre un espacio para los afectos en la actividad de los intelectuales y les reserva un papel. Si los intelectuales se oponen enérgicamente a cualquier violación de los derechos del individuo «no es solo por un sentimiento de simpatía hacia la víctima, o por el miedo a sufrir una injusticia semejante» sino porque

[...] tales atentados no pueden quedar impunes sin comprometer la existencia nacional. En efecto, es imposible que [los

---

24. «Cette religion de l'humanité dont la morale individualiste est l'expression rationnelle»; «Et comme chacun de nous incarne quelque chose de l'humanité, chaque conscience individuelle a en elle quelque chose de divin, et se trouve ainsi marquée d'un caractère qui la rend sacrée et inviolable aux autres».

quebrantamientos de los derechos del individuo] se produzcan en libertad sin estimular los sentimientos violados; y como estos sentimientos son los únicos comunes a todos, no pueden debilitarse sin que la cohesión social se rompa.[25] (10)

En otras palabras, la actuación del intelectual nace de una rebelión íntima, no de la razón. Lo que le mueve a actuar, a coger su pluma y a alzar su voz, es un sentimiento análogo al que los creyentes experimentan cuando se profana una cosa sagrada. Porque los intelectuales no son (y no pueden ser) criaturas puramente racionales, porque también están constituidos por ciertos sentimientos colectivos (los sentimientos nacionales basados en el dogma compartido del individualismo), se ven afectados por la lesión de dichos sentimientos comunes. Su actuación ante una violación de los derechos del individuo estará guiada por la razón y por la fidelidad a unos principios abstractos de verdad y justicia, pero se origina en un sentimiento.

De alguna manera, para Durkheim el intelectual encarna dos tradiciones de pensamiento en teoría contradictorias: de un lado, está constituido por la tradición del racionalismo ilustrado de los *philosophes*, pero, de otro, oficia de sumo sacerdote de la religión del individualismo. Si en la práctica no hay contradicción entre estas dos teorías morales es porque la conjunción de ambas es necesaria para asegurar la cohesión y la solidaridad de las sociedades libera-

---

25. «Ce n'est pas seulement par sympathie pour la victime; ce n'est pas non plus par crainte d'avoir eux-mêmes à souffrir de semblables injustices. Mais c'est que de pareils attentats ne peuvent rester impunis sans compromettre l'existence nationale. En effet, il est impossible qu'ils se produisent en liberté sans énerver les sentiments qu'ils violent; et comme ces sentiments sont les seuls qui nous soient communs, ils ne peuvent s'affaiblir sans que la cohésion de la société en soit ébranlée».

les modernas: «Así el individualista, que defiende los derechos del individuo, defiende a la vez los intereses vitales de la sociedad en la medida en que impide que se menoscabe de forma criminal esta última reserva de ideas y de sentimientos colectivos que constituyen el alma misma de la nación» (10).[26] La conclusión es clara: la auténtica amenaza para la solidaridad nacional la representan los «anti-Dreyfusards», Maurice Barrès y la derecha nacionalista, y no los intelectuales que, como Zola y el propio Durkheim, enarbolan los valores universalistas de la izquierda.

Teorías posracionalistas del intelectual

Si me he detenido en el ensayo de Durkheim y en su teoría del intelectual es porque ponen de manifiesto la dificultad de concebir la tarea del intelectual en términos puramente racionales. Lo que Durkheim nos enseña es que resulta inevitable tener en cuenta los afectos, pues justo en el momento en que los intelectuales irrumpen en la escena pública contemporánea enarbolando los valores del más estricto universalismo ilustrado y republicano, los sentimientos se cuelan por la puerta de atrás, convirtiéndose en el resorte indispensable que lleva a los intelectuales a intervenir en un asunto dado y a comprometerse con una causa política. Otra manera de decir esto consiste en observar que, en las postrimerías del siglo XIX, el intelectual que aspira al estatus del «pensador

---

26. «Ainsi l'individualiste, qui défend les droits de l'individu, défend du même coup les intérêts vitaux de la société; car il empêche qu'on n'appauvrisse criminellement cette dernière réserve d'idées et de sentiments collectifs qui sont l'âme de la nation».

como tal», el intelectual que se ve a sí mismo como sujeto privilegiado de la historia y como encarnación de una forma de vivir racional y superior a todas las demás, comienza a mostrar signos de desgaste. En tanto creación y agente privilegiado de la Ilustración, el intelectual-legislador de Bauman es indisociable de una serie de conceptualizaciones de la modernidad cuyo denominador común es la lucha sin cuartel contra la vida afectiva. Bauman ha descrito con precisión esta conceptualización, que estaba asociada a una teoría de la historia que suponía

> La visión de la historia como la marcha incontenible de *les lumières*: una difícil pero finalmente victoriosa lucha de la Razón contra las emociones o los instintos animales, la ciencia contra la religión y la magia, la verdad contra el prejuicio, el conocimiento correcto contra la superstición, la reflexión contra la existencia acrítica, la racionalidad contra la afectividad y el imperio de la costumbre. Dentro de esa conceptualización, la época moderna se definió a sí misma, sobre todo, como el reino de la Razón y la racionalidad; las otras formas de vida, por consiguiente, se veían como deficientes en ambos aspectos. (161)

Con la crisis finisecular del siglo XIX, esas otras formas de vida excluidas por la cultura de minorías de la modernidad ilustrada –las masas proletarias y campesinas– se abren paso y reclaman acceso a los bienes de la civilización que les han sido negados. Es la dimensión política de una crisis espiritual más amplia, un conflicto entre los valores de la Ilustración y el Romanticismo, que Pedro Cerezo ha denominado «una crisis omnímoda del mundo burgués en la fase de implantación de la revolución industrial» (35). Común a toda Europa, ese ambiente de honda crisis espiritual y de agotamiento del racionalismo da lugar en España a lo que tradicionalmente se ha llamado la generación del 98 y el modernismo, dos movimientos literarios que tuvieron una influencia decisiva en la formación de Ayala. Y con la agonía del orden burgués «en su primera configuración política –el liberalismo– y en sus principios ideológicos constitutivos –el intelectualismo metodológico y el positivismo–, con su ingenuo optimismo racionalista y su desaforada confianza en el desarrollo científico-técnico» (42-43), entran en crisis también los intelectuales legisladores, el grupo social que, en los albores de la modernidad, se arrogó la tarea de concebirlo y administrarlo.

Pero no solo los intelectuales se ven afectados por el desengaño de la inteligencia. El declive europeo de la cultura racionalista y del intelectualismo alcanza a todas las élites culturales. En las escasamente vendidas pero extraordinariamente influyentes novelas de 1902 –*Camino de perfección* de Baroja, *La voluntad* de Azorín, *Sonata de Otoño* de Valle-Inclán y *Amor y pedagogía* de Unamuno– es bien visible esa dimensión antiintelectual; y decimos antiintelectual en la medida en que los protagonistas de dichas novelas, al darse cuenta de que la inteligencia y la razón ya no pueden dar sentido a la vida, buscan un refugio en la voluntad, el deseo, los afectos o las emociones estéticas.

Cuando la razón ya no es suficiente para constituir y sostener al intelectual, la vida afectiva de las élites culturales y de sus públicos empieza a asomar por los lugares más inesperados. Los ejemplos abundan en la literatura sobre los intelectuales posterior al *affaire* Dreyfus. Uno de los más señalados nos lo proporciona, muy a pesar suyo, Julien Benda. Al idealizar la figura del intelectual en su famoso panfleto *La trahison des clercs* (1927), Benda no solo exhibió el mismo apasionamiento que pretendía condenar, sino que dejó constancia de la proliferación de otras teorías y prácticas intelectuales que sí otorgaban un lugar importante a los afectos. Así, en su alegato por el clérigo retirado del mundo que cultiva con desinterés la responsabilidad contraída con la razón, la justicia y la verdad, Benda lamenta que muchos de los intelectuales de fin de siglo se hayan entregado a las pasiones políticas de las masas, en especial «la pasión nacional» y «la pasión de clase» (44-52). Las intervenciones de Theodor Mommsen, Wilhelm Ostwald, Maurice Barrès, Charles Maurras, Gabriele d'Annunzio o Rudyard Kipling constituían la prueba para Benda de que los intelectuales, en lugar de considerar con indiferencia o distancia las pasiones políticas, las alentaban –y esto constituía una ruptura radical con lo que, según él, venía ocurriendo desde la Antigüedad clásica hasta las postrimerías del siglo XIX–.

La traición de los clérigos podía adquirir diferentes formas, pero todas ellas acababan potenciando unas pasiones políticas que galopaban desbocadas en un mundo abandonado por la razón. Así, se lamenta, son traidores los intelectuales que han hecho suyas las pasiones políticas de las masas y las adoptan con todas sus características (tendencia a la acción, deseo de inmediatez, preocupación por los objetivos y desprecio de la argumentación) (56-81); los que de algún modo las incorporan en el seno de su actividad intelectual (82-95); y también los que llegan a ellas por medio de sus propias doctrinas, cuando toman partido por lo particular y lo práctico y, a la vez, denuncian lo universal y lo espiritual (96-219). El balance de Benda es desolador. En sus predicciones resuenan, además, ecos apocalípticos: impulsadas y prestigiadas por la traición de los intelectuales, estas pasiones políticas, «ya sean de raza, de clase, de partido, de nación» (39) harán que el siglo XX acabe pasando a la historia como «el siglo de la *organización intelectual de los odios políticos*» (40; énfasis original).[27]

---

27. «Qu'elles soient de race, de classe, de parti, de nation»; «le siècle de *l'organisation intellectuelle des haines politiques*».

Si esto es así, entonces el libro de Benda es también un testimonio de la vitalidad de la figura del intelectual traidor, del intelectual entregado a las pasiones políticas. Lo que nos viene a mostrar Benda es que, en un mundo dominado por las pasiones políticas y por los intelectuales que las potencian, el *clerc* subjetivado por los principios universales y eternos de verdad y justicia es la última esperanza. Pero, por esa misma razón, el intelectual auténtico e independiente es también una figura residual, una suerte de predicador en el desierto. Este es el mundo, en definitiva, en el que Francisco Ayala se formó y empezó a tomar la palabra en público: un mundo en el que las pasiones políticas no solo habían dejado de estar prohibidas a los intelectuales, sino que se convertían, cada día con más fuerza, en una poderosa dimensión de su actividad.

Para entender cómo se llegó hasta este mundo en que las emociones se incorporaron a la actividad de los intelectuales, hay que volver a la ya mencionada crisis del orden liberal burgués de las postrimerías del siglo XIX –una crisis, por cierto, sobre la que Ayala reflexionó con intensidad en sus escritos sobre el liberalismo–.[28] El aspecto de esta crisis que preocupaba sobremanera a Benda era el caso del intelectual que adoptaba posiciones políticas autoritarias y renegaba de los dogmas liberales, ya fuera por contentar a una burguesía inquieta ante la agitación proletaria o por comprometerse con la causa proletaria misma, evidenciando así una actitud nueva, caracterizada por «una sed de sensaciones, una necesidad de experimentar cosas, que se ha afirmado en ellos de un tiempo a esta parte y que los hace adoptar

---

28. Véase, entre otros, la temprana reflexión «Los derechos individuales como garantía de libertad» (1935) y los ensayos *El problema del liberalismo* (1941), *Historia de la libertad* (1943) o *Ensayo sobre la libertad* (1944). Todos ellos están recogidos en el volumen V de sus obras completas, dedicado a los ensayos políticos y sociológicos, y a todos ellos aludiré en ulteriores capítulos.

una posición política en función de las sensaciones y conmociones que esta les suministre» (214).[29] Al expresar su preocupación por la irrupción del autoritarismo en los intelectuales, Benda está pensando en contemporáneos suyos como Maurice Barrès, Charles Maurras, Gabriele d'Annunzio o Georges Sorel, el famoso autor de las *Réfléxions sur la Violence*, el cual, según Benda, despreciaba la alegría vinculada al ejercicio del pensamiento y valoraba, por encima de cualquier otra cosa, «las sensaciones de la acción» (216).[30]

Desde luego, Benda no compartía la repugnancia manifestada por estos intelectuales hacia las instituciones democráticas. Pero su diagnóstico nos muestra dos cosas que no podemos ignorar. La primera es que, a finales de los años veinte del siglo pasado, el ideal del *clerc* únicamente atravesado por la razón ya no guarda correspondencia con la realidad social de la época, ya sea porque los intelectuales afectan sentimientos políticos autoritarios, o bien porque quieren experimentar las sensaciones propias de la acción (o por las dos cosas a la vez). Y el segundo aspecto relevante del diagnóstico de Benda es que esa realidad social marcada por la crisis del orden liberal-burgués del siglo XIX anuncia otros modelos de intelectual, por más señas el intelectual marxista y el nacionalista-fascista. Si uno de los síntomas de la traición de los intelectuales es la vinculación con lo particular y la denuncia de lo universal, los máximos exponentes de esa traición son para Benda los intelectuales que socavan la noción abstracta de persona en nombre de una clase social o de la nación. Y es precisamente en esta vinculación con la diferencia de clase social

---

29. «Une soif de sensations, un besoin d'éprouver, qui s'est affirmé chez eux depuis un temps et leur fait adopter une posture politique selon ce qu'elle leur peut procurer de sensation et d'émoi».

30. «Les sensations de l'action».

o con el particularismo nacional que entran en escena los afectos (aunque no siempre se los nombra como tales). En pocas palabras: otra forma de pensar las contribuciones de la tradición marxista y la nacionalista a las teorías del intelectual consiste en observar que articulan formas posracionalistas de ser intelectual. Dos ejemplos de este intento, que analizaré en un capítulo posterior, son las justamente famosas páginas de Antonio Gramsci en los *Cuadernos de la cárcel* (escritos entre 1929 y 1935) y las de Carl Schmitt en *Sobre el parlamentarismo* (1923).

El mundo de Ayala: el intelectual hace frente a las emociones

Cuando Francisco Ayala empezó a tomar la palabra en público a finales de los años 1920, dos nuevas figuras de intelectual estaban surgiendo: el intelectual marxista y el fascista. Siguiendo el argumento de Benda, podríamos decir que lo que tenían en común los intelectuales marxistas y nacionalistas-fascistas eran los siguientes tres elementos: haber traicionado su misión, haber repudiado los principios universalistas de la Ilustración y, consiguientemente, haber claudicado ante las masas, ya fueran proletarias o nacionales. A lo largo de su trayectoria intelectual, Ayala estuvo bastante cerca del modelo de Benda. Tal vez el momento en que Ayala se distanció más de Benda fue cuando se afilió al partido de Azaña –Acción Republicana– y se comprometió sin reservas con la Segunda República entre 1931 y 1933. Durante esa época, como veremos en los siguientes capítulos, si Ayala cultivó la responsabilidad contraída con la razón, la justicia y la verdad, lo hizo de forma interesada. Su objetivo no fue otro que afianzar y defender unas instituciones, muy frágiles en España, que podían ampliar espacios de democracia, justicia y libertad. En este aspecto concreto, se alejaba del desinterés y de la idealización de la figura del intelectual preconizados por Benda en *La trahison des clercs*.

Pero en líneas generales Ayala estaba cerca de Benda en su recelo ante las pasiones políticas y su defensa básica del liberalismo. Como él, defendió los principios universalistas de la Ilustración, afirmó la existencia de una élite intelectual que guiara y encauzara las energías de las masas, y se opuso a los intelectuales marxistas y fascistas que intentaron superar la vía democrático-liberal apelando a soluciones autoritarias. En su defensa del liberalismo, Ayala intuyó –pero nunca llegó a teorizar– la importancia de las emociones. Lejos de potenciarlas, como hicieron los intelectuales marxistas y fascistas, Ayala trató de templarlas y moderarlas. De ahí que concibiera las instituciones políticas como dispositivos para aplacar las pasiones y los intereses de los individuos –especialmente en una sociedad tan polarizada como la española a finales de los años veinte y, sobre todo, los treinta–.

Si Benda lamentaba que muchos de los intelectuales de fin de siglo se hubieran entregado a las pasiones políticas de las masas, en especial «la pasión nacional» y «la pasión de clase», Ayala no solo rechazó ese fenómeno; además, procuró entenderlo y calibrar su fuerza. Pero como Benda, Ayala aspiró a situarse por encima de las pasiones de la gente y, desde ese observatorio, procuró moderarlas, guiarlas y encauzarlas. De alguna manera, no solo percibió la importancia de las emociones en diferentes contextos históricos –la desintegración de la República de Weimar, la Segunda República, la Guerra Civil y el exilio– sino que también captó un rasgo central de dichas emociones: su profundo carácter histórico y social. Ayala presintió que las poderosas emociones de la gente estaban de alguna manera relacionadas con las instituciones económicas, políticas y culturales de la época y que, por eso, tenían una dimensión social ineludible. Como ha puesto de manifiesto el psicólogo Stephen Frosh:

Los sentimientos son personales, pero desde luego no son privados. Ello es así tanto porque se comunican a otras personas –de hecho, es casi imposible no comunicarlos– como porque encontramos a otras personas en su origen (así la tristeza que resulta de una pérdida, la felicidad que resulta del amor o el miedo que resulta de una amenaza). A mayor escala, pueden ser generados por el Estado, o en el Estado: consideren los sentimientos de orgullo nacionalista, por ejemplo, o las corrientes afectivas que electrizan a una colectividad después de una tragedia de algún tipo. Consideren también cómo los medios de comunicación influyen, e incluso manipulan, las emociones; cómo se lucha en unas elecciones, se declara una guerra o se provoca una sublevación.[31] (9)

Emociones, historia y sociedad

No son pocos, ni recientes, los autores que reconocieron el carácter social e histórico de las emociones. Aristóteles en el libro II de la *Retórica* (siglo IV a.C.) ya demostró que una emoción como la ira no era un sentimiento privado sino una pasión pública, una emoción que presuponía la existencia de una relación entre dos individuos concretos: el que recibía un desprecio y el que lo formulaba de forma injustificada. «Admitamos que la ira es un

---

31. «Feelings are personal but they are certainly not private, both because they are communicable to others –and indeed it is almost impossible not to communicate them– and because they often have others at their source (as in sadness due to loss, happiness due to love, fear due to threat). Writ large, they might also be generated by the State, or into the State: think of feelings of nationalist pride, for example, or the waves of emotion that might ride through a polity after a tragedy of some kind. Think, too, of how the media operate to influence and perhaps even manipulate emotion; how elections are fought, wars declared, riots provoked».

apetito penoso de venganza por causa de un desprecio manifestado contra uno mismo o contra los que nos son próximos, sin que hubiera razón para tal desprecio» (312). Lejos de ser únicamente una categoría psicológica, la ira es para Aristóteles una emoción que a menudo surge de una relación asimétrica de poder puesto que, como él mismo nos lo recuerda, «uno debe ser tenido en más por quienes son inferiores en linaje, en capacidad, en virtud y, en general, en todo aquello en que uno sobresale mucho» (316). A mediados del siglo XVIII, y desde el centro de la Ilustración escocesa, David Hume observó que uno no puede sentir orgullo si no es propietario de ciertos bienes, mientras que Adam Smith afirmó que las pasiones son un fenómeno eminentemente social, delineando así «una economía de la escasez emocional, un juego de suma cero en que la riqueza emocional de un agente social supone la pobreza de otro» (Gross 176).[32] Es algo que Nietzsche confirmaría en las postrimerías del siglo XIX, cuando proclamó en *La genealogía de la moral* que una emoción –el resentimiento– se situaba en el origen de toda una tradición moral, la judeocristiana. Lejos de ser un sentimiento privado y universalmente distribuido entre toda la gente, el resentimiento pertenecía a un grupo social específico: a los débiles y los oprimidos. El resentimiento, en fin, era la emoción que según Nietzsche permitía a los débiles inventar un Dios todopoderoso y una moral que les favoreciera, ayudándoles a racionalizar la impotencia y la subordinación que experimentaban a diario en la sociedad (50-63).

Más próximo a Ayala y a nuestro contexto, es necesario recordar la pionera contribución del gran historiador francés Lucien Febvre

---

32. «An economy of emotional scarcity, a zero-sum game where the emotional wealth of one social agent necessarily comes at the expense of another».

(1878-1956), que fue uno de los primeros en considerar las emociones como un objeto legítimo de reflexión histórica.[33] Las emociones, nos dice Febvre en un pionero artículo de 1941, no pueden reducirse a la reacción automática y momentánea del organismo a un estímulo externo. Si estas fueran un fenómeno estrictamente privado, no podría explicarse su carácter contagioso, el cual se hace patente cuando nos damos cuenta de que las emociones, a pesar de nacer en un único individuo, se expresan de manera tal que, «muy rápidamente, adquieren el poder de provocar entre todos los presentes, por una suerte de contagio mimético, el complejo afectivo-motor que corresponde al acontecimiento sobrevenido y experimentado por una única persona» (7-8).[34]

Al poner en valor la dimensión social de las emociones, y al otorgarles la legitimidad historiográfica de la que hasta ese momento carecían, Febvre no estaba haciendo un ejercicio puramente académico. Su llamada a ensanchar el campo de la historiografía tenía también una clara dimensión existencial. Como era común en su época, Febvre asociaba las emociones con lo irracional y lo primitivo –una concepción compartida por Ayala–. Y creía que con el avance imparable de los horrores del nazismo resurgían unos sentimientos primitivos, oscuros y poderosos, que la civilización había sido incapaz de dominar y que corrían el riesgo de «transformar el universo en una pestilente fosa común» (19). De ahí que reclamara

---

33. Junto con March Bloch, Febvre fue uno de los fundadores de la escuela histórica de los *Annales*. El artículo, titulado «La sensibilité et l'histoire. Comment reconstituer la vie affective d'autrefois?», es considerado un punto de referencia en los estudios históricos sobre las emociones.

34. «Très vite, elles ont acquis le pouvoir de provoquer chez tous les présents, par une sorte de contagion mimétique, le complexe affectivo-moteur qui correspond à l'événement survenu et ressenti par un seul».

que se hiciera «la historia del odio, la historia del miedo, la historia de la crueldad» (19), esto es, que se construyera un esquema intelectual que permitiera entender cómo, en 1941, resurgía el «culto de la sangre, de la roja sangre, en aquello que tiene de animal y de primitivo» (19).[35]

Animado por una intuición afín a la de Febvre, Raimund Pretzel (1907-1999), escritor y periodista alemán que firmó sus escritos bajo el seudónimo de Sebastian Haffner, entendió también que la clave de la revolución nacionalsocialista residía en los mecanismos emocionales que la hicieron posible. Escritas en el exilio británico en torno a 1939 y publicadas póstumamente por su hijo, las memorias de Haffner, tituladas *Historia de un alemán. Memorias 1914-1933*, son especialmente valiosas por su capacidad para desentrañar el régimen afectivo que hizo que una gran mayoría de los alemanes se entregara al nazismo. ¿Por qué solo un puñado de alemanes resistió el ascenso del nazismo y en cambio cientos de miles se afiliaron al partido nacionalsocialista?, se pregunta Haffner. La respuesta, nos dice, no hay que buscarla en las versiones convencionales de la historia sino en los acontecimientos decisivos pero invisibles que solo pueden percibirse si uno atiende a la dimensión emocional de las cosas. De ahí que al reconstruir su experiencia en la Alemania de entreguerras, lo decisivo para Haffner sea desentrañar el proceso «que atañe a las evoluciones, las reacciones y los cambios emocionales que, debido a su simultaneidad y concentración, hicieron básicamente posible el Tercer Reich de Hitler y hoy constituyen su trasfondo invisible» (189).

---

35. «Faire de l'univers un charnier puant»; «l'histoire de la haine, l'histoire de la peur, l'histoire de la cruauté»; «Culte du sang, du rouge sang, dans ce qu'il a de plus animal et de plus primitif».

Ayala frente a los tiempos oscuros

La atención que Haffner dispensa a los afectos en su lúcida «crónica íntima» (190) de la Alemania de entreguerras puede ponerse en relación con mi proyecto de reconstrucción del perfil público de Ayala entre 1929 y 1949. Dicho de otro modo, en lo que sigue quisiera comprender mejor cómo Ayala, en tanto escritor público, abordó los componentes afectivos de los acontecimientos políticos que le tocó vivir. Con esto no pretendo sugerir que las emociones pueden explicar de forma exhaustiva ni esos acontecimientos ni el conjunto heterogéneo de textos que dieron cuenta de ellos (desde artículos de opinión a ensayos, pasando por ficciones literarias). Sin duda, las emociones no pueden esclarecer todos los factores que están en juego en un argumento intelectual dado: los factores económicos, las circunstancias sociales e institucionales del autor, su posición sobre los conflictos políticos e ideológicos de la época, sus creencias y prejuicios culturales, sus compromisos éticos, su inscripción en una tradición literaria y de pensamiento, y su uso de los recursos lingüísticos y retóricos, todos estos factores, digo, son elementos indispensables para interpretar un texto. Pero si las emociones no pueden explicarlo todo, sí que han de formar parte de la explicación. Para empezar, y como hemos venido viendo, porque muchos de estos factores estructurales poseen ya su propia carga afectiva (el capitalismo promueve su propio estilo emocional, las distintas clases sociales se vinculan a afectos diferentes, los sistemas políticos no descansan únicamente en bases racionales sino también afectivas, etc.). Y, en segundo lugar, porque históricamente las emociones han sido excluidas de las reflexiones sobre los intelectuales, lo que ha resultado en una visión exageradamente racional del intelectual –de sus argumentos y de sus compromisos éticos y políticos–. Como el agua y el aceite, los intelectuales y las emociones no se mezclan.

O, mejor dicho, no se han mezclado hasta ahora: para comprender mejor la influencia de las emociones en el discurso y las acciones de los intelectuales, es necesario que reciban la atención que merecen. Tal es el modesto propósito de este libro.

Lo que sí es cierto, sin embargo, es que las obras producidas por Ayala a lo largo de su dilatada carrera pública presentan una serie de dificultades añadidas al intento de desentrañar su carga afectiva. Cualquier lector de la obra ayaliana sabe que muchos de sus textos no se distinguen por sus resonancias afectivas sino más bien por todo lo contrario: una inteligencia fría y calculadora, a menudo irónica y desdeñosa, siempre crítica y elegante. Esto se corresponde, por otra parte, con el modelo de intelectual que encarna, un prototipo de intelectual burgués formado en la tradición del racionalismo ilustrado. Como ocurre con la mayoría de los intelectuales del siglo XX, el modelo de intelectual encarnado por Ayala no puede disociarse del compromiso político, pero dicho compromiso no se concretó en una constante denuncia del poder sino más bien en la ocasional contribución a su consolidación, en especial durante dos épocas de refundación del Estado español: los dos primeros años de la Segunda República (1931-1933) y la Transición a la democracia (1975-1981). En estas actuaciones, Ayala basó su conducta más en los presupuestos de la razón que en las emociones, que no están inmediatamente presentes ni en sus textos, ni en su actitud, ni en su talante.

De ahí que para rastrear la influencia de las emociones en el discurso y las acciones de Ayala se deberá indagar en los textos, sí, pero también en dos ámbitos que no siempre están presentes en los estudios críticos, a saber: el espacio creativo que hace posible el texto (los afectos de los cuales brota la escritura) y el ambiente político-social que lo acoge (el contexto histórico en el cual interviene la palabra). Todo esto nos lleva a formular dos preguntas que trataremos de contestar en el próximo capítulo: ¿qué papel atribuyó Ayala a su vida afectiva y a sus esfuerzos por controlarla en el despertar de su vocación literario-intelectual? Y ¿cómo se trasladaron estos dos factores —las pasiones y su control— a su compromiso político con el liberalismo?

Afectos, vocación y liberalismo

En las memorias de Francisco Ayala *Recuerdos y olvidos* (2006) hay una entrada titulada «Sentimientos y emociones» en la que el autor, de algún modo, nos entrega la clave del argumento del presente libro. En ella Ayala, al hilo de una meditación sobre «la intensidad de [sus] emociones» y sobre «la violencia de [sus] impulsos» (*Obras* II: 87), nos revela dos aspectos fundamentales de su personalidad. Por un lado, nos indica que ese fondo emocional arrebatado le suministró la concentración y la intensidad necesarias para desarrollar su vocación literaria pues estaba «arraigado en [su] fisiología [...] y servía de pábulo a los ejercicios de la imaginación» (90). Y, por otro, nos explica que si ha podido vencer su «condición tan apasionada» ha sido, en parte, gracias a su «consistente posición liberal», una posición, añade, en la que hay «mucho de filosófico, de racional» (88).

Sin duda, las referencias de Ayala a «los ejercicios de la imaginación» y su «consistente posición liberal» ocupan un lugar discreto en las casi cinco páginas que dedica a rememorar algunos episodios de su infancia que suscitaron en él una vehemente respuesta emocional. Pero que el Ayala maduro de 1982 (esa es la fecha en que aparece el primer volumen de sus memorias), un narrador de 76 años que se encuentra, según sus propias palabras, «en la vejez avanzada» (87), vincule sus emociones con su vocación literaria y su ideología política (el liberalismo) no parece un dato menor. Tampoco puede ser una casualidad que un autor reconocido, con una amplia obra a sus espaldas y con pleno dominio de las técnicas literarias, seleccione algunas escenas de su infancia que ejemplifican un tono vital intenso y excesivo para hablarnos de su vocación literaria y su compromiso político. A la vez, se trata de una decisión que plantea más interrogantes de los que resuelve: ¿cómo entender esta vinculación entre, por un lado, emociones y vocación y, por otro, emociones y liberalismo? Si las emociones parecen ser un ingrediente necesario para la vocación literaria y el compromiso político, ¿son también un elemento suficiente? Y, ¿qué decir del papel que tiene el control o la neutralización de las emociones, la capacidad que tenía Ayala de vencer esa condición tan apasionada?

En este capítulo intentaré esbozar una respuesta a estas preguntas desarrollando las implicaciones de dos fenómenos que provocan la admiración de Ayala: la intensidad de sus arrebatos infantiles y su capacidad, ya en la edad adulta, de neutralizarlos, de «desarrollar frente al mundo adverso una actitud que presenta el semblante del estoicismo» (88). Estos dos fenómenos aparecen en dos situaciones que resultaron cruciales tanto para la trayectoria intelectual de Ayala como para su compromiso ideológico con el liberalismo. De la primera situación, que se desarrolló en Granada durante la infancia del escritor, se desprende una primera articulación del problema que nos ocupa: los afectos y su neutralización son constitutivos de la vocación literaria. La segunda situación nos traslada al Madrid del año 1929, cuando la desintegración de la dictadura de Primo de Rivera abrió un tiempo de cambio político que conllevaba una exigencia de definición. Así, la vocación literaria de Ayala adquirió una clara voluntad de intervención pública, de toma de posición ante las convulsiones políticas que le rodeaban. En este contexto, apostó por un *nuevo liberalismo* que también fue una forma de canalizar las violentas pasiones que agitaban la vida social de la época, pasiones que el fascismo y el comunismo se encargaron de explotar en su conquista del poder.

Tanto desde un punto de vista doctrinal como de cultura política, el compromiso inicial de Ayala con un nuevo liberalismo a finales de los años veinte implicaba un rechazo del liberalismo como ideología de dominación de clase (el liberalismo oligárquico de la Restauración) mediante una actualización de los contenidos utópicos del liberalismo de principios del siglo XIX (el desarrollo de la libertad y la autonomía del individuo en una sociedad que aspirara a la justicia y a la igualdad). De forma más concreta, estas aspiraciones utópicas pasaban por la defensa de los derechos individuales, el entendimiento de la política como una actividad necesariamente regulada por la ley y mediada por una serie de instituciones como el Parlamento y los partidos políticos, la afirmación de las instituciones del Estado de derecho junto con la aspiración al bienestar social y, finalmente, el rechazo de la acción directa como una manera de hacer política identificada con las ideologías revolucionarias de izquierda y derecha.

Este compromiso también situaba al autor granadino en un espacio delimitado por las dos sensibilidades liberales predominantes entre la intelectualidad del momento, la de José Ortega y Gasset y la de Manuel Azaña. Como ha puesto de manifiesto Manuel Suárez Cortina, ambas se oponían a «la cultura del liberalismo oligárquico que en su versión isabelina, primero, y restauracionista, más tarde, consolidó culturas y prácticas políticas muy ajenas a la realización del ideal moral que conllevaba la primera tradición liberal» («Las tradiciones» 17). En este sentido, el nuevo liberalismo de Ayala se encuadraba en «un liberalismo humanista y social asentado en el principio de solidaridad» («Las tradiciones» 16) que superaba «el individualismo, el abstencionismo estatal y la nación de propietarios» propios del liberalismo de la Restauración. Según veremos más adelante, en 1929 Ayala hizo su primera intervención en el debate político bajo la figura tutelar de Ortega y Gasset; sin embargo, a partir de la proclamación de la Segunda República en 1931, fue la figura de Azaña la que se dejó sentir con mayor fuerza en sus posicionamientos políticos y en su defensa de las instituciones republicanas (véase el cuarto capítulo). Así, el nuevo liberalismo de Ayala estuvo muy próximo al proyecto azañista, para el cual, según Suárez Cortina, «liberalismo y democracia forman un binomio indisoluble» que, en última instancia, está garantizado por un Estado concebido como «un agente básico de democratización» («El liberalismo» 148).

Aunque los párrafos anteriores nos ofrecen una caracterización preliminar de lo que significaba el liberalismo para Ayala a finales de los veinte y principios de los treinta del siglo pasado, poco o nada dicen acerca del papel que tuvieron las emociones en su compromiso político. Retomando y ampliando lo dicho acerca de las semejanzas entre Ayala y Benda en el capítulo anterior, intentaré explicar en las dos últimas secciones de este capítulo que el compromiso liberal de Ayala también suponía la creación de una serie de distancias: respecto de la política (porque la condición del intelectual se opone a la del político), respecto de las emociones y pasiones que agitaban la vida social (porque a diferencia de los intelectuales marxistas y fascistas que intentaron explotar dichas emociones, Ayala procuró controlarlas), y respecto de la politización del conocimiento (porque Ayala lo concebía como desinteresado, autónomo y objetivo). Todas estas distancias, incluidas las emocionales, también formaban parte de su comprensión del nuevo liberalismo y de su conducta como intelectual liberal.

Afectos y vocación: algunas escenas fundacionales

El primero de los dos episodios evocados en «Sentimientos y emociones» nos remite a su infancia granadina, cuando Ayala y su familia vivían en el Albaicín. Se trata de un episodio en el que el niño Ayala, después de sufrir una agresión en una pelea con otros chicos del barrio, fue preso de «espasmos de cólera» (*Obras* II: 88). La trivialidad del episodio hace que lo podamos imaginar fácilmente. Todos, o casi todos, en algún momento de nuestra infancia, nos hemos encontrado en una situación parecida. Todos, o casi todos, hemos sido víctimas de un niño o una niña mayor, más grande o más fuerte. Lo que en el caso de Ayala parece extraordinario, sin embargo, es la tormenta emocional que el suceso, sin duda banal, provocó en él. «El daño sufrido no debió de ser mucho», escribe, «pero la indignación moral quería reventar en mi pecho» (87). Ciego de ira, Ayala nos cuenta que esperó el regreso de su padre para pedirle que «yendo conmigo en busca del odiado grandullón, lo trajésemos a nuestro patio y, atándolo a una de las columnas, le disparásemos un tiro a boca de jarro» (88). Como la venganza imaginada era a todas luces desproporcionada al agravio, solo podemos atribuirla a la intensidad demoníaca de la ira de Ayala, que el autor no duda en describir como «un sentimiento arrebatado, candente, como una columna de fuego, indomable» (87).

Los afectos dominantes en el segundo episodio nos ofrecen un vivo contraste con el primero. En este segundo suceso, que tuvo lugar unos años después en la casa de campo que su tío Pepe tenía a las afueras de Granada, Ayala no estaba dominado por la indignación sino por una desbordante sensación de júbilo. Ayala, por entonces un muchacho de once o doce años, se subió a un caballo por primera vez en su vida y empezó a cabalgar desaforadamente. El gozo le consumía. «Gritaba mi alegría, sintiendo el aire agitarme el pelo, azotarme las sienes», recuerda Ayala (89); «aquello», prosigue, «me producía tal entusiasmo que por nada del mundo hubiera renunciado a la ocasión». Por supuesto, ni la consternación ni la angustia de su tío Pepe, que lo miraba «desde el balcón con ojos aterrorizados» y le hacía «desesperadas señas para que [se] detuviera y bajara del caballo», llegaron a interrumpir una carrera que llenaba su «corazón de gozo y miedo». A pesar de las «llamadas, denuestos, amenazas, [y] súplicas» de su adorado tío, Ayala era incapaz de renunciar «a aquel placer único que me exaltaba con un júbilo extenuante». Recordando estos dos episodios muchos años después, con la pausa y la distancia que inevitablemente conlleva el paso del tiempo, Ayala reconocía la centralidad de este «tono vital tan intenso» o incluso «demoníaco» (89) a lo largo de toda su vida. Ese fondo emocional arrebatado, excesivo y expansivo infundió «una radiante felicidad» en la infancia de Ayala y le permitió, en la edad madura, sobrellevar las desgracias que le tocaron en suerte. Y como ya hemos indicado al inicio del capítulo, también le permitió desarrollar su vocación literaria.

En otra entrada de *Recuerdos y olvidos*, la que lleva por título «La encrucijada», nos ofrece nuevos detalles acerca de la conexión entre emociones y vocación literaria. Por entonces Ayala, que ya había obtenido el grado de licenciado en Derecho y trabajaba como ayudante en la cátedra de Derecho Político de la Universidad Central de Madrid, tenía a su alcance la posibilidad de ingresar en el plantel de abogados de Tabacalera. La tentación de aceptar la oferta era grande, pues le habría permitido solucionar de forma definitiva las estrecheces económicas de su familia. Pero también le habría apartado «del ejercicio literario que era sin duda alguna mi vocación» (*Obras* II: 171). Hay un pasaje que me parece muy revelador de su acongojado estado de ánimo: «Mucha perplejidad, largas cavilaciones, turbadoras y angustiosas dudas me trajo la oferta recibida, y puedo bien decir que constituyó para mí una prueba terrible» (171).

Lo significativo aquí es la forma en que Ayala resolvió sus dudas y puso fin a la tormenta íntima que lo sacudía. En ese momento comprendió que lo que estaba en juego era mucho más que su propio proyecto de vida:

La decisión fue no solo difícil, sino también dolorosa, pues no se trataba simplemente de mi propio porvenir. Lo que había de resolver implicaba un serio caso de conciencia. Había llegado a una edad y a un punto donde, renunciando a mis proyectos vitales, o siquiera posponiéndolos, hubiera podido hacerme cargo del mantenimiento de mi familia y poner fin con ello a los padecimientos de mi madre, a las privaciones de todos. (172)

A diferencia de lo que había ocurrido unos años atrás, cuando ciego de ira quería matar al muchacho que lo agredió, o cuando en casa de su tío Pepe se entregó desaforadamente a la pasión provocada por la carrera a caballo, Ayala tuvo en cuenta, en esta ocasión, las consecuencias morales de su decisión, ponderando cuáles eran sus obligaciones filiales y considerando el bienestar de sus padres y su familia. Mientras que en su infancia se dejó arrastrar por su fondo emocional arrebatado, en su juventud aprendió a corregir esa compulsión de abandono y ya no se dejó llevar por los impulsos del momento: tomó una decisión consciente, calculó la responsabilidad contraída con los demás (no solo consigo mismo) y valoró las consecuencias que su decisión iba a tener a largo plazo. Desde luego, el resultado final no fue muy diferente: Ayala escogió su pasión por la literatura y el pensamiento por encima de las expectativas familiares en él depositadas. Pero se trató de una decisión consciente y meditada, en la que destacaba, por encima de todas las cosas, una obstinada voluntad de independencia. Ayala narra el momento de la decisión con una lacónica naturalidad:

Si yo hubiera sido un buen hijo habría renunciado ahora a mis proyectos y, torciendo mi plan de vida, habría asumido en tal coyuntura las obligaciones del *pater familias*. Pero no fui un buen hijo, y resolví seguir mi propio camino. Rechazando el ofrecimiento de Pérez Serrano, me acogí a una beca concedida por la Universidad para estudiar un año en el extranjero, cuyo importe, a diferencia de las remesas mensuales que hacía a los suyos la Junta para Ampliación de estudios, le era entregado de una vez al becario. (173)

Con una parte del dinero de la beca, Ayala hizo una modesta contribución a la economía familiar, aun sabiendo que no iba a arreglar nada. Sobre sus motivos, Ayala tampoco se engañaba. Se trató, nos confiesa, de «una pequeña privación que, en el fondo, era también un acto egoísta destinado a rescatar mi cargo de conciencia y comprarme una módica paz interior» (173). Con el resto del dinero, salió para Berlín, donde en realidad no pasó un año sino ocho meses, de noviembre de 1929 a junio de 1930, y donde pudo seguir desarrollando su doble vocación (la literatura y el pensamiento).

Afectos, objetivación y distancia

Otra forma de entender la decisión consciente y racional de Ayala de proseguir sus estudios de derecho en Berlín consiste en pensarla como un ejemplo de objetivación de su arrebatado fondo emocional. Al tomar la decisión de proseguir su doble vocación, Ayala aplicó el filtro de la razón y la conciencia a sus pasiones. No dejó que se manifestaran de forma abrupta y desordenada, como cuando reaccionó con espasmos de cólera a la agresión de los chicos del Albaicín o se abandonó al entusiasmo y al gozo de cabalgar en la casa de campo de su tío Pepe. Al contrario, Ayala rechazó educadamente la posibilidad de dedicarse a la abogacía, aceptó la beca, se lo comunicó a su familia, y prosiguió sus estudios en Alemania. Nada hay en el relato que nos ofrece Ayala de estas acciones que nos haga sospechar de la presencia de unas pasiones desaforadas o excesivas.

Para empezar a entender a un nivel teórico esta necesidad de objetivar la intensa vida afectiva propia de toda vocación conviene acudir a los últimos escritos de Max Weber, un autor que Ayala conocía bien. En *La ciencia como profesión* (1919) y *La política como profesión* (1919), Weber deja claro que no puede haber producción de conocimiento ni actividad política sin una previa entrega apasionada a una causa.[36] Así, la vocación para la ciencia no es una cuestión de cálculo o de frío entendimiento, sino que consiste en una verdadera «pasión», en una «extraña locura, ridícula para el que está fuera» (*La ciencia* 62); y de forma análoga, «la entrega a la política, si no quiere ser un frívolo juego intelectual sino una acción auténticamente humana, solo puede nacer y alimentarse de la pasión» (*La política* 126).[37] ¿Qué tipo de pasión es la propia de la política? «Pasión», puntualiza Weber, «en el sentido de estar volcado en una cosa (*Sachlichkeit*), de una entrega apasionada a una 'causa', al dios o al demonio que la gobierna» (*La política* 125). Más recientemente, y en términos parecidos, Javier Gomá también ha formulado con claridad que no puede haber vocación artística sin un intenso fondo afectivo: «La vocación es una manía numinosa que se moviliza imantada por una fascinación magné-

---

36. Tal y como apunta Joaquín Abellán en su estudio preliminar, *La ciencia como profesión* tiene su origen en la conferencia que Max Weber pronunció en Múnich el 7 de noviembre de 1917; *La política como profesión* tiene el suyo en otra conferencia pronunciada también en Múnich el 28 de enero de 1919. Abellán opta por traducir *Beruf*, el término que da título a las conferencias de Weber, como profesión, pero puntualiza que «*Beruf* es tanto llamamiento –o 'vocación'– como trabajo o posición que uno ocupa» (28-29). En la tradición luterana, *Beruf* da cuenta del sentido religioso del trabajo.

37. Sobre el papel de las emociones y la racionalidad en el concepto de vocación de Max Weber, puede consultarse Barbalet, «Beruf, Rationality and Emotion in Max Weber's Sociology».

tica –*mysterium fascinans*–, pero que exige a cambio una devoción exclusiva, no compartida, que excluye fáusticamente –*mysterium tremens*– el amor por cualquier otra cosa en el mundo» (25). Y ya hemos visto la importancia –tanto vital como literaria o imaginativa– que Ayala atribuye a su tono vital «demoníaco», a la tormenta íntima que desde su infancia sacudía su corazón y que nunca dejó de acompañarlo.

Pero aun cuando un intenso fondo afectivo es un elemento necesario de cualquier vocación, no es suficiente. Los meros afectos no aseguran que el científico producirá conocimiento relevante y valioso, que el político influirá en las personas y en los acontecimientos históricos de forma responsable, o que el artista producirá obras de mérito para un público. Dejando la cuestión del talento de lado, no es suficiente con cuidar el fondo afectivo, con prestarle atención. Además, es necesario darle forma, templarlo, contenerlo. Por eso Weber identificó la capacidad de ordenar y objetivar la pasión original como un elemento fundamental y necesario. Así, para producir ciencia, la pasión primigenia del científico debe adecuarse a «la validez de las reglas de la lógica y de la metodología» (*La ciencia* 81) y debe insertarse en el vasto proceso de racionalización propio de la modernidad. En cuanto a la pasión primera del político, Weber apunta que debe ser corregida por un sentido de la responsabilidad y por una voluntad de distanciamiento:

> La pasión no convierte a uno en político si, como servicio a una 'causa', no hace de la *responsabilidad* precisamente respecto a esa causa la estrella que guía de manera decisiva la acción. Y para ello necesita el *distanciamiento* (*Augenmass*) –la cualidad psicológica decisiva del político–; necesita esa capacidad de dejar que la realidad actúe sobre sí mismo con serenidad y recogimiento interior; es decir, necesita una distancia respecto a las cosas y las personas. (*La política* 125)

Algo parecido ocurre en relación con la vocación del artista, que tiene que adecentar los afectos que le consumen, fijarlos por escrito y presentarlos ante un público. Así explica Gomá que «todo el afán del poeta es entonces ordenar esa verdad que ha visto y sentido y dotarla de una forma perdurable [...]; y en la labor de aplicar morosamente la forma a la obra –verso a verso, párrafo a párrafo–, crear un producto final en que la verdad allí enunciada quede por siempre disponible para uno mismo y para los demás» (27). En las páginas iniciales de este capítulo, Ayala también insistía en la necesidad de moderar y templar las emociones. De hecho, no solo insistía en ella, sino que se asombraba ante su extraordinaria capacidad de llevarla a cabo:

> Reflexionando sobre mi personal manera de ser (enigma tan grande para uno, y aún más perturbador que el de la ajena), me pregunto cómo he podido vencer una condición tan apasionada y desarrollar frente al mundo adverso una actitud que presenta el semblante del estoicismo. Sin duda que hay mucho de filosófico, de racional en esa actitud: es mi consistente posición liberal; pero no quisiera engañarme demasiado: acaso el fondo de ella sea más bien una indiferencia fundada en el desprecio y que, de ese modo, se remite de nuevo a la soberbia –una soberbia sublimada que en última instancia puede confundirse con la humildad–, pues por otra parte tampoco el desdén excluye en mí –ni mucho menos– la compasión caritativa. (*Obras* II: 88)

En este párrafo Ayala nos explica que su particular forma de objetivar su arrebatado fondo emocional consistió en la construcción de una actitud estoica, la cual tendría como propósito último alcanzar la tranquilidad (el estado más perfecto del alma para los estoicos). De ahí que Cicerón nos pinte al sabio como «el hombre que con la moderación y el equilibrio tiene su alma tranquila y se halla en paz consigo mismo, de manera que ni lo consumen las contrariedades, ni le quebranta el temor, ni arde sediento por el deseo de algo que apetece, ni se derrite exageradamente en un entusiasmo fútil» (349). En el marco de las doctrinas estoicas, las pasiones no son otra cosa que «perturbaciones» (así traduce Cicerón lo que los griegos llaman *páthe*), alteraciones del equilibrio que se consigue mediante el predominio de la recta razón. El liberalismo profesado por Ayala sin duda facilitó la construcción de esta actitud estoica, pero de la cita de sus memorias se desprende que no fue un proceso sencillo ni corto. Se trató más bien de un largo combate, una lucha sorda y constante contra la violencia de sus afectos, que le acompañó desde la infancia hasta la madurez.

Nótese que, según las palabras de Ayala, su estoicismo no pasó de ser una apariencia y una construcción, una actitud conscientemente adoptada ante el mundo y los demás. Bajo el semblante –la máscara– se escondía una naturaleza arrebatada. Esto resulta fundamental porque la crítica ha señalado, con razón, la inteligencia fría y el distanciamiento crítico que destilan las páginas de Ayala, pero no ha reparado lo suficiente en el intenso fondo emocional en el que se fundamentaban esa inteligencia y ese distanciamiento. Lo que Weber, Gomá y el mismo Ayala sugieren es que sin una intensa pasión primigenia, no hay obra. En el caso de Ayala, esta nació precisamente en el juego de dejarse arrastrar por sus pasiones y refrenarlas. Es en el delicado intervalo que media entre la pasión desbocada y la lucha por contenerla y controlarla que Ayala consiguió desplegar su vocación en una multitud de escritos de diversa índole, desde ficciones narrativas, relatos autobiográficos, estudios literarios y obras pedagógicas, hasta ensayos políticos y sociológicos, discursos, conferencias y numerosas publicaciones en periódicos y revistas. No es una casualidad, después de todo, que sus *Obras completas* (2007-2014) abarquen cerca de diez mil páginas y siete gruesos volúmenes.[38] Quien es consciente tanto de su condición apasionada como del combate diario que tiene que librar para vencerla lo sabe muy bien: la suya es una pasión distante.

En Madrid: literatura, política y liberalismo

El año 1929 resultó fundamental en la trayectoria intelectual de Ayala no solo porque dio a la imprenta un volumen de relatos vanguardistas, *El boxeador y un ángel*, y otro de ensayos y críticas de cine, *Indagación del cinema*, sino también porque fue el año en que comenzó a intervenir en el debate público y a perfilar su compromiso político. O sea que 1929 fue el año en que Ayala comenzó a ejercer plenamente como intelectual. Hasta entonces, y dejando de lado sus dos primeras novelas, sus colaboraciones en algunos de los periódicos y revistas más significativos del momento –*La Época, El Globo, Los Lunes de El Imparcial, Revista de Occidente, La Gaceta Literaria*– se habían ceñido al ámbito literario y cultural (comentarios, reseñas y obras de invención). En alguna ocasión también había tomado la palabra para comentar las costumbres sociales de la época.[39] Pero es únicamente a partir de 1929 que Ayala manifestó una clara voluntad de intervención pública, de toma de posición ante los problemas sociales y políticos de su época.

---

38. Para una breve descripción y valoración de las *Obras completas* de Ayala, véase mi reseña «Las *Obras completas* de Francisco Ayala: proyecto creador y homenaje póstumo».

39. Véase, por ejemplo, su «Manifiesto (*con sordina*)» contra la importancia de la Semana Santa en la vida social de la época, publicado en *El Globo* el 15 de abril de 1927 (*Obras* VII: 390-91).

Para entender las primeras intervenciones de Ayala en el debate público de la época, hay que contextualizarlas en unas coordenadas geográficas muy precisas: las de la ciudad de Madrid, a la que Ayala se trasladó con su familia desde su Granada natal en 1922. Al igual que otros compañeros de generación como César M. Arconada (1898-1964), Rosa Chacel (1898-1994), Esteban Salazar Chapela (1900-1965), Rafael Alberti (1902-1999), María Zambrano (1904-1991) o Ramiro Ledesma Ramos (1905-1936), Ayala fue un escritor precoz. También como ellos, se formó en el estimulante ambiente intelectual del Madrid de los años veinte. Sin dejar de tener un aire provinciano y un ambiente cultural claramente jerarquizado, Madrid era por entonces una ciudad dinámica y abierta que se venía modernizando desde el inicio del nuevo siglo –como observó Manuel Azaña a principios de los años veinte, Madrid era «un poblachón mal construido, en que se esboza una gran capital» (14)–.[40] Entre los atributos de la gran capital que iba a ser Madrid, destacaban un número considerable de instituciones culturales, ya fueran oficiales, como el Centro de Estudios Históricos, el Ateneo o la Biblioteca Nacional, o renovadoras, como la Residencia de Estudiantes; de tertulias como la de La Granja El Henar, Pombo, las oficinas de *Revista de Occidente* o la redacción de *El Sol*; de revistas culturales (*Revista de Occidente*, *La Gaceta Literaria*, *Post-Guerra*); de diarios (*El Sol*, *El Heraldo de Madrid*, *El Imparcial*, *ABC*) y de editoriales, desde la todopoderosa Compañía Ibero-Americana de Publicaciones hasta las numerosas «editoriales de avanzada» que contribuyeron a la

---

40. La cita proviene del primer artículo de la serie titulada «...Castillo famoso», que apareció en *La Pluma* entre junio de 1920 y noviembre de 1922. En esta personal y ambivalente teoría de Madrid y del carácter madrileño, Azaña dedica muy pocas páginas, y poco elogiosas, a la vida cultural de la capital (véanse pp. 22-27).

renovación del mercado del libro español a finales de los años veinte y principios de los treinta. Ayala aprovechó cuantas oportunidades le ofrecieron estas instituciones culturales, tertulias, revistas y diarios, haciéndose un lugar en el mundo literario madrileño desde el cual empezó a intervenir en los asuntos públicos.

Pero más allá de las oportunidades que Madrid podía ofrecer a un joven escritor como Ayala, la ciudad destacó en la época por ser un fértil lugar de encuentro, un espacio de confluencia que propició una serie de amistades. Algunas de estas amistades fueron legendarias, como la de Federico García Lorca, Salvador Dalí y Luis Buñuel; otras fueron sin duda menos conocidas, como la que unió a Ayala con Salazar Chapela, Antonio Espina y Benjamín Jarnés. Sin embargo, todas ellas, las míticas y las inexploradas, son fundamentales para entender dos cosas: los episodios de alegre y distraído compañerismo que muchos jóvenes intelectuales experimentaron hasta 1929, y los lances de amarga y enconada insolidaridad que iban a protagonizar en los años posteriores, a medida que la política fue impregnando, hasta saturarlas, las palabras y las acciones de los intelectuales.

Los historiadores coinciden en señalar el año 1930 como el año decisivo. Santos Juliá, por ejemplo, observa que la caída de la dictadura de Primo de Rivera en enero de 1930 abre una crisis de Estado y una época «en que todo el mundo se siente impelido a definirse,» un momento en que los escritores eligen, primero, entre monarquía o república y, unos meses o años más adelante, entre un nuevo liberalismo, el fascismo, o el comunismo (*Historias* 244). Unamuno, en el banquete que tuvo lugar el 3 de mayo de 1930 para celebrar su regreso a España desde el exilio en Hendaya, lo supo ver bien: «Estamos en momentos en que se oye constantemente: 'Hay que definirse', que no es lo mismo que 'Hay que delimitarse o denominarse'». Y luego añadió, según su peculiar entendimiento de la política: «Yo no me defino porque no cabe definición en lo que es del infinito» («Notas universitarias»).

A diferencia de Unamuno, la gran mayoría de escritores quisieron y supieron definirse porque entendieron que no podía haber política sin una previa toma de posición ante los conflictos de la época. La elección de Ayala en 1929 fue clara: por la república y por un nuevo liberalismo. Por ese entonces, el liberalismo, nuevo o viejo, parecía una cosa del pasado para muchos jóvenes escritores. Prueba de ello es la justamente famosa declaración de un escritor contemporáneo y amigo de Ayala, César M. Arconada, quien a finales de los años veinte afirmó con rotundidad que «un joven puede ser comunista, fascista, cualquier cosa, menos tener ideas liberales [...] Pretender todavía que nos sirvan las viejas ideas liberales, es tan absurdo como pretender que las viejas chisteras y las viejas levitas sirvan para jugar al fútbol» (3).

A pesar de Arconada, cuando un joven Ayala expresó en público una posición política, lo hizo en nombre de un nuevo liberalismo. Todavía en la universidad, Ayala se sumó a la oposición a la dictadura de Primo de Rivera a través de su participación en «una llamada Unión Liberal de Estudiantes» en la que tomó «alguna parte con reuniones clandestinas y contactos diversos» (*Obras* II: 161). Y poco antes de obtener el grado de Licenciado en Derecho, ya en plena descomposición de la monarquía, firmó una carta dirigida a José Ortega y Gasset en abril de 1929 en la que, junto con otros jóvenes escritores –desde Manuel Chaves Nogales, Antonio Espina, Antonio de Obregón y José Díaz Fernández a Federico García Lorca, Benjamín Jarnés, Pedro Salinas y Ramón J. Sender–, se mostraba decidido a intervenir en el debate público de la época desde posiciones liberales. Como los otros firmantes de la carta, Ayala reclamaba el liderazgo de Ortega en cuestiones políticas y consideraba necesario que los intelectuales jóvenes definieran sus actitudes políticas y salieran «de ese apoliticismo, de ese apartamiento–no pocas veces reprochable–que les ha llevado a desentenderse de los más hondos problemas de la vida española» (Ortega, *Obras* VIII: 173). Y también como ellos, invocaba una nueva sensibilidad liberal que «no adquiera con los viejos partidos históricos otro compromiso que el de la ayuda mutua en los problemas comunes» (173).

Como ha señalado Herrero-Senés, este nuevo liberalismo, moderado e integrador, suponía «la defensa de las conquistas de la modernidad, la apelación a superar el nacionalismo, la afirmación de una élite intelectual encargada de reformular y ajustar los valores morales europeos, y el rechazo de las utopías redentoristas» (236-237). Por esos años, esta vía liberal todavía tenía como referente a Ortega y Gasset y estaba vinculada al legado krausista y a instituciones tan significativas como la Residencia de Estudiantes —y a su director, Alberto Jiménez Fraud—. Y a pesar de que algunos de los rasgos de la vía liberal, como su carácter moderado y «su cariz acomodaticio, que de hecho la estigmatizaba como pensamiento burgués» (Herrero-Senés 240), no la hacían particularmente atractiva para los jóvenes partidarios del fascismo y el bolchevismo, todavía consiguió aglutinar a buen número de jóvenes intelectuales en las postrimerías de la dictadura de Primo de Rivera y hasta el año 1932 (prueba de ello es que firman la carta a Ortega dos escritores que pronto se radicalizarían, Antonio de Obregón, quien se afiliaría a Falange Española, y Ramón J. Sender, militante cenetista que luego evolucionaría hacia posiciones comunistas). Entre los jóvenes intelectuales empeñados en profundizar en este nuevo liberalismo destaca María Zambrano, que no firma la carta dirigida a Ortega, pero que nos legó una de las articulaciones teóricas más acabadas de esta nueva vía liberal.[41]

---

41. Me refiero al ensayo *Horizonte del liberalismo* (1930), que citaré en un capítulo ulterior. Victor Ouimette, en su monumental *Los intelectuales contra el liberalismo*, analiza la posición de algunos intelectuales señeros de las generaciones del 98 (Unamuno, Azorín, Machado, Baroja) y del 14 (Ortega, Marañón, Pérez de Ayala) en la crisis política e ideológica de los años veinte y treinta.

En su respuesta a esta circular de los jóvenes intelectuales, Ortega les ofrecía su apoyo y añadía que los tiempos exigían «el deber de todo participante en una sociedad soberana de intervenir enérgicamente en la vida pública» (*Obras* VIII: 174). En efecto, los tiempos estaban cambiando a un ritmo vertiginoso. Y a los observadores más perspicaces no se les escaparon las señales que auguraban un cambio político inminente. Para hacer frente a estas expectativas de cambio, había que dotarse de unos sólidos principios de actuación política. En «Nueva política», un artículo que apareció en *Atlántico* en julio de 1929, Ayala esbozó algunos de los principios que, según él, debían regir las intervenciones en la vida pública de los jóvenes intelectuales que habían solicitado el liderazgo de Ortega unos meses antes. Según Ayala, la aspiración de este grupo

> [...] estriba en acometer las cuestiones con ánimo limpio de prejuicios, y con entera conciencia del Estado. Con responsabilidad. Sus postulados no serán de derechas ni de izquierdas; pero tampoco serán una transacción entre derechas e izquierdas. Informados de un pensamiento propio y de una sensibilidad –muy especialmente, de una sensibilidad– que se conecta con los ideales europeos, han de ser aceptadas, sin vacilación, las bases en que se apoya la cultura política de nuestros días. (*Obras* VII: 598-599)

Todos estos elementos –el nuevo liberalismo, el sentido de Estado y el europeísmo– no solo marcaron las primeras expresiones de la conciencia política de Ayala, sino que también resultaron determinantes en sus posteriores intervenciones en una vida pública que se estaba adentrando, tanto en España como en Europa, en un periodo de cambios acelerados y de crisis. En septiembre de 1929, Ayala firmó otro artículo en la revista *Atlántico* en el que consideraba que se había «abierto un periodo constituyente en España» (599) que anunciaba un cambio de régimen. En Alemania, la batalla para poner fin a la República de Weimar empezaba a librarse con descarnada crudeza. Como veremos en sus crónicas sobre la descomposición del régimen de Weimar, Ayala, desde una posición liberal, identificará la ausencia de sentido de Estado, el arrinconamiento de los ideales europeos y la pujanza de los valores nacionalistas como algunos de los factores decisivos en la crisis alemana. También encontraremos apelaciones al sentido de Estado y a los valores europeos en sus artículos sobre los conflictos planteados por la apertura de ese proceso constituyente que, con el correr de los meses y los acontecimientos, acabó desembocando en la proclamación de la Segunda República el 14 de abril de 1931.

La expresión de un compromiso con una nueva sensibilidad liberal asentada en un fuerte sentido de estado y nutrida por las corrientes europeas de pensamiento, también suponía una forma precisa de concebir la relación entre literatura y política. Según Santos Juliá, lo que se desprende de la larga trayectoria intelectual de Ayala es una «rotunda negativa a confundir política y literatura» («Francisco» 19). En este sentido, la clave de la posición de Ayala la encontramos en la encuesta sobre las relaciones entre política y literatura dirigida por la redacción de *La Gaceta Literaria* a los jóvenes escritores de la época.[42] A la pregunta «¿Debe intervenir la política en la literatura?», Ayala contestó lo siguiente en 1928:

---

42. La encuesta sobre las relaciones entre política y literatura, dirigida a «la juventud española» consta de tres preguntas: «1. ¿Debe intervenir la política en la literatura? 2. ¿Siente usted la política? 3. ¿Qué ideas considera fundamentales para el porvenir del 'Estado' español?». Las primeras respuestas aparecen en el número 22 de *La Gaceta Literaria* (15 de noviembre de 1927) y las últimas en el número 30 (15 de marzo de 1928). En la encuesta participan una amplia muestra de los intelectuales vinculados de alguna manera a *La Gaceta Literaria*. En el número 22, responden Ramón Gómez de la Serna, Antonio Espina, Benjamín

Si por «intervenir la política en la literatura» se entiende que el escritor haga política en su obra literaria, me parece muy mal: una mixtificación insoportable, que es la últimamente realizada por la generación del 98. (¡Perdonad sus muchas faltas!)

La nueva generación, más fina de espíritu, ha evitado tales confusiones, y hoy a nadie se le ocurriría hablar de política en un soneto. (Bien es verdad que a casi nadie se le ocurre tampoco escribir sonetos.)

Pero si se entiende por la frase propuesta «que el Estado proteja cierta literatura» afín a su tónica y a su ritmo –como ocurre en los países revolucionados–, no tengo nada que decir en contra: es una medida *política* de perfecta licitud. (*Obras* VII: 536-537)

Aquí Ayala no solo formulaba la tesis que afirmaba la independencia de la literatura de la política con la insolencia juvenil propia de los colaboradores de *La Gaceta Literaria*, sino que también la presentaba como un logro generacional, una conquista de los escritores jóvenes que por esos años se iniciaban en la vida intelectual bajo la sombra de José Ortega y Gasset y su *Revista de Occidente*. Prueba de ello es la respuesta que ofreció Juan Chabás, otro joven intelectual orteguiano, a la pregunta planteada a Ayala. Escribía Chabás: «no considero necesario que los sentimientos políticos de

---

Jarnés y Joaquín Garrigues; en el número 24, Melchor Fernández Almagro, Ángel Sánchez Rivero, Gerardo Diego, Juan Chabás y Felipe Ximénez de Sandoval; en el número 25, César M. Arconada, Francisco Ayala y Esteban Salazar Chapela; en el número 26, figuras vinculadas al mundo del derecho como José L. Benito, Román Riaza y Manuel Ossorio; en el número 28, Eugenio Montes y José Díaz Fernández; en el número 30, César A. Comet, Luis F. de Valdeavellano, Manuel Chaves Nogales y Mariano Quintanilla. De acuerdo con el espíritu «pluri-cultural» de la revista, también participa un número considerable de intelectuales catalanes (en el número 23: F. Valls Taberner, Joan Estelrich, Josep Carbonell, Carles Riba, Andrés Bausili, A. Esclasans, Rafael Benet, Millás-Raurell y J.M. López-Picó).

un escritor condicionen su producción literaria. No es cuestión de límites y deslindes, sino de absoluta independencia» («Política» 3). Comentando esta respuesta de Chabás, José Luis Villacañas observa que «en efecto, los jóvenes orteguianos, como Chabás, estaban en condiciones de distinguir entre la esfera de acción estética y la de acción política... Este es el fenómeno del tiempo: que la acción política vaya por un lado y la literatura por otro» («Sobre la temprana» 34).

Este análisis de la respuesta de Chabás a partir de lo que Max Weber identificó como «la diferenciación de las distintas esferas de valor» –la economía, la política, la religión, la ciencia, el arte y la vida erótica–[43] nos da una idea del grado de modernidad alcanzado por la cultura española en esa época. Esta diferenciación, que es a la vez índice y producto del proceso de racionalización típico de la civilización occidental, opera en la sociología weberiana tanto a nivel de las relaciones sociales como a nivel individual, mostrando cómo los valores de una esfera refuerzan o entran en conflicto con los de otra esfera. «A nivel del sujeto individual, cada esfera de valor impone ciertas demandas en la conducta práctica y ética del individuo, demandas que pueden reforzar o entrar en conflicto con las de otra esfera» (Schroeder 93).[44] Por eso cuando escribían ficción, ni Ayala ni Chabás hacían política o se sentían condicionados por ella. Y de la misma forma que las demandas de la esfera estética no eran las mismas que las de esfera política, tampoco cabía confundir las demandas de esta con las de la esfera intelectual (científica). Esto

---

43. El texto de Max Weber en el que se discuten estas categorías es «Religious Rejections of the World and Their Directions».

44. «On the level of the individual each sphere of life makes certain demands on the individual's practical and ethical conduct which may reinforce or conflict with the demands of another sphere».

queda claro en la respuesta de Ayala a la segunda pregunta de la encuesta, «¿Siente usted la política?»:

> Sí; siento con gran intensidad la política. Como espectáculo, y, sobre todo, como actuación. En términos generales, creo que un intelectual no puede eludir un deber de atención hacia la política –tema–, como hacia ninguna cosa que tenga un sentido y una vitalidad. (De otro modo no será un intelectual, sino un *señorito profesional.*) Lo que no se le puede pedir es que esa atención sea preferente, ni menos, que escriba sobre el asunto. Esto resultaría arbitrario, y, además, produciría una abundancia aterradora. (*Obras* VII: 537)

Cuando Ayala suscribió estas palabras en enero de 1928, estaba empezando a delimitar la esfera propia del intelectual en relación con la del político, una cuestión decisiva para entender su posición sobre la política alemana de Weimar. Un par de años antes, en 1926, Ortega ya había reflexionado sobre esta cuestión en «Parerga: Reforma de la inteligencia» (1926). Allí Ortega nos pedía reconocer que «cada oficio y clase social elabora un tipo humano distinto, dotado de un repertorio particular de virtudes y vicios. De estos tipos humanos cada cual está predispuesto para una tarea afín y es incongruente encargar al uno que haga lo del otro» (125). Según vemos, la diferenciación weberiana de las esferas de valor también estaba presente en Ortega. Por eso Ortega argumentaba que no se le podía pedir al intelectual que desempeñara las tareas del político: «Nada más noble y atractivo fuera que encargar a la inteligencia de hacer felices a los hombres; pero apenas lo intenta, como si una divinidad inexorable se opusiese a ello, la inteligencia se convierte en política y se aniquila como inteligencia» (124).

Sin llegar a la visión idealista y normativa de Ortega, según la cual «la inteligencia pura tiene sus normas interiores y exclusivas, que se resumen en la pulcra y serena contemplación del universo»

(124), Ayala sí que consideraba que el intelectual debía interesarse por la política desde una distancia. Para el intelectual, la política podía ser una actividad y un tema −y en tanto tema ya imponía una distancia, la que mediaba entre el observador y el fenómeno observado−. En cualquier caso, la forma que tenía el intelectual de aproximarse a la política, tanto en su dimensión de «espectáculo» como de «actividad», era una forma parcial y secundaria. A diferencia del político, sobre el cual la política ejercía la tiranía de las cosas que nos reclaman una atención absoluta, el intelectual podía dispensarle una atención meramente secundaria. Si bien es cierto que en la obra de Ayala posterior a 1928 hay cientos de páginas dedicadas a la política y que, por consiguiente, la atención que le dedicó a la política fue más preferente que secundaria, no lo es menos que Ayala, en 1928, y en tanto intelectual liberal, comprendía su vocación literaria como una actividad relativamente autónoma, organizada según sus propias reglas y objetivos, que la diferenciaban claramente de la política.

En una línea todavía próxima a las ideas de Ortega, Ayala desarrolló la distinción entre el político y el intelectual en la reseña que en 1928 hizo del libro *Libertad de amar y derecho a morir* de Luis Jiménez de Asúa, ilustre penalista deportado por la dictadura de Primo de Rivera y catedrático en la Universidad Central de Madrid, donde Ayala fue alumno y ayudante suyo −muchos años después volvería a coincidir con él en la Legación española de Praga, en plena Guerra Civil, y más tarde en el exilio porteño−. En la reseña del citado libro, Ayala adoptaba como punto de partida la diferenciación weberiana de las distintas esferas de valor y, desde posiciones liberales, observaba que:

> Cuando se acusa a los políticos de poco intelectuales, o esto no es sino la expresión vaga de una idea mal formada, o se incurre

en un contrasentido, reprochándoles la ausencia de cualidades que son ajenas a su tipo. Con ello se les pide una contención a que no se aviene el impulso de su carácter, y una serenidad cósmica, de la que no pueden disponer. El intelectual es un alma fría que produce el fuego entre sus manos por puro deleite. El político –alma vehemente– arde en el fuego barroco de la vida, oprimiendo los hechos y marchando sobre ellos en un juego arriesgado.

Difícil le será a un intelectual asumir el papel de político: le faltará poder de decisión, y solo violentándose, resolverá, en definitiva. Pero el político –aun empapado de cultura– no conseguirá siquiera fingir la actualidad del intelectual. Su instinto de la acción le convertirá las ideas en medios dispuestos en serie táctica contra el enemigo. Se enamorará de ellas; las odiará cuando adversas. Y nunca podrá contemplarlas serenamente, pues hasta la posible opción a la serenidad tiene en él caracteres de ardid bélico... (*Obras* VII: 550)

Si como querían Weber y Ortega, a cada tipo humano –al intelectual, al político– le correspondía un discurso y un valor, Ayala, desarrollando esta premisa, se colocaba en la posición del intelectual que disponía de «contención» y de una «serenidad cósmica» (aparece de nuevo el diálogo de la razón con las emociones). Frente al político vehemente que desarrollaba su actividad en el plano de los hechos, Ayala se retrataba a sí mismo como un observador desapasionado («un alma fría») que desarrollaba su actividad de forma desinteresada («produce el fuego entre sus manos por puro deleite») en el plano de la contemplación –en esto se puede apreciar la filiación orteguiana de su pensamiento–. La contemplación serena de las ideas propia del intelectual, proseguía Ayala, contrastaba marcadamente con el uso que de las mismas hacía el político, en cuyas manos se transformaban en mero instrumento, en arma para atacar a sus enemigos. Por esas mismas fechas reiteraba esta idea, en una extensa nota al ya citado artículo «Nueva política»: «Un poema es un poema: su delicia estriba en que se baste a sí mismo.

Una manifestación dirigida a la política exige peculiarísima postura mental, forma clara, diáfana y vehículo idóneo. Mezclar política y literatura es una falta de educación intelectual, en la que procuraré no incurrir» (*Obras* VII: 597).

Todo esto es consistente con la afiliación de Ayala a lo que Manuel Aznar Soler ha llamado «la juventud democrático-burguesa» de la época. En tanto «órgano de expresión del crecimiento y crisis de las vanguardias artísticas españolas», observa Aznar Soler, las páginas de *La Gaceta Literaria*

> [...] fecundaron las tres juventudes intelectuales que desarrollarán su trabajo cultural y su producción literaria durante los años de la Segunda República: la fascista, la democrático-burguesa y la marxista. Tres juventudes literarias que constituían la expresión intelectual de los tres proyectos políticos que convivieron tensa y convulsamente durante los años de la Segunda República: fascismo, reformismo democrático-burgués y revolución. (*República* 145)

Si Ayala apostó clara y consistentemente por un proyecto reformista de signo democrático-burgués, ¿qué implicaciones tuvo esta apuesta política para su posicionamiento ante los poderosos afectos que circulaban en la sociedad de la época? En tanto integrante de una juventud democrático-burguesa, ¿cómo se relacionó Ayala con las violentas pasiones del mundo de entreguerras? Y su entendimiento de las pasiones sociales, ¿en qué se diferenció del entendimiento que propugnaban los jóvenes fascistas o marxistas?

Liberalismo: emociones colectivas y conocimiento

Como marco ideológico general de las intervenciones públicas de Ayala, el liberalismo cumplió una importante función tanto a nivel individual como colectivo. Ya hemos visto, en el arranque del presente capítulo, que Ayala atribuía la contención y moderación de sus violentos afectos a su «consistente posición liberal». ¿Se da también esta propensión del liberalismo a la contención emocional a nivel colectivo? ¿En qué medida el liberalismo actúa como una forma de canalizar las violentas pasiones que agitan la vida social? Como se señaló en la introducción, el liberalismo es una ideología que trata de minimizar las pasiones en la esfera pública. A lo que tradicionalmente ha aspirado un liberal es a potenciar la razón, concebida como un elemento mediador entre los intereses de los ciudadanos.

Desde el punto de vista liberal, ha observado Cheryl Hall que «las pasiones son preocupantes porque evocan el fantasma de los comportamientos violentos. Resultan profundamente inquietantes porque constituyen una de las fuentes (cuando no *la* fuente) de la intolerancia, la beligerancia, y la persecución» (121).[45] Cualquier ciudadano afín al liberalismo suscribiría esas palabras –y seguramente las hubiera suscrito todavía con mayor énfasis a finales de los años veinte del siglo pasado, cuando la peligrosidad de las emociones públicas era palpable, y cuando la intolerancia, la beligerancia y la persecución constituían una experiencia cotidiana para muchos–. Desde luego, esa era la experiencia de los obreros y las clases populares españolas, cuyas protestas y revueltas, a menudo avivadas por el ejemplo la Revolución rusa de 1917, eran brutalmente reprimidas por un Estado que evidenciaba una creciente debilidad y una manifiesta crisis de autoridad (Vincent 98-116). Por eso, a finales de los años veinte y principios de los treinta un liberal como Ayala todavía

---

45. «Passion is disturbing because it raises the specter of violent behavior. It is a (if not *the*) source of intolerance, belligerence, and persecution, and for that reason, deeply troubling».

podía concebir el gobierno y las instituciones como un instrumento para canalizar y controlar las pasiones y los intereses de la gente. Los fascistas y los comunistas, por el contrario, se dedicaron a explotarlas. Baste aquí recordar la importancia que tuvo un libro como *Réflexions sur la violence* (1908) de Georges Sorel y su exaltación del mito –un concepto esencialmente afectivo– para la acción revolucionaria y antiparlamentaria de la extrema izquierda y la extrema derecha (lo que explica, como se señaló en la introducción, que un liberal como Benda considerara a Sorel el paradigma del intelectual traidor). Más que controlar y canalizar los afectos sociales, fascistas y comunistas los potenciaron en su conquista del poder.

En este contexto, que Ayala apostara por un nuevo liberalismo también nos ayuda a entender por qué nunca llegó a poner su producción intelectual y artística al servicio de un partido político. Desde luego, su obstinada voluntad de independencia y su afán de distanciamiento, ya señalados al inicio del capítulo como características de su personalidad, no lo predisponían a acatar las consignas de un partido. Es lo que Ayala llamó «la resistencia que siempre he tenido a embanderarme, a catalogarme» (*Obras* II: 194). Pero hay otro factor, más importante que estos, que explica esa resistencia a embanderarse: su ideario liberal y progresista estaba basado en el presupuesto de un conocimiento desinteresado, autónomo y objetivo. Aunque el Ayala maduro llegó a admitir, en *Razón del mundo*, cierta conexión entre convicciones intelectuales e intereses prácticos (*Obras* V: 370-71), siempre se mantuvo muy lejos de las epistemologías situadas que proliferaron entre los partidarios del marxismo y del fascismo en la Europa de entreguerras. Como ha señalado Dick Pels, el nacionalismo radical y el marxismo defendieron la producción de un conocimiento parcial y politizado, que reflejara los intereses y la identidad de los sujetos a quienes representaban: la nación y el proletariado. «Las teorías del conocimiento situado», prosigue Pels,

[...] surgen con fuerza desde la izquierda y la derecha radicales, con el objetivo de cuestionar, desde ambos extremos del espectro político, el ideal liberal de un conocimiento y una ciencia autónomos y desinteresados. El socialismo y el nacionalismo, los grandes rivales ideológicos de los siglos diecinueve y veinte, coinciden paradójicamente en el común empeño de promover, respectivamente, las políticas de identidad de la clase trabajadora y de la nación.[46] (157)

Entre los partidarios de estas epistemologías situadas, Pels destaca a figuras como Karl Marx y Georg Lukács, en el campo marxista, y a Maurice Barrès, Charles Maurras, Carl Schmitt o Hans Freyer en el campo nacionalista. Porque los escritores marxistas y fascistas arrancaban de un conocimiento politizado, fue natural para ellos poner su obra al servicio de una causa o de un partido. Poco importa aquí que se tratara de obra científica o de creación literaria: ambas estaban politizadas desde su nacimiento y, en su desarrollo posterior, ambas siguieron las consignas políticas emitidas desde sus respectivas ideologías.

Si podemos hablar de la politización del conocimiento en los años veinte y treinta del siglo pasado, es porque también existió el ideal de un conocimiento objetivo y autónomo. La obra de Ayala es un ejemplo de ello. Su punto de partida no fue la lucha política sino el convencimiento de que política y conocimiento (y creación estética) iban por caminos diferentes (recuérdese lo dicho a propósito

---

46. «Standpoint theories of knowledge hence emerge in strength simultaneously from the radical left and the radical right, in order to pressurize the liberal idea(l) of autonomous and value-neutral knowledge and science from both ends of the political spectrum. Socialism and nationalism, the great philosophical contenders of the nineteenth and twentieth centuries, mirror each other in intriguing fashion in advancing their alternative identity politics of the working class and the nation».

de la diferenciación weberiana de las esferas de valor). Por un lado, sus escritos académicos en el ámbito del derecho, la sociología y la ciencia política estuvieron marcados por el ideal de un conocimiento desinteresado, autónomo y objetivo; y, por otro, su creación literaria estuvo constantemente atravesada por los valores relativamente autónomos de la esfera estética. Por eso, cuando Ayala se situó ante las convulsiones políticas de su época, lo hizo bajo la consigna de la distancia. Desde luego, esta tenaz voluntad de independencia y de distancia caracteriza las posiciones que Ayala adoptó cuando se posicionó en contra de la dictadura de Primo de Rivera en 1929, cuando apoyó la República en 1931-1933 y cuando actuó en defensa del gobierno legítimo en 1936. En todas estas ocasiones, siempre fue sensible al papel que jugaban las emociones políticas, pero siempre actuó procurando proteger su independencia e imponiendo una distancia ante las conmociones políticas que le rodearon. Cuando tuvo que actuar y decidirse por una opción política, Ayala no vaciló. Pero incluso cuando adoptó una posición clara y tomó partido, procuró conservar el *ethos* propio del intelectual –contención, serenidad, contemplación– y se esforzó por proteger la autonomía relativa de su discurso, ya fuera académico o literario. Y cuando Ayala percibió que las circunstancias no le permitían mantener suficiente autonomía discursiva, como ocurrió entre el año 1936 y 1939, optó por defender la República con acciones en lugar de palabras.

No obstante, la primera ocasión que Ayala tuvo de ensayar su particular manera de actuar como intelectual no se la proporcionó su propia sociedad, sino una extranjera: la Alemania de la República de Weimar en los años de su desintegración. Como veremos en detalle en el siguiente capítulo, Berlín fue el escenario en el que Ayala siguió cultivando ese tono vital tan apasionado de su infancia, templado entonces por una voluntad de distancia y un anhelo de independencia que son palpables en las crónicas que envió a la revista madrileña *Política*, donde tuvo ocasión de objetivar públicamente su posición ante la crisis política del régimen de Weimar. A la vez, en Berlín Ayala también registró, en escritos literarios como «Erika ante el invierno» y «¡Alemania, despierta!», una atmósfera afectiva –hecha de dolor, angustia y sufrimiento– que resultaba decisiva para entender la producción de un tipo de sujeto político muy singular: el ciudadano alemán dispuesto a comulgar con el nacionalsocialismo.

El colapso de la República de Weimar

Gracias a una pensión de la Universidad Central de Madrid, Ayala salió por primera vez de España con destino a Berlín en noviembre de 1929. El objetivo declarado del viaje era mejorar sus conocimientos de alemán y ampliar sus estudios de derecho político. Con este propósito, allí asistió como oyente a las lecciones del que más tarde reconocería como su maestro, el jurista y sociólogo socialdemócrata Hermann Heller. Como ha señalado Alberto Ribes Leiva, la relación personal e intelectual con Heller resultó decisiva porque fue a través de él, quien «reconocía influencias en su trabajo de Max Weber, Dilthey y Husserl» (76), que Ayala se introdujo en el pensamiento sociológico.[47] Solo por esto, podríamos decir que la experiencia berlinesa de Ayala fue crucial.

Pero en la trayectoria intelectual de Ayala, Alemania representó algo más que la construcción de una mirada sociológica. De entrada, Alemania era para él –y para muchos otros compañeros de generación– «un mundo ajeno y prestigioso, la Europa a que tanto

---

47. En enero de 1931, Ayala regresa brevemente a Berlín para pronunciar la conferencia titulada «Sobre el punto de vista español ante la propuesta de una Unión federal europea» en el Seminario de Filología Románica de la Universidad de Berlín. Publicada en el número de julio de 1931 de la *Revista General de Legislación y Jurisprudencia*, está recogida en las *Obras completas* (VII: 1227-1240). Como se señala más adelante, Ayala también aprovechó esta segunda visita para contraer matrimonio con una joven chilena que había conocido en Alemania, Etelvina Vargas.

había deseado incorporarse España» (*Obras* II: 176). Al ampliar su formación científica en Alemania, Ayala dio los primeros pasos en el aprendizaje de ese distanciamiento crítico que cultivaría a lo largo de su fecunda trayectoria y que dotaría a su pensamiento de una perspectiva tan amplia como internacional. Como ha observado Julián Jiménez Heffernan, «una de las proezas de Francisco Ayala fue construirse una mirada exterior desde el interior». Con esto se quiere decir que Ayala tenía «una capacidad innata para distanciarse intelectualmente de su propia naturaleza histórica con el fin de regresarse a ella desde todas las perspectivas posibles» (103).

Esta aspiración a construirse una mirada extranjera o exterior, que había tomado impulso con la generación anterior, no solo era plenamente compartida por los contemporáneos de Ayala, sino que también estaba respaldada por las instituciones educativas de la época –particularmente por la Junta para Ampliación de Estudios e Investigaciones Científicas (JAE)–. Esta organización, heredera del espíritu de la Institución Libre de Enseñanza, impulsó decisivamente el desarrollo cultural y científico del país entre 1907 y 1939. Entre los mayores que se formaron en Alemania gracias a las ayudas de la JAE, destacan figuras como José Ortega y Gasset, Manuel García Morente, Américo Castro o María de Maeztu, mientras que entre los contemporáneos de Ayala podemos mencionar a Rafael Alberti y María Teresa León, José Medina Echavarría, Timoteo Pérez Rubio o Felipe Fernández Armesto, con el que Ayala trabó amistad en Berlín.[48]

---

48. Tal y como figura en la Exposición del Decreto Fundacional de la JAE, uno de sus objetivos era «formar el personal docente futuro y dar al actual medios y facilidades para seguir de cerca el movimiento científico y pedagógico de las naciones más cultas» (Sánchez Ron 6). Más de tres mil docentes y científicos se

Aunque está claro que la experiencia berlinesa de Ayala no fue un caso excepcional, la mirada exterior que allí empezó a forjarse, con el tiempo y las vivencias del posterior exilio, acabaría por distinguirse de las de los demás escritores por su constancia y su profundidad. La distancia detectable en las crónicas de Ayala que aparecieron en la revista *Política* a lo largo del año 1930 era distancia con respecto a su tierra, su sociedad y su cultura, sí, pero también, como nos recuerda José-Carlos Mainer, distancia «sobre sí mismo, sobre el mundo y sobre su propio oficio: una estrategia que combina la racionalidad y la intuición, la categorización intelectual y el sentido común más llano» («Una reflexión» 46).

Aunque no se ha insistido mucho sobre ello, Ayala no solo desarrolló su distanciamiento crítico y su mirada exterior en Alemania. Allí también tuvo ocasión de sintonizar su conciencia y su sensibilidad afectivas –tan importantes para él– con las emociones que observó en muchos ciudadanos alemanes durante sus dos estancias en Berlín. Además de considerar distanciadamente el juego político de la República de Weimar durante su lenta desintegración, Ayala también registró con empatía el clima afectivo de aquellos años. En suma: Alemania fue para Ayala una ocasión para cultivar la distancia, pero también para atender y activar su arrebatado fondo emocional.

Centrándonos en las crónicas que Ayala escribió para la revista *Política* (1930), así como en su relato «Erika ante el invierno» y algunos escritos considerados menores –singularmente la nota «¡Alemania, despierta!» y otras notas y reseñas– en este capítulo mostraremos

---

beneficiaron de las ayudas de la JAE. Para más información acerca de la JAE, véase la síntesis de Sánchez Ron y la exposición virtual titulada «El laboratorio de España. La Junta para Ampliación de Estudios e Investigaciones Científicas, 1907-1939», alojada en el portal «Edad de Plata».

que en ellos Ayala dio cuenta de la desintegración de la República de Weimar desplegando algunas de las cualidades que resultarían decisivas en el resto de su obra. Algunas de estas características como la objetividad, la independencia, la distancia crítica y la ironía han sido ampliamente comentadas por los estudiosos de la obra de Ayala –y han sido cabalmente relacionadas con el desarrollo de su mirada sociológica–. Sin embargo, casi nadie ha reparado en la atención que Ayala prestó a la atmósfera afectiva que se palpaba en la Alemania de 1929-1931. Poco o nada se ha escrito acerca de la tristeza, el dolor, el miedo y la desesperación que Ayala respiró durante su estancia berlinesa. Y tampoco se ha insistido lo suficiente en cómo esta conciencia afectiva de Ayala, expresada sobre todo en un registro literario, acompañó desde el principio su mirada sociológica –racional, fría y objetiva– y determinó la forma en que iba a participar en la nueva sensibilidad cultural de los años treinta. Por eso, uno de los objetivos de este capítulo consistirá en reconstruir esta dimensión decisiva pero ignorada del perfil de Ayala como escritor público: su conciencia afectiva, que dio cuenta de la creciente fuerza de los afectos en la movilización social y política de los años treinta.

Ante el colapso de Weimar: distancia y afectos en las crónicas de *Política*

Bajo el epígrafe «Política extranjera. Alemania» y en calidad oficiosa de corresponsal, Ayala publicó en la revista *Política* siete artículos a lo largo de ocho meses (desde febrero hasta septiembre de 1930).[49]

---

49. Junto a estos siete artículos sobre política alemana, publicó también dos reseñas en *Política*: una de *Las ideas políticas contemporáneas* de Hermann Heller (*Obras* VII: 629-631) y otra de *Introducción a la ciencia del derecho* de Gustav Radbruch (*Obras* VII: 635-637).

Empresa tan brillante como fugaz –el primer número salió en enero de 1930 y el último, de carácter doble, en diciembre de 1930– *Política* fue fundada y dirigida por el jurista neokantiano José Mingarro y San Martín con la aspiración de remover la conciencia del público y sacarlo de la atonía política en que lo había sumido la dictadura de Primo de Rivera. Este objetivo requería, en primer término, poner «la política en el primer plano de la atención pública» («Nuestra profesión» 1).[50] No se trataba, sin embargo, de hacer política de partido. Se trataba, más bien, en el mismo espíritu de la circular dirigida por los jóvenes intelectuales a Ortega y Gasset en abril de 1929, de hacer «política nacional», esto es, política al servicio del «interés de España» desde un espíritu integrador de la tradición política española y con una clara vocación europeísta («Nuestra profesión» 1) –de ahí la existencia de la sección titulada «Política extranjera», en la que se daba noticia de la política alemana, francesa e inglesa del momento, y en la que aparecieron los artículos de Ayala–.

Esta somera descripción de los objetivos de *Política* nos hace entender que se trataba de una publicación afín al nuevo liberalismo del joven Ayala, a su visión de la función social del intelectual y al espíritu de renovación política que se respiraba en la España del año treinta. Como el joven Ayala, la revista nunca llegó a formular «una doctrina sistemática» sino que más bien profundizó «en diversos puntos de vista ideológicos y, en general, en las grandes ideas que sirven de base a las ciencias sociales» (Guillén Kalle y Almoguera Carreres 10). Cuando la empresa llegó a su fin, en diciembre de

---

50. Sobre la revista, véase el estudio crítico de Guillén Kalle y Almoguera Carreres *Hacia una nueva profesión de fe*, cuadernillo anejo a la edición facsímil de la revista publicada en 2006. En ella colaboraron, además de Ayala, Melchor Fernández Almagro, Mariano Ruiz Funes, Luis Jiménez de Asúa, Miguel Cuevas o Nicolás Pérez Serrano.

1930, su espíritu tuvo continuidad en la *Revista de Derecho Público* (1932-1936), auténtico «fundamento jurídico y político a la Segunda República» (Guillén Kalle y Almoguera Carreres 16).[51]

Desde el mirador que le proporcionó *Política*, el joven Ayala se asomó a la crisis del Estado alemán de entreguerras y, al hacerlo, afianzó su particular manera de ejercer de intelectual. Cuando Ayala llegó a Berlín a mediados de noviembre de 1929, pocos días después de la crisis de Wall Street (24-29 octubre) que dio lugar a la Gran Depresión en Estados Unidos, la tregua económica del periodo 1923-1929 estaba llegando a su fin. En efecto, los préstamos recibidos de Estados Unidos, destinados en parte a costear las astronómicas reparaciones de guerra impuestas por el Tratado de Versalles (1919), empezaban a tener los días contados. Sin acceso a los créditos del mercado internacional, Alemania volvía a estar asediada por los fantasmas de la inflación desbocada y del desempleo masivo. Muchos empezaban a cuestionar la supervivencia misma de la República de Weimar, un régimen que nunca gozó del apoyo de las élites ni del pueblo alemán.

Acabada la guerra, muchos intelectuales alemanes –desde Heinrich y Thomas Mann hasta Ernst Troeltsch y Max Weber– defendieron el nuevo régimen, aunque lo hicieron más por necesidad que por convencimiento. Estos intelectuales, conocidos como

---

51. Entre 1932 y 1935, Ayala colaboró con la *Revista de Derecho Público*, escribiendo reseñas bibliográficas de obras jurídicas producidas en España y el extranjero –sobre todo Alemania–, contribuyendo a la sección «Revista de revistas» y aportando una reflexión original y crítica sobre el «Proyecto de bases para la ley municipal» aprobado por el Gobierno en octubre de 1934, el cual, para Ayala, constituía «un escamoteo premeditado de lo que, por ser un principio de la Constitución, no es lícito escamotear» (*Obras* VII: 717). El lector interesado puede consultar estos escritos en el volumen VII de las *Obras completas* (693-720).

«*Vernunftrepublikaner* porque apoyaban la República de Weimar en términos racionales, pero no emocionales, intentaron convencer al público alemán de que aceptara el nuevo orden político» (Kaes et al. 86).[52] Pero en 1930, los apoyos a la República de Weimar comenzaron a escasear. Ni los intelectuales ni la coalición de partidos políticos de centro que sostuvieron el nuevo régimen pudieron, o supieron, hacer frente al alarmante deterioro de la situación política, económica y social.[53] Pronto la vida democrática de la República de Weimar comenzó a desaparecer y pasó de ser un régimen parlamentario a ser un régimen presidencialista, con el presidente Hindenburg nombrando gobiernos sin el respaldo de la mayoría parlamentaria y el canciller gobernando por decretos de emergencia. El punto de no retorno en esta deriva hacia el presidencialismo se produjo con la formación del gobierno en minoría del canciller Heinrich Brüning (Zentrum, partido católico) en marzo de 1930.[54]

Este es el terreno en el que Ayala fue creando su perfil de escritor público. En el fondo, no deja de ser significativo que sus primeras

---

52. «Dubbed *Vernunftrepublikaner* because they supported it [the Weimar Republic] on rational grounds, but not emotional ones, they sought to convince the German public to accept the new order».

53. Los tres partidos de centro que en la práctica sostuvieron la República de Weimar eran el Partido Social Demócrata (SPD, el partido con mayor representación en el Reichstag entre 1919 y 1932), el Partido Alemán de Centro (Zentrum, partido católico, cuyo líder, Heinrich Brüning, fue canciller entre 1930 y 1932) y el Partido del Pueblo Alemán (DVP, liderado por Gustav Stresemann desde 1918 hasta su muerte en 1929). La información sobre la República de Weimar proviene del excelente compendio *The Weimar Republic Sourcebook*, editado por Anton Kaes, Martin Jay y Edward Dimenberg, y de *A Historical Dictionary of Germany's Weimar Republic, 1918-1933*, de C. Paul Vincent.

54. Como señalaré más adelante, Ayala dio cuenta de este acontecimiento en el artículo «Vida y milagros del nuevo gobierno» (abril de 1930).

reflexiones sistemáticas acerca del entramado ideológico y político de una sociedad no tuvieran por objeto su propia sociedad –la española– sino una extranjera, la alemana. Por eso, la batalla que Ayala libró en *Política* fue necesariamente muy diferente a la que libraron los intelectuales alemanes comprometidos con la República de Weimar. Ayala no estaba por defender la República de Weimar ante su público –a pesar de las afinidades que pudiera sentir hacia algunos de sus principios ideológicos y valores fundamentales–. Su objetivo en las crónicas de *Política* era más bien dar cuenta de su desintegración a través de unas reflexiones marcadas por la objetividad y la independencia, reflexiones dirigidas a unos lectores alejados –geográfica y sentimentalmente– de la crisis alemana. Mientras los intelectuales alemanes intentaban corregir la desconfianza, la indiferencia o la hostilidad de sus compatriotas hacia el nuevo régimen, Ayala, sencillamente, procuraba levantar acta de la crisis para los suscriptores de *Política* –las élites madrileñas (o españolas)–. Sus lectores, comprometidos con la constitución de un régimen liberal y democrático en España, sin duda tenían un vivo interés en la crisis económica, social y política que acabó con el régimen de Weimar e hizo posible el auge del nazismo –pero en cualquier caso se trataba de un interés atenuado y relativo–. Esto ya supone la creación de una primera distancia en la mirada de Ayala sobre la crisis política de Weimar.

A esta primera distancia, hay que añadir una segunda derivada de su formación académica en derecho, ciencia política y sociología. Al concluir las asignaturas de la licenciatura en Derecho al final del curso 1926-1927, Ayala ofició de ayudante en la cátedra de Derecho Político en la Universidad Central de Madrid y luego pasó a desempeñar una auxiliaría en la misma cátedra durante el curso 1931-1932 hasta que, en junio de 1932, ganó una plaza de letrado de Cortes. Entre tanto, obtuvo el grado de Licenciado en Derecho en junio de

1929 y el de Doctor en Derecho en septiembre de 1931 (ante sendos tribunales presididos por el Decano de la Facultad, Adolfo Posada). Aunque la formación jurídica de Ayala se desenvolvió en la órbita de la tradición krausista e institucionista representada por Adolfo Posada (1860-1944), cuya obra integró los aportes de la sociología y se comprometió con la reforma social desde una postura liberal, nuestro autor fue evolucionando hacia posiciones socialdemócratas. Juan José Gil Cremades considera que «a pesar de la proximidad [a la herencia krausista], Ayala no manifestó mucha simpatía por dicha herencia» (19). Y Sebastián Martín concuerda al observar que «Francisco Ayala, que comenzó formulando opiniones propias de un liberal republicano en la revista *Política*, terminaría inscribiéndose en la corriente del socialismo reformista y democrático, tanto por influjo de Hermann Heller como por convicciones propias» (*El derecho político* LV).

En consonancia con el propósito de ampliar sus estudios de derecho político en Berlín, los amigos de Ayala de *La Gaceta Literaria* lo despidieron de Madrid mediante una breve nota que apareció en el número del 15 de noviembre de 1929 y que indicaba que «Va pensionado [a Berlín] por la Facultad de Derecho de la Universidad Central, de cuya cátedra de Derecho Político es ayudante, con el fin de ampliar sus estudios con los profesores Triepel y Hermann Heller» («Francisco Ayala» 1). Como veremos, Ayala se aproximará a la crisis de Weimar con el lenguaje y los instrumentos conceptuales proporcionados por las ciencias sociales. Haciendo pie en el derecho, la ciencia política y la sociología, los artículos de *Política* ofrecerán un diagnóstico de la coyuntura alemana del año 1930, perfilarán la particular manera de Ayala de situarse ante las convulsiones políticas de la época y, a la vez, afianzarán un rasgo de la forma que tendrá el autor de intervenir en el debate público: su voluntad de objetividad y su análisis crítico de la realidad (realidad que para

Ayala también incluirá, como veremos, los estados de ánimo y los sentimientos colectivos).

Podemos profundizar un poco en esa particular forma de intervenir en el debate público que Ayala empezó a ensayar en el año 1930 en las crónicas de *Política*. Se trataba de un estilo de intervención marcado, por un lado, por este doble distanciamiento (cultural-geográfico y epistemológico, si se quiere) y por una clara voluntad de objetividad. Por otro lado, era un estilo de intervención que transparentaba, de manera sutil, algunas de las emociones que Ayala experimentó ante la crisis de la República de Weimar y el auge del nacionalsocialismo. Aunque lo que domina en los escritos de *Política* es la mirada distanciada, objetiva, de corte científico, si leemos estas crónicas atentamente y de forma unitaria podemos detectar la inquietud de Ayala ante la crisis del Estado alemán y la esperanza de que se resolviera por medios democráticos. También nos permiten reconstruir la percepción irónica que tuvo del nazismo. A la tarea de perfilar estos aspectos del particular estilo de Ayala al intervenir en el debate público sobre la crisis alemana del año treinta voy a dedicar las siguientes páginas.

El primer elemento destacable de las crónicas que aparecieron en *Política*, donde Ayala no solo analizaba la coyuntura alemana del año 1930 sino que la comparaba con la situación española, con el propósito de hacerla más entendible a su público, es que nuestro autor escribía como un observador externo. Desde «El catolicismo alemán» (febrero de 1930), la primera crónica de la serie, nos dejaba claro que escribía como un «observador español» que «contempl[a] el juego de la política centroeuropea» (*Obras* VII: 617). El uso del verbo «contemplar», y la consideración de la política centroeuropea como un «juego», nos sitúan de golpe en una perspectiva desinteresada y desapasionada, que se puede entender mejor si la relacionamos con las ideas desplegadas por Max Weber en el ya citado *La ciencia como profesión* (1919) acerca del tipo social del científico. Según Weber, la virtud propia del científico consistía en tener la capacidad para percibir que «son problemas totalmente *diferentes*, por una parte, la constatación de hechos, el establecimiento... de la estructura interna de una cultura y, por otra parte, la respuesta a la pregunta por el *valor* de una cultura y de sus contenidos concretos y de cómo haya que *actuar* en una comunidad política o en una comunidad cultural» (*La ciencia* 86; énfasis original). En 1930 Ayala sencillamente aspiraba a determinar «la estructura interna» de la política alemana sin emitir juicios prescriptivos acerca de cómo se debía actuar en ella.

Esta aspiración a escribir desde la objetividad científica y la independencia personal implicaba una neutralidad emocional en su tratamiento de los diferentes aspectos de la política alemana. Por ejemplo, en su análisis del catolicismo político alemán en la ya referida crónica, Ayala seguía los pasos de Weber y se limitaba a constatar hechos y a describir la estructura interna del partido católico alemán. De esta manera, con un tono aséptico y desapasionado, demostraba que el catolicismo, al actuar en política, pretendía afirmar e imponer «su propia concepción total del mundo» (*Obras* VII: 618). En esto, añadía Ayala, «coincide con sus dos mayores enemigos: el comunismo y el nacionalismo, que tampoco aceptan nada ajeno a sus concepciones del mundo» (618). En otras palabras, Ayala venía a decirnos aquí que la teoría política católica –como la marxista y la nacionalista– era producto de una epistemología situada, que reflejaba los intereses y la identidad de los grupos católicos y excluía los de los demás. Frente a este conocimiento parcial y politizado, Ayala explicaba el funcionamiento del pensamiento político liberal, que concibe el Estado como «una institución humana, un ordenamiento jurídico, que debe estar destinado a garantizar la pacífica convivencia» (619) entre una pluralidad de concepciones del mundo, a menudo en conflicto entre ellas. Al leer estas palabras, uno puede deducir que el liberalismo constituía la preferencia ideológica de Ayala, pero no era algo que resultara evidente o notorio. Hay una general voluntad de ecuanimidad y un desapasionamiento en la consideración de las diferentes ideologías —más allá de que estas coincidieran o no con las preferencias políticas de Ayala–.

Esta aproximación fría y distanciada no excluía, sin embargo, la atención a los aspectos afectivos de la experiencia política. Tomemos, por ejemplo, la segunda crónica de la serie. Titulada «Crisis de la opinión» (marzo de 1930), en ella se analiza con sobriedad la desafección del pueblo alemán hacia las instituciones políticas de la República de Weimar. Esta crónica resulta particularmente reveladora porque Ayala otorga un papel importante a los afectos dentro de una sociedad democrática, pero su análisis se limita a registrar su importancia sin tratar de ejercer influencia alguna sobre ellos. Al fin y al cabo, desde la perspectiva de Ayala, se trataba de las emociones de un público extranjero hacia unas instituciones foráneas. De esta manera, el cronista detectaba que la actitud hostil del público frente a la República tenía una base afectiva. La clave de todo residía en la ausencia del «sentimiento superindividual, que pudiéramos llamar 'sensación de la responsabilidad del Estado'» (*Obras* VII: 620). Para Ayala, este sentimiento colectivo estaba sin duda ausente entre los partidos de la oposición: ni el partido nacionalista alemán, que había perdido «toda responsabilidad pública» (620), ni el partido nacionalsocialista ni el comunista, que perseguían «la destrucción del actual Estado» (621), sentían vinculación afectiva alguna con el Estado de Weimar. Pero tampoco estaba presente en los partidos republicanos. Estos, continuaba Ayala, carecían de personalidades que «sientan de un modo, pudiéramos decir personal, el interés del Estado» y, si bien contaban «con el apoyo, no así con la fe de sus propios adherentes» (621). La consecuencia era clara: la República de Weimar había sido incapaz de producir un anclaje afectivo en el público alemán.

De esta ausencia primaria, Ayala deducía una serie de consecuencias para el cada vez más inestable régimen de Weimar. Así, cuando diseccionaba con frialdad el débil gobierno del canciller Heinrich Brüning (1885-1970) en la tercera crónica de la serie, «Vida y milagros del nuevo Gobierno» (abril de 1930), ahondaba en la forma descarnada en que Brüning, y su partido de centro católico, forzaron y coaccionaron los resortes del sistema democrático de partidos. La actitud de Brüning y del nuevo gobierno había creado un nuevo estado de ánimo en los alemanes, que Ayala cifraba en un difuso pero intenso desasosiego: «Las conciencias jurídicas no han dejado de percibir en tales coacciones, aunque fieles a letra legal, una ofensa al sentido de respeto escrupuloso que la democracia representa; un algo que se siente en forma de inconcreto malestar, pero que *se siente* [...] Nueva comprobación de que la democracia no es tan solo una técnica, un sistema, sino también un espíritu» (623; énfasis original).

Ausente el espíritu –los afectos y las emociones– de la democracia, las crisis de gobierno se sucedían a un ritmo vertiginoso. Ayala fue dando cuenta de ellas en las crónicas «Una crisis y unas elecciones» (junio de 1930) y «Proliferación de partidos» (julio de 1930). Al reflexionar sobre las constantes crisis de gobierno que amenazaban con liquidar la frágil democracia alemana, Ayala seguía manteniendo un tono desapasionado. En «Una crisis y unas elecciones», por ejemplo, insistía en que la raíz de la crisis política residía en «la creciente falta de correspondencia espiritual [...] entre la opinión pública alemana y los partidos políticos en su actuación gobernante» (*Obras* VII: 627). Y añadía que, ante la «indiferencia hostil» de la opinión pública hacia los partidos, y ante las constantes crisis de gobierno, la única salida constitucional que tal vez le quedara al canciller Brüning era solicitar «del Presidente del Reich poderes que le permitan implantar las reformas sin contar con el actual Parlamento» (628).

Designado canciller en marzo de 1930, Brüning tuvo que enfrentar una situación de emergencia económica, política y social gobernando por decretos de emergencia ante la falta de apoyos parlamentarios (de acuerdo con lo previsto por el artículo 48 de la Constitución de Weimar). A los cinco decretos de emergencia que promulgó en 1930, hay que sumar los cuarenta de 1931 y los cincuenta y siete que llegó a aprobar hasta mayo de 1932, cuando Brüning perdió la confianza del presidente Hindenburg (*A Historical Dictionary* 65). En total, el Gobierno de Brüning aprobó más de cien decretos de emergencia en poco más de dos años, una cifra que revelaba la creciente primacía del poder ejecutivo sobre el poder legislativo. Ayala registró este fenómeno como el resultado de las complejas circunstancias políticas que atravesaba la República de Weimar en el verano de 1930. Como en el resto de las crónicas, Ayala consideró el gobierno por decreto de forma objetiva, como una posibilidad constitucional para que el gobierno del canciller Brüning pudiera seguir asumiendo la responsabilidad del poder. Por eso explica a los lectores de *Política* que «sería injusto inculpar de esta situación a los políticos alemanes, y más todavía, como la tosca masa pretende, al sistema democrático o a la forma de gobierno republicana» (*Obras* VII: 628).

En su descripción de la creciente primacía del poder ejecutivo sobre el legislativo, Ayala estaba muy lejos de los contemporáneos que o bien denostaron la democracia parlamentaria o bien cayeron en la fascinación del cesarismo. Un ejemplo de la primera actitud nos lo proporcionaría Carl Schmitt en su ensayo *Sobre el parlamentarismo* (1923), que consiente ser leído como un intento de socavar el régimen republicano de Weimar y de justificar intelectualmente una dictadura.[55] Juan Chabás, en su testimonio sobre la vida en la Italia de Mussolini, nos ofrecería una muestra de la segunda actitud. En varios pasajes de *Italia fascista (política y literatura)*, Chabás dejó constancia de la admiración que sentía ante la actitud vital –que no ante el sistema político– del fascismo italiano, actitud vital que definía como un «viril estremecimiento de historia viva, elaborada hora por hora, a grandes golpes de energía nacional» (57). Nada de esto hay en Ayala. Por su firme compromiso con la democracia liberal y sus instituciones, ni participó en la denigración intelectual del parlamentarismo alentada por Schmitt ni sucumbió afectivamente a la fuerza y la vitalidad del fascismo que en su día sedujeron a Chabás. En realidad, su actitud encajaba bastante bien con la defendida en un artículo de opinión de *El Socialista*, el órgano oficial del PSOE, titulado «Cómo va el mundo» y publicado en el verano de 1930. Ante el profundo malestar que recorría Europa, y ante los ataques alentados por las derechas contra «el sistema de gobierno liberal parlamentario», *El Socialista* proclamaba que «reconocemos

---

55. Allí el jurista alemán, que más tarde estaría vinculado al nacionalsocialismo, y al que Ayala habría de traducir su *Teoría de la Constitución* en 1934, no solo diagnostica certeramente la crisis de los principios de publicidad y discusión en que se basa el parlamentarismo moderno, sino que también prepara el terreno para una dictadura. Como explica Schmitt, en una sociedad capitalista de masas, en la cual la formación de la voluntad popular está manipulada por la propaganda, la demagogia y los intereses del capital, «la publicidad y la discusión se han convertido [...] en una vacía y fútil formalidad» (65). El resultado es que el parlamento pierde sus fundamentos y su significado: «tal y como se presentan hoy las cosas, resulta prácticamente imposible trabajar de otra forma que en comisiones, y comisiones cada vez más cerradas, que enajenan por último los fines del pleno del parlamento, es decir, la publicidad del mismo, y convirtiéndolo necesariamente en una mera fachada» (64). Sobre la influencia de Schmitt en el pensamiento jurídico y político de la Segunda República, véase Guillén Kalle (y, en especial, el capítulo dedicado a Ayala, en pp. 91-96).

y afirmamos que en aquellos países en donde hay una normalidad parlamentaria, la evolución y el progreso social político avanzan con mayor facilidad, porque el sistema permite incorporarse a la actuación pública a todos los elementos sociales. Esto no es posible realizarlo en un régimen absolutista, de gobierno de dictadura» (1). Este también era el convencimiento de fondo de Ayala.

Por eso, cuando Ayala llegó a esbozar algún tipo de limitada inversión afectiva en la situación política alemana, fue para expresar una mezcla de inquietud y esperanza ante el deterioro democrático del régimen de Weimar –inquietud ante la posibilidad de que los enemigos de Weimar acabaran triunfando, y esperanza de que dicha catástrofe no llegara a producirse–. Por mucho que Ayala aspirase a informar a su público desde la objetividad y la independencia personal, uno siempre escribe desde un lugar, desde un espacio epistemológico, histórico, geopolítico, social, ideológico, e incluso personal y afectivo. El lugar de Ayala, como hemos venido defendiendo, estaba constituido por un ideal del conocimiento como un conjunto de saberes desinteresados, autónomos y objetivos y por su defensa del liberalismo político; a ello podemos añadir su condición de escritor europeo, masculino y burgués y su clara preferencia por la socialdemocracia. De todo esto se desprende que Ayala, al describir la estructura interna de la crisis política de Weimar para los lectores de *Política*, no podía dejar de expresar también sus impresiones y sensaciones, su inquietud ante la fragilidad del Estado alemán y su esperanza de que superara la crisis que lo encaminaba hacia la oscuridad.

Tomemos, por ejemplo, la crónica titulada «Proliferación de partidos» (julio de 1930), donde Ayala puso fin a sus reflexiones sobre el primer gobierno de Heinrich Brüning, el cual, según él, ocupaba una posición imposible: era incapaz de promover «el ordinario funcionamiento de las instituciones» pero, a la vez, era «el único Gobierno factible dentro del Parlamento actual» (*Obras* VII: 631). Para resolver el bloqueo político, el presidente Hindenburg disolvió el Reichstag y convocó elecciones para el 14 de septiembre de 1930. Como una gran mayoría de los alemanes, Ayala, de un lado, expresó su preocupación y contempló con «absoluto escepticismo» (631) las nuevas posibilidades abiertas por la convocatoria electoral, que incluía una atomización de la oferta electoral (se produjo una escisión en los partidos extremos de la derecha, en el nacionalsocialista y el nacionalista). De otro lado, sin embargo, siguió manteniendo la esperanza de que «ese peligroso triunfo de los enemigos del régimen por una y otra banda [extrema derecha e izquierda] [...] no llegue a producirse en las elecciones que se han de celebrar el 14 de septiembre» (632-633). Los enemigos del régimen no llegaron a triunfar en las elecciones de 1930, pero sí que aumentaron considerablemente su representación política –el partido nacionalsocialista pasó de 12 a 107 diputados y se convirtió en la segunda fuerza política más votada–. De esta manera, se empezó a anunciar el principio del fin de la República de Weimar.

Otros ejemplos, acaso más notorios, de esta limitada inversión afectiva en la crisis del régimen de Weimar los encontramos en las tres crónicas en las que Ayala informó a los lectores de *Política* sobre el auge de la extrema derecha: «Nacionalsocialismo» (mayo de 1930), «Una crisis y unas elecciones» (junio de 1930) y «Democracia contra democracia» (septiembre de 1930), crónica esta última que cierra la serie cuando ya había regresado a Madrid (lo hizo en junio de 1930). En ellas, Ayala expresó una creciente sensación de alarma y, a la vez, dejó constancia de su rechazo a la deriva totalitaria del Estado y la sociedad alemanes. Más que en la descripción o la argumentación, la sutil consistencia afectiva de estas crónicas reside en su dispositivo retórico: en el tono empleado, el uso de ciertos adjetivos y en la presencia ocasional de ciertas figuras retóricas como la ironía o la paradoja.

A este respecto, las últimas crónicas de Ayala revelan un tono de alarma creciente a medida que el autor daba testimonio de la rápida implantación del nacionalsocialismo en las instituciones y la sociedad alemanas. Aunque «Nacionalsocialismo» (mayo de 1930) procuraba mantener un tono sereno y distante, Ayala no podía evitar advertir a sus lectores españoles que «la suerte última de este movimiento, hoy *in crescendo*, es algo que debe preocupar seriamente en Europa» (*Obras* VII: 627). En el siguiente artículo, «Una crisis y unas elecciones» (junio de 1930), la franca preocupación por la suerte del nacionalsocialismo se convertía en inquietud, que quedaba reflejada en la consideración del «avance de la extrema derecha en la Dieta sajona» como un fenómeno «alarmante» por cuanto implicaba «un paso más –gravísimo, y más que nada como síntoma– de la ofensiva reaccionaria» (628). Finalmente, en la titulada «Democracia contra democracia» (septiembre de 1930), Ayala reaccionaba ante el triunfo obtenido por el partido nazi en las elecciones al *Reichstag* confesando que este ha causado «una consternación general por cuanto el hecho signifique de catastrófico para el porvenir inmediato del pueblo alemán» (633). En pocos meses –los que mediaban entre mayo y septiembre de 1930– Ayala había pasado de la seria preocupación a la alarma para acabar, una vez confirmado el avance nacionalsocialista, en una sensación de general consternación.

Para entender la reacción afectiva expresada por Ayala en sus crónicas sobre el auge del nazismo, debemos reparar también en el empleo de ciertos adjetivos con valor emocional. Al final de la ya citada crónica «Nacionalsocialismo» (mayo de 1930), Ayala explicaba a sus lectores lo que significaba la mentalidad nazi llevada a la función de gobierno, dando noticia de la creación una cátedra de antropología social en la Universidad de Jena desempeñada por «el autor de una pintoresca teoría antropológica» (626).[56] En «Democracia contra democracia» (septiembre de 1930), Ayala se refería al partido nazi como un «pintoresco y agresivo partido» (634). ¿Con qué valor empleó Ayala el adjetivo «pintoresco» en estos dos ejemplos? Hace ya años Amado Alonso, un crítico sensible a la eficacia emocional del lenguaje, advirtió que las palabras encierran una doble carga, intelectual y afectiva. En cada palabra, nos dice Alonso, lo intelectual y lo afectivo se mezclan en diferente proporción, dando lugar a palabras «de contenido preponderante o exclusivamente intelectual –científicas, preposiciones, conjunciones, verbos auxiliares– hasta esas otras palabras que no expresan concepto alguno, sino la reacción de nuestra sensibilidad ante los hechos, como son las interjecciones» (210). En ambos ejemplos, Ayala empleó el adjetivo «pintoresco» con valor de emoción, para comunicar a sus lectores que consideraba el partido nacionalsocialista y sus políticas como algo estrafalario o chocante que solo merecía su menosprecio.

Esta posición de superioridad respecto del fascismo alemán nos ayudará a entender la mordaz ironía con que Ayala lo consideró al final de su crónica «Nacionalsocialismo» (mayo de 1930). Con una mirada que podríamos llamar sociológica, Ayala ofrecía primero

---

56. El autor de dicha «pintoresca teoría antropológica» no es otro que Hans Friedrich Karl Günter (1891-1968), furibundo antisemita cuyas teorías raciales (y racistas) influyeron en las políticas implementadas por el régimen nazi. Wilhelm Frick (1877-1946), destacado cuadro del partido nazi, reconocido antisemita y ministro de Instrucción de Turingia, lo nombró catedrático en la Universidad de Jena en mayo de 1930. Con la llegada de Hitler al poder, Frick fue promocionado a Ministro del Interior, cargo que desempeñó entre 1933 y 1943. En 1935 redactó, junto con Julius Streicher, las leyes de Núremberg, el cuerpo legal que abrió el camino al genocidio de los judíos de Europa. Detenido al final de la guerra, Frick tuvo que responder de sus crímenes contra la humanidad en el proceso de Núremberg. En 1946 fue condenado y ejecutado en la horca.

un perceptivo (aunque somero) análisis de algunos de los aspectos aspectos fundamentales del movimiento nazi, incidiendo en su tipología social, sus tácticas y el temperamento e ideología de sus afiliados. Además de enfatizar la nota de juventud característica de la organización fascista, ofrecía un retrato del tipo sociológico nacionalsocialista:

> El socialfascista típico es el pequeño empleado sin poder económico, que, de ser un proletario, hubiera formado en el comunismo, y que, al no serlo, se entrega, por un movimiento de raíz meramente subjetiva, a una ideología que promete un cambio radical cualquiera, y junto al cual tal vez encuentra por lo pronto algún apoyo de orden privado. Se trata de un partido de descontentos, nacido asimismo del descontento de un grupo ante la relativa transigencia del antiguo y rico partido nacionalista. Por su psicología, pudiera ser caracterizado el socialfascista como un comunista que no quiere serlo. (*Obras* VII: 625)

Como vemos aquí, Ayala mantuvo una distancia respecto del auge del nacionalsocialismo. Su aspiración consistió en describirlo de forma objetiva y desapasionada, con independencia de su propia manera de pensar o sentir. Al final de la crónica, sin embargo, no pudo evitar dirigir un ataque –indirecto y mordaz– a las políticas nazis. En efecto, cuando analizó las ya mencionadas políticas antisemitas de Wilhelm Frick al frente del Ministerio de Instrucción de Turingia, consignó que Frick había establecido en la Universidad de Jena «una cátedra de *Rassenforschaft* (especie de examen o investigación de razas)... dirigida de modo principal contra los judíos» (626). Y luego añadió, en un paréntesis, lo siguiente: «(Merece curiosa atención el antisemitismo de un partido cuyo origen de vida no es más que un tipificado anhelo mesiánico.)» (626). Al identificar un elemento identificado con el judaísmo –el anhelo mesiánico– en el

125

corazón del antisemitismo nazi, Ayala no solo apuntaba a las contradicciones del nacionalsocialismo, sino que también se burlaba de él y lo ridiculizaba. Al rematar su análisis del nacionalsocialismo, Ayala no pudo evitar la pulla, la ironía, el sentido del humor.

La impresión que nos deja esta pulla es que, en el año treinta, el nacionalsocialismo era para Ayala un movimiento grotesco y hasta cierto punto risible: una ideología que inspiraba cierta inquietud pero que, a la vez, no debía de tomarse demasiado en serio. Al abordar las políticas antisemitas de Frick, Ayala dejó claro a sus lectores que las consideraba poco más que una farsa y, de paso, afectaba respecto de ellas la indiferencia, la superioridad y el desapego propios de la ironía.[57] Esta actitud irónica ante el nazismo, que hoy nos puede resultar insólita, permitió a Ayala expresar su rechazo ante el primer experimento de gobierno nazi. Por eso no hay en él, de ningún modo, la fascinación que otros escritores contemporáneos suyos sintieron ante la forma de vida fascista. Ni aceptación pasiva ni mucho menos fascinación ante el nazismo: en Ayala había sobre todo inquietud y rechazo, por mucho que este último estuviera expresado irónicamente.

Además de expresar una creciente inquietud ante la descomposición de la República de Weimar, Ayala mantuvo hasta el final la esperanza de que los partidos comprometidos con el régimen de Weimar –particularmente la socialdemocracia– acabaran por derrotar a los enemigos de la república. A partir de las elecciones del 14 de septiembre de 1930, sin embargo, Ayala aceptó que esa esperanza ya no tenía anclaje en la realidad. Con los espectaculares resultados obtenidos por el partido nacionalsocialista en esos comicios, la destrucción del Estado de Weimar se convertía en una posibilidad

---

57. Sobre la dimensión ética y afectiva de la ironía, véase Hutcheon 37-43.

real. Entonces Ayala dibujó ante esa posibilidad una esperanza débil y poco convincente. Prueba de ello es que la cifró en la siguiente paradoja: si los nazis finalmente conquistaban el poder y el Estado, su paso por el Gobierno acabaría significando su autodestrucción. De esta manera, escribía Ayala,

> Cuanto más cerca se encuentre del Gobierno –y mejor si el líder austriaco [Hitler] hubiera podido entrar en el Parlamento–, más cerca se halla –según ha declarado con acierto el conocido escritor Emil Ludwig– de su fracaso definitivo y consiguiente declinación. Porque a los partidos y a los hombres mesiánicos se les exige, bajo pena de relegación, una actuación extraordinaria, casi milagrosa, y sin ella, se les niega el derecho a subsistir. (*Obras* VII: 634-635)

En este punto concreto, la realidad defraudó la esperanza de Ayala (y de Ludwig).[58] Como sabemos hoy, cuando Hitler conquistó definitivamente el poder en 1933, lo conservó durante doce largos años. Además, las políticas antisemitas que Ayala trató con ironía y condescendencia hicieron irrumpir la muerte, el horror y el sufrimiento hasta extremos incomprensibles y de una manera absolutamente novedosa. Hasta que el nazismo fue derrotado por la

---

58. Emil Ludwig (1881-1948) fue un escritor y periodista alemán de origen judío (su nombre original era Emil Cohn), conocido sobre todo por sus biografías de grandes personajes históricos. Que Ayala se apoyara en sus declaraciones para cifrar su esperanza de que el nazismo fuera un fenómeno relativamente pasajero, revela las enormes dificultades que incluso los intelectuales alemanes tuvieron para pronosticar las dimensiones infernales que llegó a adquirir la barbarie nazi. Andando el tiempo, en el exilio argentino, Ayala tradujo dos obras de Ludwig: *Tres dictadores... y un cuarto* (Buenos Aires, Losada, 1939) y *Beethoven* (Buenos Aires, Losada, 1944).

fuerza de las armas en 1945, la fascinación que Hitler logró ejercer sobre el pueblo alemán superó todas las decepciones impuestas por la realidad. En suma, la locura nazi fue muchísimo más destructiva, y el carisma de su líder tuvo un recorrido muchísimo más largo, de lo que pudo llegar a intuir el joven Ayala en 1930.

Ayala ante el nazismo

¿Significa esto que la visión que Ayala tuvo del movimiento nacionalsocialista fuera frívola o demasiado complaciente? No lo creo. Primero, porque al intelectual no se le puede pedir que adopte el papel de un profeta. Bastante mérito tuvo Ayala, en las crónicas que escribió para *Política*, al desentrañar algunos aspectos del movimiento nacionalsocialista y consignar el incipiente orden racial que Wilhelm Frick estaba imponiendo en Turingia en 1930, tres años antes de la llegada de Hitler al poder. Pedirle además que anticipara el sufrimiento indecible causado por la barbarie de ese orden racial equivaldría a incurrir en un anacronismo, exagerado e injusto.[59] En segundo término, porque Ayala no fue el único testigo de esa época que reaccionó con una punta de ironía al auge del nacionalsocialismo. Son famosas –y según algunos apócrifas– las entrevistas que Eugeni

---

59. Como escribe Traverso en *A sangre y fuego*, fueron muy pocos los intelectuales que en los años treinta lograron prever el Holocausto. En efecto, «Esta [la cultura antifascista] solo retenía de los regímenes de Mussolini y de Hitler su carácter 'regresivo': el antiliberalismo, el anticomunismo, el antiparlamentarismo y el irracionalismo. El fascismo era así reducido a su aspecto reaccionario. Raros eran aquellos que veían su enraizamiento en la sociedad industrial, la movilización de las masas, el culto de la técnica, reconociendo en él una variante reaccionaria de la modernidad» (224).

Xammar y Josep Pla hicieron a Hitler en 1923, justo antes del Putsch de Múnich (8-9 noviembre), el fallido golpe de Estado que, según Xammar, «l'havia de convertir en dictador d'Alemanya per una nit» (197).[60] En ambas entrevistas, abundan la ironía y la burla mordaz. Tanto Pla como Xammar –pero sobre todo el segundo– trataron a Hitler como un verdadero payaso. Así, decía Xammar de Hitler que era «el ximple més substanciós que, des que som al món, hem tingut el gust de conèixer. Un ximple carregat d'empenta, de vitalitat d'energia; un ximple sense mesura ni aturador. Un ximple monumental, magnífic y destinat a fer una carrera brillantíssima. (D'això darrer ell n'està encara més convençut que nosaltres mateixos)» (197).[61] En su mirada irónica sobre el nazismo, entonces, Ayala no estaba solo. Y es que, como observa Charo González Prada en su excelente introducción a las crónicas berlinesas de Xammar, «tal vez no quedaba otra estrategia que la distancia: situarse en la retaguardia, agazapado en la superioridad moral, y esperar. Cómo, si no, podía un hombre

---

60. La entrevista de Xammar, titulada «Adolf Hitler o la ximpleria desencadenada», se publicó en *La Veu de Catalunya* el 24 de noviembre de 1923. La de Pla, «Coses de Baviera: Hitler (monòleg)» apareció en *La Publicitat* unos días más tarde, el 28 de noviembre de 1923. Ambas están recogidas en la selección de artículos de Xammar titulada *L'ou de la serp*, editada por Charo González Prada y que figura en la bibliografía. El primero que levantó la sospecha acerca de la autenticidad de las entrevistas fue Lluís Permanyer en su artículo «Xammar, Pla y Hitler» publicado en *La Vanguardia*.

61. Aunque en general he optado por no traducir las citas del catalán, creo que resulta oportuno traducir esta para que el lector no pierda los matices del hilarante retrato que Xammar hace de Hitler: «el memo con más sustancia que, desde que estamos en este mundo, he tenido el gusto de conocer. Un memo lleno de empuje, de vitalidad y de energía; un memo sin freno ni medida. Un memo monumental, magnífico, destinado a hacer una carrera brillantísima. (De esto último él está más convencido que nosotros mismos)».

decente [...] afrontar aquel absurdo» (Introducción 24). Ciertamente, como hemos apuntado, algo había de esa superioridad moral y de esa incapacidad de tomarse en serio el movimiento nacionalsocialista en la mirada irónica de Ayala.[62] Pero, además, en el caso de Ayala (y creo que en el de Xammar) la ironía era un vehículo privilegiado para expresar, desde posiciones liberales, el escepticismo y el rechazo de un fenómeno –el auge del nazismo– cuya dimensión siniestra pocos llegaron a prever.

En tercer lugar, tampoco creo que Ayala tuviera una visión complaciente del nazismo porque repetidamente consignó la grave amenaza que podía suponer el colapso del Estado de Weimar, tanto para Alemania como para Europa. Defraudada la esperanza de que las elecciones de septiembre de 1930 llegaran a estabilizar el régimen de Weimar, Ayala reaccionó con una mirada que, más que complaciente, era escéptica y atenta. La crisis era tan profunda y compleja que todo se volvía muy incierto. En este sentido, el párrafo final de «Democracia contra democracia» es muy revelador:

> Puede decirse que en estas elecciones, donde el porcentaje de electores que han actuado su derecho se eleva de manera considerable, la democracia se ha pronunciado contra la democracia, si bien buscando en el cambio de postura, no se sabe si con acierto, soluciones económicas e internacionales que permitan al pueblo

---

62. Además, como sabía Ortega, la ironía era un fenómeno de época y una de las notas características de la literatura vanguardista que Ayala cultivaba por aquel entonces. En un pasaje de *La deshumanización del arte* (1925), Ortega escribe lo siguiente: «Dudo mucho que a un joven de hoy le pueda interesar un verso, una pincelada, un sonido que no lleve dentro de sí un reflejo irónico» (*Obras* III: 873). Y es que la ironía no solo revela «que el arte nuevo es un fenómeno de índole equívoca» sino que también indica que «los acontecimientos políticos de Europa» participan de «la misma entraña equívoca» (872).

alemán –que no es una idea de tal o cual grupo, sino una realidad de la que no se puede hacer caso omiso– desenvolver, estrictamente al menos, su futuro. (*Obras* VII: 635)

La fe en el pueblo alemán se mantenía intacta, a pesar de que Ayala dejaba claro que reprobaba el auge de fuerzas antidemocráticas en las elecciones de septiembre de 1930, en las que «la democracia se ha pronunciado contra la democracia». No había, entonces, ni en estas últimas palabras llenas de incertidumbre y de pesar, ni en el resto de las crónicas, un tratamiento complaciente o frívolo del nazismo.

Sin embargo, en este punto resulta legítimo preguntarse en qué medida la mirada objetiva y distanciada de Ayala en las crónicas de *Política* disminuyó su capacidad de advertir algunos de los aspectos más siniestros del movimiento nazi. Su énfasis en la neutralidad y la objetividad, su planteamiento empírico y su relato de acontecimientos visibles y hechos comprobables, prácticamente dejaron fuera de sus crónicas un aspecto fundamental de la estrategia del movimiento nacionalsocialista: la violencia. En efecto, ni en «Nacionalsocialismo» ni en «Democracia contra democracia» hay un tratamiento de la violencia nacionalsocialista, que no merece más que una escueta alusión: tanto comunistas como nacionalsocialistas, nos dice Ayala, «gustan de apelar a las palabras violentas, a las amenazas y, cuando es posible, a las manos» (*Obras* VII: 625). ¿En qué medida esta voluntad de ocupar el espacio de la observación distanciada y del análisis objetivo de tipo sociológico limitó la visión de Ayala, haciendo que concentrara su mirada en la actuación estrictamente política del nazismo, en el origen social de sus afiliados, en su contenido ideológico y en su desenvolvimiento en las instituciones?

La pregunta no tiene una respuesta sencilla. Y seguramente no puede esbozarse una respuesta sin establecer antes una comparación detallada entre las crónicas de *Política* y las narraciones coetáneas sobre su experiencia alemana, donde Ayala, emancipado de las convenciones del género crónica, pudo dar libre curso a su imaginación y sensibilidad. Lo que sí parece claro es que la violencia nacionalsocialista estuvo más presente en las crónicas de otros corresponsales españoles a partir del otoño de 1930, después del triunfo nacionalsocialista en las elecciones de septiembre. Buen ejemplo de ello sería la crónica titulada «¿Qué es el nacional-'socialismo'?», fechada el 6 de noviembre de 1930 y firmada desde Berlín por Antonio Ramos Oliveira.[63] El periodista y escritor socialista, que llegó a la capital alemana en agosto de 1930, dejó escrito en *El Socialista* que «Contra el nacional-'socialismo' no hay dialéctica posible ni digna de emplearse. Es la violencia en marcha» (1). Y añadió, con un lenguaje claramente más partidista que el de Ayala, pero tal vez más clarividente, que «el odio antisemita es la fuerza que impulsa a los racistas fanáticos. Odio que se traduce en agresiones, como el reciente asalto a los almacenes Wertheim y el apaleamiento aislado que de cuando en cuanto comenta la prensa» (1).

La creciente violencia en la atmósfera política tampoco dejó indiferente a Felipe Fernández Armesto, que por aquellos años era afín al marxismo. En sus memorias, Ayala recuerda que no solo coincidió con Fernández Armesto en Berlín, sino que el periodista gallego de *La Vanguardia* le «sirvió de mentor» y que por entonces entabló con él «excelente amistad» (*Obras* II: 181). En «Ofensiva contra el extremismo», fechada en octubre de 1930 y publicada el 1 de noviembre de 1930, Fernández Armesto, bajo el pseudónimo Augusto Assía, recogía las palabras de Carl Severing, el socialista

---

63. Para una introducción a Ramos Oliveira, véase el artículo de Manuela Escobar Montero.

recién nombrado ministro del Interior de Prusia, quien afirmó, tal vez en alusión a los primeros asaltos nazis contra los establecimientos judíos como los grandes almacenes Wertheim: «No, en un pueblo civilizado como Alemania no volverá a ocurrir eso de asaltar establecimientos y romper escaparates» (1). Desde luego, Severing se equivocó. La violencia contra los judíos, que caracterizó al nacionalsocialismo desde sus inicios, subió de intensidad en el otoño de 1930, impulsada y respaldada por el triunfo nacionalsocialista en las urnas.

Resumamos: en las crónicas de *Política* Ayala privilegió una mirada sociológica, objetiva y ceñida a los hechos observables. Al hacerlo, consiguió informar a los lectores de la revista madrileña sobre la complejísima situación política alemana y también dejó entrever sus esperanzas e inquietudes –estas últimas derivadas, sobre todo, del auge del nacionalsocialismo–. Y aunque percibió un profundo malestar del pueblo alemán con sus instituciones y una creciente violencia en la atmósfera política, no se detuvo en ellos. Estos elementos –la difusa sensación de malestar y la violencia del ambiente– son los que Ayala plasmará en sus obras de creación literaria relacionadas con su experiencia berlinesa, obras que deben leerse como un complemento a las descripciones, de corte sociológico, expresadas en las crónicas de *Política* sobre la crisis de la República de Weimar.

Violencia y afectos en la experiencia de Weimar

Es en las obras de invención literaria que recrean lo vivido durante la estancia berlinesa donde Ayala comunicó a sus lectores, con particular intensidad, el estado de ánimo que se respiraba en la Alemania del año treinta –un estado de ánimo que profundiza, por otra parte, en la incapacidad de los alemanes de sentir emociones cívicas o de confiar en sus instituciones políticas, tal y como Ayala advirtió en la crónica titulada «Crisis de la opinión», analizada más arriba–. Son dos las obras que nos interesan aquí: el relato «Erika ante el invierno», que vio la luz en noviembre de 1930 en *Revista de Occidente* y pasaría luego a formar parte del volumen *Cazador en el alba* (1930), y la nota «¡Alemania, despierta!», poema en prosa fechado en invierno de 1930-1931 en Berlín que vio la luz en *La Gaceta Literaria* el 1 de abril de 1931.[64] Los dos textos fueron redactados a raíz del regreso de Ayala a España, y los dos elaboraban de alguna manera la experiencia berlinesa, pero hasta ahora no se han leído juntos ni se los ha puesto en diálogo (y mucho menos se los ha cotejado con las crónicas de *Política*).[65] El sentido preciso en que ambos textos elaboran esa experiencia alemana es en la recreación de un estado de ánimo en el cual resulta imposible desarrollar emoción cívica alguna, ni tener fe en las instituciones ni, todavía menos, desarrollar un sentido de responsabilidad del Estado. En estos textos solo hay lugar, parece sugerir Ayala, para la tristeza, la angustia, el miedo y la desolación.

Mi lectura parte de una observación del crítico y amigo alemán de Ayala, Walter Pabst, referida con sorpresa por el primero

---

64. Aunque en ocasiones haré referencia a los pasajes de *Recuerdos y olvidos* que se ocupan de las experiencias de Ayala en Alemania, particularmente el capítulo «Me asomo a la Alemania nazi», los dejo fuera de este conjunto de textos porque no constituyen una recreación contemporánea de los hechos, sino una reconstrucción posterior de los mismos.

65. Algunas de las mejores interpretaciones de «Erika ante el invierno» son, en orden alfabético, las de Cano Ballesta (172-178), Cavallo, Del Pino (166-173), Rosales y Soldevila-Durante. En ninguna de ellas se leen conjuntamente «Erika ante el invierno» y «¡Alemania, despierta!» o se ponen esos textos en relación con las crónicas de *Política*.

en sus memorias, según la cual «Erika ante el invierno» sería una recreación del «dolor de aquella Alemania tan abatida» (*Obras* II: 181). Al hilo de este comentario, Ayala añadía que lo que había procurado captar en «Erika ante el invierno» es «el ambiente y sus repercusiones sentimentales», «una corriente de honda melancolía, de desolación» que asoma por debajo del «rebrillo juguetón de mi prosa imaginista» (*Obras* II: 181).

Con el invierno como alegoría del *horror vacui* existencial y con un marcado tono elegíaco, el relato narra la pérdida de la inocencia infantil de la protagonista, Erika Schmidt, y su ingreso en la vida adulta, tediosa e inane, propia de una gran ciudad identificable como Berlín.[66] Erika, una joven ordinaria y anónima de Berlín está atrapada entre el recuerdo de «Una imprecisa, primitiva dicha, perdida» y la imposibilidad de transformarlo «en esperanza de mejor futuro, como del Paraíso, en la Biblia» (*Obras* I: 404). Detenida en un invierno interminable, en el cual «todas las puertas están cerradas, todas las caras son hoscas», y aprisionada en un «mundo de penumbra, de oquedades, de interiores» (412), Erika trata en vano de experimentar la felicidad propia de la primavera, «verde de pájaros y acordeones» (412). La primavera nunca llega para ella: ni la esperada cita con un joven en una sala de fiestas –promesa de conexión humana– ni, muchos menos, la excursión a la montaña nevada con sus tres amigos de infancia, proporcionan a Erika felicidad alguna. Llegado el momento del encuentro con el joven –llamado Hermann, como su compañero de juegos infantiles– Erika es incapaz de reconocerlo entre la multitud de la sala

---

66. Aunque Berlín no se nombra en el relato como el espacio donde transcurre la acción, tanto Ayala como toda la crítica han identificado la gran ciudad alemana como Berlín.

de fiestas; y la excursión a la montaña, que cierra el relato, acaba abruptamente con la muerte de Erika en un accidente de esquí: «El cuerpo de Erika se dobló, viró con el ímpetu y la ceguera de su pecho abierto. Hubo un ruido agrio, de tablas rotas. Una piña, corazón seco, había rodado sobre la nieve. Sobre la nieve quedó tendida la muchacha, con los brazos vueltos, con los ojos vueltos» (*Obras* I: 414).

La muerte de Erika –accidental, violenta y absurda– no es la única que aparece en el breve relato. Interpolada en el cuento, encontramos también la muerte de un inocente niño de ocho años –llamado Friaul– a manos de su padre, el carnicero Mayer. Marcada por una serie de elipsis narrativas, esta breve historia paralela protagonizada por el niño Friaul nos entrega la imagen de una muerte también violenta y absurda pero no accidental: la de Friaul es una muerte absolutamente cruel e intencionada. Al regresar de la escuela, Friaul deambula solo por una serie de parajes yermos y helados de las afueras de la ciudad y se presenta en la carnicería de su padre, que lo mira «con ojos dormidos, con manos ciegas» (*Obras* I: 410). Sin mediar palabra ni explicación, Mayer degüella a su hijo como si de un animal se tratara: «Una sonrisa malvada había saltado de la hoja larga del cuchillo a los ojos redondos de las reses. El rostro del pequeño Friaul aleteó como un pájaro capturado. Un momento después estaba lleno el suelo de rosas carmín. La voz del pequeño Friaul había sido cortada por el tallo en su garganta» (*Obras* I: 410). Al tener noticia de la muerte de Friaul por el periódico, Erika se muestra profundamente conmovida: «¡Nunca se sabe nada, nunca! ¡Si con la nieve las sienes enloquecen, se turban las manos, se afilan los cuchillos, y Dios, el buen Dios, se niega a intervenir en el mundo!» (*Obras* I: 410).

¿Es casualidad la presencia de dos muertes violentas en una ficción que recrea la experiencia que Ayala tuvo de Berlín a lo largo del curso 1929-1930? Como ha indicado Susana Cavallo, las dos muertes del relato –la de Erika y Friaul– «se juntan simbólicamente por ser una revisión originalísima de la Matanza de los Inocentes bíblica» en la cual, sin embargo, «Dios, por voluntad propia, está del todo ausente» (721). Sin duda, la alusión bíblica resuena con fuerza en el relato. Pero también hay que tener en cuenta que dicha alusión bíblica cumple una función estructural: «la de garantizar la coherencia del texto y facilitar la interpretación al lector» (Ródenas de Moya 79). En efecto, en tanto texto regido por las convenciones de lo que Domingo Ródenas de Moya, siguiendo a Fokkema e Ibsch, ha llamado el «código modernista», «Erika ante el invierno» es una ficción afectada por una profunda incertidumbre epistemológica. Hasta en tres ocasiones se repiten en el relato, con alguna ligera variación, las palabras referidas más arriba, «¡Nunca se sabe nada, nunca!»: el narrador las pronuncia justo antes y justo después de la muerte de Friaul y, como hemos dicho, las pone en boca de Erika cuando esta se entera de la muerte del niño (*Obras* I: 410-411). También adquieren el rango de letanía las expresiones que aluden a la ausencia de Dios, garante último y trascendental del significado: aparecen igualmente en tres ocasiones, enmarcando ambas muertes. Así, la alusión bíblica a la Matanza de los Inocentes facilita que el lector encuentre sentido a las muertes de Friaul y Erika: las muertes de estos dos inocentes habitantes de una gran ciudad moderna son absurdas, vendría a decir el texto, porque ocurren en mundo donde nada tiene sentido porque Dios se ha retirado de él. No deja de ser significativo, después de todo, que las últimas palabras del relato combinen el silencio –la imposibilidad de producir un sentido– con la ausencia de Dios: «Jazmines rotos, fríos soles sin sol, todo callaba junto a ella [Erika]. El cielo, torvo, comenzó a escupir en la nieve. Aquel domingo, Dios, el Buen Dios, quería ignorar» (*Obras* I: 414).

Lo decisivo aquí, sin embargo, es que esta incertidumbre epistemológica ya no está envuelta en una atmósfera de alegría y optimismo –como ocurría en «Cazador en el alba», el otro relato del volumen epónimo– sino en un ambiente de tristeza y desolación. El mundo inestable y precario de «Erika en el invierno», recreación de la Alemania de 1929-1930, es un mundo incapaz de producir otros afectos que no sean el dolor por el presente y la melancolía por el pasado. De ahí el tono grave y elegíaco que recorre los diferentes episodios evocados en la historia: la infancia feliz de Erika –«imprecisa, primitiva dicha, perdida» (*Obras* I: 404)–; su vida presente en un mundo «estrecho, idéntico a sí mismo» (404); Friaul que pasa ante parajes desiertos y abandonados, «ante aquel campo de deportes, siempre solitario; ante la garita azul, cerrada siempre» antes de encontrar la muerte (409); y, finalmente, la excursión dominical con los amigos de infancia en la que, sin embargo, «nadie hablaba, nadie reía» (413). En un mundo del que Dios se ha retirado y donde todo es provisional, no hay sentido ni trascendencia: solo hay personajes –como Erika y Friaul– abandonados a una serie de pasiones tristes que desembocan en muertes absurdas. Esta es la atmósfera afectiva que se respiraba en la Alemania de 1930.

Como en «Erika ante el invierno», el aire helado de la nota «¡Alemania, despierta!» está hecho de dolor, tristeza, angustia y desolación. Traducción y parodia del eslogan nacionalsocialista «Deutschland, erwache», «¡Alemania, despierta!» representa una continuación del impulso lírico-elegíaco plasmado en «Erika ante el invierno» y, a la vez, una anticipación de un texto como «Diálogo de los muertos» (1939), un poema en prosa más complejo y extenso, pero con el que comparte la misma intención elegíaca. En él, Ayala evoca con intenso lirismo lo que el autor denomina «el aire de la Alemania de hoy» (*Obras* VII: 568), esto es, el estado de ánimo de la Alemania que encuentra durante su segunda y breve estancia en Berlín en enero de 1931.[67] Ahondando la melancolía y desolación de «Erika ante el invierno», lo que descubre Ayala a su regreso son:

> Nubes de plomo, nieves holladas, barro, hambre, y en las frentes la esvástica gesticulante, como modo de un molino sin agua [...] chorreando tristeza desde la cúpula del Reichstag hasta las quietas aguas del Spree; triste y desesperado en las botas de las mujeres de Kürfurstendamm y en las piezas sin alquilar de cada casa, de cada calle, de cada barrio; impaciente y triste bajo el reloj grande del Zoo; triste por siempre en los patos silvestres del Tiergarten.
>
> Ha llovido y nevado también sobre mi corazón el dolor de Alemania, que no es dolor de muerte, ni el envenenado dolor de las decadencias: una vida destrozada, llena de palpitante voluntad de miembros viviseccionados, ensangrentada de schupos y comunistas, con pánico de quiebras, con cicatrices de prohibición, con angustia de reparaciones que no es posible ya seguir pagando, todo eso lleva el aire de la Alemania de hoy, cuando empuja ejércitos de granizo por las carreteras y por las rectas avenidas; todo eso gritan los filos de sus esquinas, las proclamas rojas, los pregones de algún criminal, los brochazos de luz con que el foco del automóvil de la policía abofetea las paredes de los barrios pobres en las ciudades

---

67. Como explica Luis García Montero, «Ayala volvió a Berlín en enero de 1931 para casarse con Etelvina [Silva]... Según el acta del consulado, el matrimonio canónico de Francisco Ayala García Duarte, de 24 años, y de Etelvina Silva Vargas, de 22 años, se llevó a cabo en la Iglesia de Santa Agnes, el 19 de enero, actuando de testigos Ernst Gamillscheg, Lucinda Silva Vargas, Ursicino Álvarez y Walter Pabst. Unos días antes, el 14 de enero, había pronunciado una conferencia en la Universidad de Berlín sobre "El punto de vista español ante la propuesta de una Unión Federal Europea"» (58). En «Registro de la cultura española de Alemania», crónica publicada en *La Vanguardia* el 23 de noviembre de 1930, Felipe Fernández Armesto, bajo el pseudónimo Augusto Assía, mencionaba a Ayala como uno de los ilustres ponentes que iban a participar en el ciclo de conferencias españolas organizado por el profesor Gamillscheg en la Universidad de Berlín.

grandes; todo eso significa la cruz de los hitlerianos, la palidez de los judíos, cada vez más pegados a los quicios y hasta –parece– el apresuramiento trágico de los bomberos; de día en día más negro el humor de los humoristas y más caído el vagabundeo canino de los que, habiendo estado en la guerra, salieron de ella ilesos, pero inadaptables. (*Obras* VII: 568-569)

Es difícil imaginar un contraste más nítido con las crónicas de *Política*: no hay aquí aspiración alguna a la objetividad, ni pretensión de neutralidad, ni voluntad de distanciamiento. Abandonada la posición del observador neutral, el yo del autor irrumpe con fuerza y no solo empatiza con los alemanes, poniéndose imaginativamente en su lugar, sino que se funde con la intensa aflicción que le rodea («Ha llovido y nevado también sobre mi corazón el dolor de Alemania»). Lo que siente y padece el yo del autor es el mismo dolor que flotaba en la atmósfera de «Erika ante el invierno», el dolor de la Alemania de 1929-1930, que todavía persistía, acaso intensificado, en la Alemania de 1931. Ayala lo supo comunicar a sus lectores de *La Gaceta Literaria* con singular maestría. La repetición de series enumerativas, los polisíndeton, las imágenes desgarradoras y violentas (el dolor de Alemania transformado en «vida destrozada, llena de palpitante voluntad de miembros viviseccionados», las «cicatrices de prohibición», «los brochazos de luz con que el foco del automóvil de la policía abofetea las paredes de los barrios pobres en las ciudades grandes»), todo el dispositivo retórico del texto, acababa creando un ambiente de pesadilla y de opresión del que no era posible escapar.

En las crónicas de *Política* el dispositivo retórico –la adjetivación, el tono, la ironía y la paradoja– expresaba con reserva y sutileza la inquietud y la esperanza de Ayala ante el colapso del régimen de Weimar. Lo fundamental, sin embargo, no era el dispositivo retórico sino el análisis frío y desapasionado de la crisis política de la República de Weimar. En «¡Alemania, despierta!», en cambio, la retórica ocupa un lugar central: es gracias al dispositivo retórico de la nota que Ayala logró crear un preciso tono emocional y una imagen vívida del aire de la Alemania de 1931. Se trataba de un aire pesado y pegajoso. Un aire que todos debían respirar pero que, en verdad, era irrespirable. Un aire que perseguía a los alemanes de 1931 y que lo viciaba todo, que todo lo infectaba. Era un aire hecho de tristeza, dolor, angustia, desesperación y miedo: una compleja red de emociones que coexistían y se condensaban en lo que las ciencias afectivas llaman un estado de ánimo, esto es, «un estado afectivo de larga duración, baja intensidad y cierta imprecisión» (Frijda 258).[68]

Que los estados de ánimo sean complejos y difusos significa que no son intencionales, que no se refieren a un objeto o acontecimiento en particular. En contraste con las emociones, los estados de ánimo «no tratan sobre algo en particular sino sobre cualquier cosa –sobre el mundo en general» (Frijda 258)–.[69] En realidad, son el ambiente –la atmósfera afectiva– que rodea los acontecimientos y situaciones que darán lugar a la formación de emociones particulares: «los estados de ánimo son a menudo complejos, el resultado de un conjunto de sensibilidades emocionales diversas» (Hogan 8).[70] Si el estado de ánimo de la Alemania de 1931 estaba hecho de tristeza, dolor, angustia, desesperación y miedo, ¿podía nacer de él emoción cívica alguna? Al vivir preso de la angustia y atenazado por el miedo, ¿era posible tener fe en las instituciones políticas? ¿Cómo desarrollar un sentido de responsabilidad del Estado si, como concluía Ayala,

---

68. «An affective state of long duration, low intensity, and a certain diffuseness».
69. «Are about nothing specific or about everything –about the world in general».
70. «Are often complex, the result of a number of distinct emotional sensitivities».

«todo allí marcha al día, sin fe ni esperanza, ni piedad tampoco, nadie piensa en salvar sino el momento presente» (*Obras* VII: 569)?

Al poner en diálogo los dos textos, «Erika ante el invierno» y «¡Alemania, despierta!», vemos que el dolor, la provisionalidad y la incertidumbre epistemológica del primero adquieren un marcado acento social en el segundo. Así, el tema del sinsentido de la muerte —y la vida— ya no aparece tratado en un plano ontológico y existencial sino plenamente social. En «¡Alemania, despierta!», la letanía que aparece en «Erika ante el invierno», «¡Nunca se sabe nada, nunca!», pasa de ser una afirmación acerca del carácter incognoscible de un mundo del que Dios se ha retirado a transformarse en la máxima que rige la experiencia cotidiana de millones de alemanes. Otra forma de decir esto es afirmar que, en «¡Alemania, despierta!», el dolor y el sinsentido adquieren peso y consistencia en los objetos, cosas y personas que pueblan las calles de Berlín. Por ejemplo, toman cuerpo en «la esvástica gesticulante»; «en las piezas sin alquilar de cada casa»; en la vida ensangrentada de «schupos y comunistas»; en «los pregones de algún criminal»; en «la cruz de los hitlerianos, [y] la palidez de los judíos»; y, por último, en «el vagabundeo canino» de los veteranos de guerra (*Obras* VII: 568-569). Mientras «Erika ante el invierno» recrea ficcionalmente una preocupación metafísica, «¡Alemania, despierta!» nos entrega una evocación lírica de las condiciones sociales y materiales que explican la irrupción del azar y del sinsentido en la vida de los alemanes en torno a 1931. Se trataba, desde luego, de una evocación desgarradora —llena de dolor, de hambre y de violencia— que recreaba, con vivaz precisión, «esa atmósfera extraña de los que una vez han bajado a los infiernos —que siguen en el destierro de una existencia ya para siempre provisional—» (*Obras* VII: 569).

Como hemos apuntado, esta forma de vivir el azar y la contingencia contrasta con la alegría, la jovialidad y el optimismo vital que envolvían a «Cazador en el alba», el relato hermano de «Erika ante el invierno». Ambientado en Madrid, «Cazador en el alba» narra la llegada de Antonio Arenas, un campesino de provincias, a la gran ciudad y su integración en los ritmos de vida y costumbres modernas. Pero la diferencia en el tono emocional de los dos relatos no puede atribuirse únicamente a una diferencia en el grado de modernización alcanzado por Madrid y Berlín a finales de los años veinte. Es cierto, como argumenta José Manuel del Pino, que «si Madrid es ámbito de fascinación y esperanza ante los logros urbanos [en «Cazador en el alba»], Berlín encarnará la desolación del individuo en la gran ciudad [en «Erika ante el invierno»]» (155). También lleva razón Del Pino cuando atribuye esta sensación de general desolación al carácter hipermoderno de Berlín, «la gran ciudad habitada por masas desarraigadas» (168) donde no hay sentido de comunidad alguno, ni posible conexión con el pasado histórico, ni sentido religioso. Todo eso es cierto. Pero a luz de las crónicas de *Política* y de «¡Alemania, despierta!», Berlín era también, o sobre todo, la ciudad que condensaba y reflejaba todas las patologías económicas, políticas y sociales de la Alemania de los años 1930-1931: el desempleo masivo, el hambre y la miseria, la situación de bloqueo político, el desprestigio del liberalismo, el enfrentamiento entre comunistas y nacionalsocialistas, el auge del autoritarismo y la violencia política, las humillaciones internacionales y la reacción nacionalista, fenómenos todos ellos que explican y culminan en el extraordinario ascenso nacionalsocialista en las elecciones del 14 de septiembre de 1930. Leído a la luz de «¡Alemania, despierta!», «Erika ante el invierno» era un anticipo de la violencia, el dolor, la angustia y la desesperación plasmados en el segundo texto.

Como hemos venido diciendo, «Erika ante el invierno» y «¡Alemania, despierta!» transmitían el estado de ánimo, el aire, que Ayala respiró en la Alemania de 1930 y volvió a respirar, con mayor intensidad, a su regreso en 1931. Y ese era también el ambiente que el periodista y escritor Sebastian Haffner, ya citado en el primer capítulo, diseccionó en su valoración del Gobierno Brüning:

> El propio Brüning no tenía nada que ofrecer al país salvo pobreza, melancolía, libertades restringidas y la promesa de que no era posible nada mejor. Como mucho un llamamiento a mantener una actitud estoica. Pero su carácter era demasiado sobrio como para poder expresar dicho llamamiento con palabras convincentes. No lanzó ninguna idea ni apeló a la población. Simplemente proyectó una sombra de tristeza sobre ella. (95)

Sin perspectivas de futuro ni esperanzas, los alemanes parecían condenados a la tristeza y a la angustia de un invierno eterno. Ese parecía ser el aire amargo y taciturno que imponían los tiempos. Y no solo en Alemania. En España, las cosas también empezaban a ponerse serias.

Una nueva sensibilidad cultural

Como admitía el propio Ayala en su lectura de «Erika ante el invierno», la jovialidad y la frivolidad propias del espíritu vanguardista empezaban a adquirir un semblante circunspecto. Todavía lejos de la desesperación y el dolor, el aire de la España de 1931 también era un aire nuevo, clausura de una época –la posguerra– y anuncio de un tiempo nuevo, indefinido e incierto. Como Ayala advirtió, la ilusión, la frivolidad, y el entusiasmo por lo joven y lo nuevo, que marcaron los años de la posguerra (1918-1931), estaban llegando a su fin:

> Pero, tras este panorama arcádico, de risas, de vestidos claros, de línea conservada, de perfiles desprendidos, deporte, aire libre

y honesto heroísmo, tras el estupendo paseo por un valle ameno, el mundo ha hecho un viraje seco ante un muro sin puertas, sin resquicios. Y se ha quedado serio de repente, sin saber por qué. Mudo, como una aguja que ha recorrido el disco, todo él, y araña ahora el silencio... (*Obras* VII: 574)

El viraje del mundo, la seriedad repentina, el silencio. El escrito, «Anotación en el margen del calendario», está fechado el 1 de mayo de 1931. También vio la luz en *La Gaceta Literaria*, justo un mes después de la publicación de «¡Alemania, despierta!» y coincidiendo, sintomáticamente, con una nota firmada por Ernesto Giménez Caballero en la que, con indisimulado oportunismo, saludaba la proclamación de la Segunda República y le solicitaba apoyo a su programa de nacionalismo cultural («La Gaceta»).[71] Si los acontecimientos políticos empezaban a reclamar insistentemente la atención de los escritores –otra dimensión de la seriedad repentina que se apoderaba de los espíritus–, resulta legítimo preguntarse hasta qué punto la experiencia de la vida política alemana de 1930-1931, con todo su dolor, tristeza, y desolación, hicieron que Ayala prestara más atención a los aires que anunciaban una nueva sensibilidad. Es una pregunta de difícil respuesta.

Ya sabemos que la caída de Primo de Rivera en enero de 1930, cuando Ayala estaba instalado en Berlín, precipitó la necesidad de los escritores de definirse ante las turbulencias sociales, políticas y

---

71. Giménez Caballero, instalado ya en posiciones fascistas desde la publicación de «Carta a un joven de la nueva España» en febrero de 1929, redacta esta nota para construir la imagen de *La Gaceta Literaria* como el antecedente intelectual de la República. En su introducción a la antología *Casticismo, nacionalismo, y vanguardia* («Ernesto Giménez Caballero o la inoportunidad»), José-Carlos Mainer ofrece una brillante síntesis de la vida y obra de Giménez Caballero.

económicas del momento. Pero de alguna manera, el cambio de sensibilidad llevaba flotando en el ambiente desde el final de la década del veinte. Y, como ha señalado Juan Herrero-Senés, la nueva sensibilidad imponía una serie de exigencias morales, sociales y políticas a una práctica literaria que algunos autores vanguardistas –no todos– habían entendido en términos de autonomía y de pureza:

> Si ya en los últimos años de los veinte la pretensión del Arte Nuevo de mantenerse independiente de la política había comenzado a resquebrajarse, y distintos grupos de escritores habían enfocado su práctica estética hacia fines de denuncia, concienciación y reforma social, para el año fetiche de 1930 la crítica y el ensayo más influyente sancionaban la imposibilidad de la pureza estética; algunos la condenaban, otros buscaban sus causas profundas, otros ensayaban vías alternativas o reformulaciones; los más extremistas abogaban por un arte explícitamente revolucionario. La época del vanguardismo literario era cada vez más sentida como perteneciente al pasado. (193)

No es casual, por tanto, que el escritor y amigo de Ayala, Esteban Salazar Chapela, ya reclamara una nueva dirección estética en la nota «Ensayos. Media vuelta hacia la tristeza», publicada en la revista *Atlántico* el 5 de septiembre de 1929. Ante la incapacidad de los escritores vanguardistas de tomarse el mundo en serio, Salazar Chapela reivindicaba para la literatura la mirada del cine, más sobria frente al mundo y la realidad:

> Era la media vuelta hacia las cosas, hacia las personas, hacia la vida: un nuevo modo –artístico– de encararse con el mundo. Un nuevo procedimiento de devorar el mundo –artísticamente [...] Solo por el *cine* vimos qué campo la literatura no invadía, miedosa. Y solo entonces adivinamos la inminencia de un retorno: una media vuelta hacia la realidad. (110-111)

Esta media vuelta hacia la tristeza y la realidad es la que condensó José Díaz Fernández en *El nuevo romanticismo* (1930), apuesta por una «literatura de avanzada» con contenido moral, que no sería ni literatura de consigna ni literatura apolítica, sino que conjugaría la innovación expresiva vanguardista con el interés por la justicia y el sentido de responsabilidad histórica. Una literatura, en fin, comprometida con el presente y capaz de «vivir para la historia, para las generaciones venideras» (356). El propósito de Díaz Fernández y su «literatura de avanzada» no era otro que clausurar el ciclo de renovación literaria inaugurado por la nueva literatura en los años veinte e inaugurar un ciclo nuevo, de carácter más ético, más social y más político. El resultado es que, a partir de 1931, «la impresión de que se había ido al traste la empresa de renovación novelística emprendida alrededor de 1923 se apoderó de la mayoría de los que habían invertido su capital artístico en la misma» (Ródenas de Moya 137).

Como hemos dicho, el escrito «Anotación en el margen del calendario» constituye una contribución de primer orden a esta valoración desencantada del proyecto vanguardista. La conclusión de la nota no dejaba lugar a dudas: «Toda una promoción literaria ha encontrado, de pronto, su adultez. Ha tirado los juguetes, y ahora se siente desconcertada porque, en cierto modo, había hecho profesión de la edad infantil» (*Obras* VII: 575). Si como muchos otros escritores, Ayala consideraba agotado el proyecto vanguardista en 1931, ¿qué rumbo habría de tomar su producción intelectual para estar a la altura de la seriedad y madurez que reclamaban los tiempos? Dicho de otra manera: después de publicar «Erika ante el invierno» y «¡Alemania, despierta!», ¿qué tipo de literatura podría estar a la altura de los acontecimientos políticos, económicos y sociales que Ayala vivió en Alemania?

En sus reseñas y notas críticas de los años 1930-1931, Ayala nos dejó algunas pistas acerca de una salida posible a esta situación de duda y desconcierto. En 1930, por ejemplo, firmaba una reseña elogiosa de la novela *Citroën 10 H.P.* de Ilya Ehrenburg porque armonizaba «el ataque más violento, más directo, concreto y eficaz que hasta ahora se haya escrito contra el mundo capitalista» con un estilo «contenido, limpio de gesticulaciones, trazado con pulso sereno y agudo estilete» (*Obras* VII: 341). En la nota «Berlín-Norte», publicada en la *Revista de Occidente* en abril de 1931, desarrollaba esta valoración positiva de la literatura que combinaba preocupación social con logros estéticos en su reseña de *Berlin Alexanderplatz* de Alfred Döblin, ejemplo de novela social que señalaba un nuevo rumbo y que había llegado a ser considerada «como una verdadera obra maestra» y, a la vez, «como la Biblia del proletariado alemán» (*Obras* VII: 344).

Esta valoración positiva del arte proletario alemán apuntaría a la participación de Ayala en la nueva sensibilidad cultural de los años treinta. Hasta cierto punto, «Erika ante el invierno» era ya un paso en esa dirección. También lo era «¡Alemania, despierta!». Ambos textos, sin renunciar a los valores estéticos del código literario modernista, revelaban una serie de preocupaciones éticas y sociales que estaban claramente ancladas en la política de su tiempo. Sin duda, también estaban ancladas en las convulsiones de la época las crónicas que aparecieron en *Política*. Lo relevante para nuestro argumento es que las crónicas de *Política* y los testimonios literarios –«Erika ante el invierno» y «¡Alemania, despierta!»– constituyeron formas de intervención diferentes pero complementarias en el debate público. Ambas dieron forma al perfil de Ayala como escritor público, aunque la crítica no haya incidido demasiado en ello: las primeras describen y analizan críticamente, con un tono objetivo, distanciado y levemente irónico, la estructura interna de la política alemana de los años 1929-1930, mientras las segundas recrean sobre todo un clima afectivo y un estado de ánimo (el aire de la Alemania de 1929-1931, la forma de percibir y experimentar el mundo de una sociedad desgarrada que se encaminaba a la catástrofe y la barbarie).

Con algo más de 24 años, Ayala fue cómplice de esta nueva sensibilidad cultural atenta a lo social y lo político, adquirida en parte por lo vivido y experimentado en Alemania. Pero al regresar a España, Ayala no le daría continuidad literaria sino de acción intelectual: a partir del año 1930 se retiró de la creación novelesca y no la retomó hasta el final de la Guerra Civil, pero en este paréntesis de nueve años no dejó de escribir ni, mucho menos, de ejercer como un intelectual comprometido con el análisis crítico de la realidad, la concienciación del público y la reforma social.[72] En un momento –los años treinta– en que para muchos jóvenes escritores resultaba muy difícil mantener separadas la esfera estética (la creación literaria) y la política (la acción), Ayala optó por abandonar la primera e intervenir en la segunda manteniéndose fiel al *ethos* propio del intelectual. Seguramente lo pudo hacer porque se mantuvo firme en su compromiso liberal y en lo que Weber llamó la diferenciación de las distintas esferas de valor. En cualquier caso, no fue la opción escogida por muchos otros miembros de la juventud intelectual de la época que a partir de 1931 optaron por poner la literatura al servicio de un proyecto político o directamente sucumbieron a la fascinación que por entonces ejercían el comunismo y el fascismo –recordemos a algunos cultivadores de la literatura proletaria-revolucionaria como Joaquín Arderíus (1895-1969), César Muñoz Arconada (1898-1956)

---

72. Ayala no volverá a escribir ficción literaria hasta 1939, cuando verá la luz «Diálogo de los muertos».

o Ramón J. Sender (1901-1982) y, en el campo fascista, a Ramiro Ledesma Ramos (1905-1936), Antonio de Obregón (1910-1985) o Felipe Ximénez de Sandoval (1903-1978)–.[73]

Este periodo de la carrera intelectual de Ayala, mal conocido, plantea una serie de interrogantes que no han sido suficientemente explorados por la crítica. Lejos de instalarse en el silencio, Ayala expresó su compromiso entregándose a una serie de tareas periodísticas e intelectuales que contribuyeron a consolidar la frágil democracia instaurada en 1931 con la proclamación de la Segunda República. Al recordar la experiencia de los años treinta mucho después, Ayala consideró que no fue un periodo propicio para la invención literaria. Así, precisó que «hay que hallarse en el estado de ánimo adecuado y en aquel tiempo no estaba yo para eso. Por un lado, me ocupaba de tareas de índole práctica. Por otro lado, la atmósfera política ocasionaba una desazón continua, se estaba en vilo siempre» (*Obras* VII: 1601). Al hilo de estas palabras, surgen algunas de las preguntas que abordaremos en el próximo capítulo: si este «estar en vilo siempre» era incompatible con la invención literaria, ¿de qué manera incidió en la práctica intelectual que Ayala nunca dejó de ejercer? Dicho de otra manera, ¿cómo confrontó Ayala, en sus tareas periodísticas e intelectuales, los estados de ánimo

---

73. Desde finales de los años setenta a esta parte, se ha producido una bibliografía considerable sobre la literatura fascista y proletaria-revolucionaria. Me limito a destacar dos conjuntos de textos: primero, las antologías pioneras de Mainer (edición revisada de 2013) sobre la literatura fascista y la de Esteban y Santonja (1979) sobre la literatura de izquierdas; y segundo, la colección de estudios editada por Albert sobre literatura fascista y la reciente contextualización de Aznar Soler sobre la literatura revolucionaria de izquierdas. Herrero-Senés ofrece una revisión panorámica de la etapa de entreguerras muy útil para comprender las diferentes posiciones adoptadas por los escritores e intelectuales del periodo.

producidos por la enrarecida atmósfera política de los años treinta? Y en este contexto afectivo, ¿qué rumbo tomó la apuesta que hizo en 1929 por un nuevo liberalismo a la altura de los tiempos, atento a las ansias de democratización y a la integración de las masas en la política y el Estado?

Ante la Segunda República.
Templanza emocional y legitimidad legal

Tras su segunda estancia en Berlín en enero de 1931, Ayala regresó a Madrid. Esta vuelta a la capital supuso naturalmente un replanteamiento de su relación tanto con la realidad social observada como con el público a quien iban dirigidas esas observaciones. Así, la objetividad característica de sus crónicas berlinesas se transformó en un compromiso con las reformas e instituciones republicanas, cuya legitimidad Ayala buscó reforzar mediante sus intervenciones en la prensa diaria. En el capítulo anterior incidimos en la distancia que necesariamente separaba a Ayala de los intelectuales alemanes que defendían, más con la cabeza que con el corazón, la República de Weimar. Mientras que Ayala registraba el deterioro de la situación política, económica y social de forma objetiva e independiente, pero también atenta a la difusa sensación de malestar y a la violencia del ambiente, escritores señeros como Heinrich y Thomas Mann, Ernst Troeltsch y Max Weber intentaban convencer a sus conciudadanos de que aceptaran el nuevo orden político surgido de la Primera Guerra Mundial. Con una mirada anclada en el derecho y la sociología, en las crónicas de *Política* Ayala constataba hechos y describía la estructura interna de la política alemana desde su posición de «observador español» (*Obras* VII: 617); en las obras imaginativas, en cambio, abandonaba esa pretensión de objetividad y se fundía con la intensa aflicción y el dolor que percibió en el aire de la Alemania de 1930-1931. Los intelectuales alemanes comprometidos con la República de Weimar, sin embargo, no querían constatar hechos, ni describir la estructura interna de su sociedad, ni fundirse con el dolor de sus conciudadanos. Lo que querían hacer, más bien, era defender los valores democráticos encarnados en las instituciones de Weimar y establecer cómo se debía actuar en esa frágil comunidad política.

Unas semanas después de instalarse de nuevo en Madrid en el invierno de 1931, Ayala empezó a ocupar una posición análoga a la de los intelectuales alemanes comprometidos con el régimen de Weimar. Como ellos, inició una lucha para que sus conciudadanos aceptaran un nuevo orden político –en este caso, el surgido de la proclamación de la Segunda República el 14 de abril de 1931–. Aunque, como señaló Ayala, es difícil exagerar «la influencia –política, institucional y técnica– de la Constitución de Weimar» sobre la Constitución de 1931 (*Obras* VII: 659), sin duda hay muchas diferencias entre la República de Weimar y la Segunda República, y entre los intelectuales mencionados más arriba y Ayala. Pero lo que me interesa destacar aquí es el punto que une a nuestro autor con sus homólogos alemanes: la común voluntad de intervenir en una realidad sociopolítica y de guiar su reforma. En 1931 y en Madrid, el problema para Ayala ya no era describir el juego político de una sociedad extranjera para un público (el español) que no estaba directamente afectado por las profundas y aceleradas transformaciones que estaban teniendo lugar en ella. Abandonada la posición neutra, de análisis, su problema consistía más bien en defender el valor de las nuevas instituciones políticas y sociales creadas a partir de 1931 y enunciar pautas de actuación en la nueva comunidad política. Su problema, en otras palabras, consistía en apuntalar la legitimidad de un orden político asediado. Y es en esta tarea que Ayala confrontó los complejos estados de ánimo producidos por las instituciones políticas y sociales de la época, incidiendo en los sentimientos de sus conciudadanos para desactivar los que podían poner en peligro el nuevo régimen.

Indagaré en este capítulo en un episodio poco estudiado por la crítica ayaliana, pero muy significativo en la trayectoria del escritor granadino: su posición ante los cambios políticos y sociales que llegaron a partir de la proclamación de la Segunda República.[74] Lo haré a través de las colaboraciones periodísticas que firmó en *Diario de Alicante* (1907-1935), *Crisol* (1931), *Luz* (1932) y *El Sol* (1917-1939, en su etapa republicana), así como de algunas de sus publicaciones de la época sobre derecho político como su «Memoria doctoral» sobre *Los partidos políticos como órganos de gobierno* (1931). Se trata de un conjunto de colaboraciones en las que veremos a Ayala ejercer plenamente como intelectual, sentir con gran intensidad la política española, reforzar su compromiso con un nuevo liberalismo de corte social y europeísta y, lo que es del todo novedoso, enunciar algunas pautas de actuación ante los cambios políticos instaurados por el régimen republicano.[75]

Más concretamente, este capítulo estudiará las formas en que, a principios de los años treinta, Ayala utilizó la prensa diaria como plataforma para elaborar normas emocionales. Época de cambios

---

74. Contamos con la iluminadora glosa de García Montero sobre la vida y obra de Ayala durante los años de la República (61-72) y con algunos estudios específicos como los de Gil Cremades y Martín sobre la contribución de Ayala al derecho político de la época. Pero no hay un estudio de conjunto que historice las posiciones de Ayala, mucho menos a partir de las emociones colectivas que estaban en juego durante la Segunda República. Tal vez una de las razones tenga que ver con el hecho de que los textos periodísticos de Ayala son relativamente desconocidos entre la crítica ayaliana, ya que solo salieron a la luz recientemente, en el volumen VII de las *Obras completas*.

75. La bibliografía sobre el papel de los intelectuales en la Segunda República es considerable. Me limito a destacar algunas aproximaciones de conjunto que he encontrado especialmente iluminadoras: Bécarud y López Campillo, Tusell y García Queipo de Llano, Aubert (2000) y Márquez Padorno.

acelerados y profundo malestar social, la República de 1931 se caracterizó por la diferencia que existía entre las realidades existenciales de amplias capas de la población y las instituciones legales republicanas (Villacañas Berlanga, *Historia* 501-537). Dicha diferencia fue amplia e intensamente discutida en periódicos y revistas, particularmente cuando se trataba algunas de los temas más polémicos del momento como la cuestión religiosa, las aspiraciones al autogobierno de Cataluña o la mísera situación del proletariado agrario. Tomando como punto de partida la idea de que «el discurso acerca de las emociones es una forma de acción social que despliega sus efectos en el mundo» (Abu-Lughod y Lutz 107),[76] voy a considerar los artículos que sobre estas cuestiones escribió Ayala para entender por qué no solo consideró la conducta emocional de sus lectores como un problema político de primer orden, sino que les animó a controlar, moderar y templar sus emociones. Así, mostraré que las recomendaciones de templanza emocional emitidas por Ayala intentaron consolidar lo que Alison Jaggar ha llamado «hegemonía emocional» (60-61) al suscitar en el público lector ciertas emociones consideradas aceptables respecto de las reformas e instituciones republicanas, con el objetivo de afianzar la legitimidad racional-legal (Max Weber) de la República. Y cerraré el capítulo explicando las presuposiciones de género y clase social en que se fundamentaba esta «cultura de la templanza emocional» propuesta por Ayala, subrayando que el intento de consolidar la legitimidad racional-legal de la República fracasó, en parte, por la intervención de otros intelectuales que atacaron el modelo de autocontrol emocional y suscitaron en el público poderosísimas emociones que fueron instrumentalizadas políticamente. A lo largo del capítulo aludiré a la obra periodística

---

76. «Emotional discourse as a form of social action that creates effects in the world».

de otros dos escritores comprometidos con las reformas republicanas de 1931-1933, Josep Maria de Sagarra (su columna en *Mirador*) y Manuel Chaves Nogales (sus reportajes y colaboraciones en *Ahora*). Desde luego, Ayala fue un escritor con una biografía muy diferente a la de Sagarra (1894-1961) y Chaves Nogales (1897-1944); y, también, con unos compromisos políticos que, en algunos aspectos, eran contrapuestos a los de los otros dos escritores −en especial en lo que respecta a Sagarra y su compromiso con el autogobierno de Cataluña−.[77] Pero contrastar los artículos de Ayala con los de Sagarra y Chaves Nogales nos ayudará a situar sus posiciones en el contexto del liberalismo de la época y, consiguientemente, a mejor historizar sus posiciones ante las nuevas instituciones políticas.

El mundo de posguerra y el eclipse de la razón

En el primer capítulo me referí extensamente al panfleto de Benda *La trahison des clercs* (1927) como un ensayo paradójico, que rompía

---

77. A principios de los años 1930, Sagarra era un escritor conocidísimo, tal vez el escritor catalán más popular del momento, y escribía puntualmente en el semanario *Mirador* (1929-1936) una columna titulada «L'aperitiu» en la que abordaba temas culturales, sociales y políticos; Chaves Nogales era un prestigioso periodista y un afamado cronista, amén de redactor-jefe del diario *Ahora* (1930-1937), un periódico claramente identificado con el proyecto republicano. Desde un punto de vista político, Sagarra era un convencido partidario del catalanismo −en su juventud había sido miembro de las Joventuts Nacionalistes de la conservadora Lliga Regionalista y después estuvo afiliado a la izquierdista Acció Catalana en 1934−, mientras que Chaves Nogales (como Ayala) estaba afiliado a Acción Republicana, el partido político progresista y republicano fundado por Manuel Azaña −Chaves Nogales admiraba sinceramente a Azaña, quien a menudo departía con él−. Véase el trabajo de Permanyer sobre la vida y obra de Sagarra, y el de Cintas Guillén sobre Chaves Nogales.

una lanza a favor del *clerc* subjetivado por los principios universales y eternos de razón, verdad y justicia a la vez que testimoniaba acerca de la vitalidad del intelectual «traidor», entregado a las pasiones políticas de las masas. Leído a la luz de la crisis del orden liberal-burgués del siglo XIX, que acabaría por desintegrarse en las trincheras de la Primera Guerra Mundial, el ensayo de Benda es, simultáneamente, un intento desesperado por salvar el modelo de intelectual producido por ese orden residual y una denigración desaforada de los modelos de intelectual generados por esa crisis civilizatoria, el intelectual marxista y el nacionalista-fascista.

Con la catástrofe de la Primera Guerra Mundial, lo que entró en una profunda crisis es el mundo seguro, dominado por la fe en la razón y carente de emociones desestabilizadoras que Stefan Zweig (1881-1942) evocó en *El mundo de ayer* (1942). Por eso, nos dice Zweig, en ese mundo «nadie creía en las guerras, las revoluciones ni las subversiones. Todo lo radical y violento parecía imposible en aquella era de la razón» (18). El escritor austríaco tenía muy claro que el mundo seguro de sus mayores fue un producto del «idealismo liberal» (19) tal y como se desarrolló en el Imperio austrohúngaro antes de 1914, una época en la que muchos llegaron a pensar que «superar definitivamente los últimos restos de maldad y violencia solo era cuestión de unas décadas» (19). Únicamente en un mundo imbuido «de la confianza en la fuerza infaliblemente aglutinadora de la tolerancia y la conciliación» (20), podía concebirse la imposibilidad de la violencia y, más aún, elevar dicha imposibilidad a rango de ideal normativo.

En la esfera política, el problema no consistió únicamente en el retorno de las guerras, las revoluciones y las subversiones, ni en el hecho de que retornaron con una crueldad y una virulencia desconocidas hasta entonces. El problema consistió, sobre todo, en que la experiencia acumulada en el mundo de la razón y de la democracia parlamentaria, de repente, resultó inservible. Es lo que Walter Benjamin identificó como la «pobreza de experiencia» en un ensayo escrito poco después de huir de la Alemania nazi en 1933: «la experiencia se ha devaluado, precisamente en una generación que de 1914 a 1918 ha tenido una de las experiencias más atroces de la historia universal [...] ¿No se constató entonces que las gentes volvían mudas del campo de batalla? ¿No enriquecidas, sino más pobres en cuanto a experiencia comunicable?» (731). La tarea entonces para Benjamin consistía en «empezar de cero; acometer un nuevo comienzo; hacer mucho con poco» (732).

Para empezar de cero, para pensar y actuar políticamente en las ruinas de la razón, las emociones se convirtieron en un instrumento indispensable. En efecto, la filosofía política se interesó de nuevo por las emociones justo cuando el parlamentarismo liberal iniciaba una lucha a brazo partido por su legitimidad, y cuando la izquierda revolucionaria y el conservadurismo reaccionario cuestionaban los valores políticos sobre los que se habían edificado los Estados liberales de derecho: el racionalismo, el diálogo y la discusión pública. Desde luego, la Primera Guerra Mundial no fue la primera ocasión en que la filosofía política se interesó por las emociones –baste invocar aquí algunos nombres ilustres, desde Platón, Aristóteles y Séneca hasta Rousseau y Smith, pasando por Descartes y Hobbes–. Pero cuando se interesó por ellas en la Europa de entreguerras, lo hizo porque se empezó a sospechar de la eficacia y los recursos de la razón para garantizar la estabilidad del orden político o para proporcionar pautas de conducta y pensamiento a los intelectuales.

En un texto de 1935, «Los derechos individuales como garantía de libertad», Ayala lo supo ver bien: lo que la guerra de 1914-1918 había hecho presente era la crisis de los fundamentos filosóficos y las instituciones del Estado constitucional o liberal-burgués, una crisis que se manifestó bajo la forma de un conflicto exterior pero que en realidad ya venía siendo anunciada en la lucha interna de las clases sociales. De un lado, Ayala constataba que, en el mundo de la posguerra, la concepción de la subjetividad propia del racionalismo ilustrado, basada en la idea (burguesa) del «hombre como individuo —es decir, desprendido de toda agrupación social— orientado por su interés económico en una actividad libre» (*Obras* V: 172) había quedado desplazada por un nuevo tipo social: el hombre-masa, «el hombre *sin propiedad,* encadenado al trabajo, y *sin formación* cultural» (174).[78] De otro lado, Ayala registraba algo que Benda había pasado por alto: en las sociedades de entreguerras, la formación de la opinión pública ya no podía ser entendida, según quería la ideología ilustrada, «como resultado de procesos intelectivos» ni la propaganda política tenía mucho que ver con el «ejercicio de las facultades racionales del hombre puestas a contribución para convencer a hombres» (174).

Como muchos de sus contemporáneos, Ayala sabía que, en las condiciones sociales de los años treinta, resultaba imposible mantener la fe en la discusión como forma de alcanzar la verdad objetiva y de hacer «prevalecer la razón en forma de ley» (174). En una sociedad de masas, ¿qué podían hacer «el discurso, el razonamiento, la dialéctica, la contraposición y el contraste de opiniones» frente a «los medios basados en la técnica de la sugestión, aptos para operar sobre las masas, no sobre las facultades discursivas del individuo»? (175).

---

78. Cito por la edición recogida en el volumen V de las *Obras completas.* El opúsculo fue originalmente publicado en Madrid por Galo Sáez en 1935. Resulta fascinante constatar cómo Ayala, en 1935, ya está distanciado ideológicamente de Ortega. Así, en la primera nota a pie de página, y como parte de la bibliografía acerca del «hombre-tipo contemporáneo», Ayala remite a sus lectores al Ortega de *La rebelión de las masas* «por su relieve en el aspecto descriptivo, y dejando aparte las consecuencias ideológicas» (*Obras* V: 174-175).

Es precisamente por este diagnóstico de la realidad social de su época que Ayala expresó una preocupación por la conducta emocional de sus lectores e intentó regularla mediante la apelación a su sentido del deber cívico.

Como Benda, Ayala era sin duda un liberal, pero a diferencia del polemista francés, Ayala nunca fue un liberal ingenuo. Esta falta de ingenuidad fue el producto de numerosos factores, pero quizá uno de ellos fue su atenta lectura de la obra del más lúcido enemigo del liberalismo, Carl Schmitt, del cual Ayala tradujo su *Verfassungslehre* (1928) como *Teoría de la Constitución* en 1934. Aunque Ayala conoció la obra de Schmitt en Berlín y quedó deslumbrado ante la claridad de su prosa (*Obras* II: 186), cuando empezó a forjarse una carrera en el ámbito del derecho político, su referencia intelectual fue el jurista socialdemócrata Hermann Heller, quien abogó por el carácter histórico, sociológico y cultural de las normas jurídicas en contra de las propuestas idealistas de autores como Schmitt (Martín CLXVIII). A pesar de la distancia ideológica que lo separaba de Schmitt, Ayala compartió su diagnóstico sobre el fin de la estatalidad liberal.[79]

Tanto es así que, en la presentación de su traducción de la *Teoría de la Constitución*, Ayala destacaba la admiración que le producía el fino análisis de Schmitt sobre la conclusión del ciclo histórico del Estado liberal-burgués a la vez que consignaba el rechazo que le provocaba el nacionalismo místico del pensador alemán. Sin dejar de reconocer la «desusada sagacidad» de Schmitt y lo «espléndido» de su análisis y «la exactitud de sus conclusiones» («Presentación» 41),

---

79. A la relación entre Schmitt y Ayala, Jorge Dotti le dedicó el capítulo «Francisco Ayala: El traductor arrepentido» de su monumental *Carl Schmitt en Argentina*.

Ayala llegaba a admitir que la homogeneidad nacional había sido una condición histórica del Estado liberal-burgués, pero solo podía rechazar categóricamente las implicaciones políticas que Schmitt derivaba de este hecho. Así, después de acusar a Schmitt de «elevar a dogma el tipo [del Estado] nacional» (47), Ayala apostaba por un tipo de organización política que se fundamentara en una concepción pluralista de la comunidad política. De ahí que Ayala concluyera que el nacionalismo conservador de Schmitt era una ideología que inducía «hacia una vía muerta» (48). En pocas palabras: Ayala suscribió el diagnóstico schmittiano acerca del agotamiento histórico del Estado liberal-burgués –y eso está muy claro en «Los derechos individuales como garantía de libertad»–, pero repudió las derivaciones políticas de ese diagnóstico por razones de orden ideológico y moral.

Otro factor que le vacunó contra la ingenuidad respecto del sistema liberal fue la experiencia política del llamado «bienio negro» de 1933-1935, cuando «los partidos democráticos, desalojados del poder, se vieron privados, por efecto de los mecanismos liberales que ellos mismos habían introducido, de todos los medios y recursos para la lucha política» (*Obras* V: 833). Durante esa época, a decir de Ayala, una institución jurídica fundamental del Estado constitucional como la libertad de prensa fue vaciada de contenido porque «en plena vigencia de la Constitución republicana fueron cayendo en manos de los grupos plutocráticos enemigos de la República todas las empresas periodísticas del país, de tal manera que la inmensa opinión democrática no hallaba otra expresión ni otro alimento que el muy parco, insuficiente e inadecuado, suministrado por los pequeños órganos periodísticos de los partidos obreros» (*Obras* V: 834). En otras palabras, Ayala estaba muy lejos de sacralizar las instituciones del Estado liberal-burgués porque conocía de primera mano su fragilidad y siempre fue consciente de que, en las condiciones sociales y económicas de los años treinta, cuando la burguesía había quedado desplazada por los grupos plutocráticos y las masas proletarizadas, las libertades constitucionales tenían una eficacia «prácticamente nula» (*Obras* V: 179).

Durante la Segunda República, y muy señaladamente durante los años 1931-1933, Ayala siguió defendiendo los principios y las instituciones jurídicas del Estado constitucional, pero lo hizo sabiendo que estaba remando a contracorriente. Consciente de que los medios al alcance del intelectual para promover la discusión y el intercambio de opinión eran cada vez más exiguos e irrelevantes en una sociedad de masas, Ayala se preguntaba: «¿qué podrían los juicios vertidos en un artículo periodístico frente a la disposición de titulares y noticias, al sistema de silenciamientos y subrayados, a la información gráfica y a la tendencia de las agencias informativas de que el propio periódico se sirve?» (*Obras* V: 175). El problema de Ayala, como el de otros intelectuales comprometidos con el liberalismo, fue seguir afirmando los valores liberales en el tránsito de una cultura modernista y elitista, pautada por la letra impresa, a una cultura de masas y populista, regida por la imagen y los medios masivos. Con la irrupción de la imagen en la esfera pública, la letra, y su capacidad de construir la dimensión pública, abstracta y ficticia de las razones puestas en circulación por los intelectuales, perdió parte de su eficacia, alterando a su vez la figura del intelectual letrado, el intelectual formado en y por la república de las letras.[80]

De ahí que, en los años veinte, irrumpieran dos figuraciones del intelectual que se opusieron con fuerza a los principios y actitudes del intelectual liberal y, de paso, fueron minando la confianza en

---

80. Me he ocupado de este problema en «América o la disolución de la autencidad: intelectuales y exilio».

la discusión como fundamento del parlamentarismo. La primera de ellas es la del intelectual marxista, cuya articulación más acabada la encontramos en Antonio Gramsci y sus *Cuadernos de la cárcel* (escritos entre 1929 y 1935). A diferencia de Benda, que solo podía entender la vinculación del intelectual con el proletariado como un sometimiento, Gramsci teorizó esa vinculación como la consecuencia natural de la pertenencia a esa clase social. Muy esquemáticamente, el punto de partida de Gramsci consiste en afirmar lo que Benda niega: la existencia de divisiones en el mundo social. Mientras que Benda postula, a partir de la tradición liberal del universalismo republicano francés, la existencia de una noción abstracta de persona que es fundamentalmente igualitaria, Gramsci, inspirado en la tradición de análisis marxista, afirma la desigualdad y lucha política de clases como un dato previo. Para Gramsci, el individuo queda constituido *ab initio* por su particularidad social mientras que en el esquema de Benda el individuo existe en una suerte de vacío, es un sujeto autónomo, impersonal y anónimo, depositario de unos derechos imprescriptibles. Esta diferencia básica en la concepción del individuo y la sociedad tendrá consecuencias significativas en la conceptualización del intelectual.

Como apunta Gramsci, el intelectual no existe por encima, o más allá, de las clases sociales, sino que es un producto de ellas en la lucha cultural por establecer la hegemonía social. «Todo grupo social que surge sobre la base original de una función esencial en el mundo de la producción económica, establece junto a él, orgánicamente, uno o más tipos de intelectuales que le dan homogeneidad no solo en el campo económico, sino también en el social y el político» (21). En tanto instrumento fundamental para generar consenso por medio de su liderazgo cultural y moral, el intelectual orgánico quiere satisfacer un interés particular —el de la clase social con la cual está vinculado—. Y al orientar su actividad hacia la satisfacción de un interés particular, el intelectual acaba estando dominado por una pasión política, la cual, como señaló Benda, no es otra que «la pasión de clase» (45). Además, cuando el intelectual orgánico gramsciano interviene en la sociedad no lo hace únicamente mediante la formulación de ideas abstractas o de argumentos racionales, los cuales eran, conviene recordarlo, los dos únicos protocolos discursivos admitidos en la esfera pública ilustrada. Al articular los intereses de una clase social, nos dice Gramsci, el intelectual orgánico activa tanto su faceta mental como la corporal o somática:

> El problema de crear un nuevo tipo de intelectual radica en desarrollar críticamente la manifestación intelectual –que en todos, en cierto grado de evolución existe– modificando su relación con el esfuerzo muscular-nervioso en un nuevo equilibrio, consiguiendo que este, como elemento de actividad práctica general que renueva perpetuamente el mundo físico y social, se convierta en un fundamento de una nueva e integral concepción del mundo. (27)

Es evidente que la «nueva e integral concepción del mundo» producida por el intelectual orgánico no está hecha únicamente de ideas: es más bien el producto de la interacción entre las ideas y el esfuerzo muscular-nervioso. Y es que el intelectual orgánico gramsciano está muy lejos del fantasma del pensador como tal del que nos hablaba Bauman, esas «personas que viven para y por ideas no contaminadas por ninguna preocupación limitada por la función o el interés» (37) y que hablan en nombre de la razón y de principios morales universales. Al admitir que los factores sociales y corporales influyen en el modo de intervención de los intelectuales, Gramsci no solo destruye el mito del «pensador como tal» sino que impugna el sujeto ideal del liberalismo ilustrado basado en una razón universal y abstracta y, de paso, abre la puerta a una teoría material del intelectual, sensible a la dimensión corporal, afectiva y social de la persona.

Este incipiente reconocimiento de la corporalidad y del aparato sensible como determinantes de las construcciones ideales de los intelectuales no carece de precedentes en el ambiente intelectual de la Europa de entreguerras. No me refiero aquí únicamente a la importancia que tuvieron los grandes pensadores que como Nietzsche, Freud y Marx venían sospechando de la razón y de la experiencia consciente desde finales del siglo XIX y los inicios del siglo XX. Me refiero también, y sobre todo, a cómo ciertas versiones de estas ideas contribuyeron a forjar diversos proyectos de superación del liberalismo en la inmediata posguerra. Entre las muchas corrientes de pensamiento que nutrieron la deriva antiparlamentaria y antiliberal de estas teorías, destaca la fuerza desplegada por la teoría del mito y la figuración del intelectual asociada a ella en la Europa de entreguerras. En 1923, en el ya citado ensayo *Sobre el parlamentarismo*, Carl Schmitt identificó una teoría del mito que acabaría incorporándose al catecismo político de la derecha y de la izquierda revolucionarias. Según Schmitt, que deriva su teoría del mito de Georges Sorel y sus *Réflexions sur la violence* (1908), el mito es un concepto afectivo que supone «la antítesis más fuerte del racionalismo absoluto» y, al mismo tiempo, «una antítesis aún más fuerte del racionalismo relativo que gira en torno a conceptos tales como equilibrio, discusión pública y parlamentarismo» (86). Después de mostrar la falta de adecuación entre la teoría liberal, anclada en la discusión y la publicidad, y la realidad política de la sociedad de masas, Schmitt pondera que el mito de alguna manera colma el vacío dejado por la razón y emerge como una fuerza irresistible y «una nueva valoración de los pensamientos racionalistas, una nueva fe en el instinto y la intuición» (84). La consecuencia lógica del argumento schmittiano es una concepción de la política determinada por el combate a muerte entre dos mitos, el mito marxista de la lucha de clases y el mito nacional fascista, el cual, según

Schmitt, es superior al primero en la medida en «que ha dejado una impresión más honda y ha movido afectos más poderosos» (96). De este esquema se desprende que la deliberación en común y el control del poder del Estado en nombre de valores universales (la justicia, la libertad, la verdad) dejan de ser actividades constitutivas de la figura del intelectual. El intelectual schmittiano es más bien un forjador y un propagador de los mitos que harán posible una superación autoritaria de la democracia liberal.

La teoría política liberal de posguerra ante las emociones

En capítulos anteriores me referí a la reticencia de la teoría política liberal hacia las emociones. Concebidas como fuente de intolerancia y violencia, las emociones tradicionalmente tuvieron un lugar exiguo en ella. El objetivo clásico del liberalismo fue más bien rebajar la intensidad afectiva de la discusión pública mediante el fortalecimiento de la razón, concebida como un elemento mediador entre los intereses y las pasiones de los ciudadanos. Durante el periodo de entreguerras, sin embargo, y ante la constante invocación de las emociones por parte de los movimientos políticos revolucionarios y antiparlamentarios de la extrema izquierda y la extrema derecha, los pensadores liberales empezaron a incorporar las emociones en sus esquemas teóricos. Así, las emociones empezaron a tener un papel decisivo en una serie de conceptos políticos surgidos, en mayor o menor medida, de la tradición liberal.

Citaré brevemente tres ejemplos muy distintos, que se suman al caso de Benda, ampliamente glosado en el capítulo primero. El primer ejemplo, y el más fundamental, es la noción de carisma tal y como fue desarrollada por Max Weber. Como el mito, el carisma es un concepto esencialmente emotivo.[81] Ello es así no solo porque las personalidades carismáticas aparecen en situaciones en las cuales la gente siente «entusiasmo [...] desesperación y esperanza» (*Economy* 242) sino también porque el carisma «puede efectuar una reorientación subjetiva o interna surgida del sufrimiento, los conflictos o el entusiasmo» (*Economy* 245) que acaba por determinar la orientación de la acción.[82] Mientras que Schmitt utilizó las emociones asociadas al mito para atacar la legitimidad del Estado liberal-burgués, Weber pensó el carisma como fundamento de un presidencialismo (una democracia plebiscitaria) de corte liberal. En pocas palabras, la vinculación afectiva de la dominación inherente a todo carisma, en Weber, no pretende destruir el liberalismo parlamentario sino reformarlo.

Un segundo ejemplo lo encontramos en la *España invertebrada* (1922) de José Ortega y Gasset, un ensayo profundamente pesimista que lamenta la supuesta desintegración de España por obra de, entre otros factores, la tendencia de la sociedad hacia el particularismo, una suerte de egoísmo afectivo cuya esencia «*es que cada grupo deja de sentirse a sí mismo como parte, y, en consecuencia, deja de compartir los sentimientos de los demás*» (III: 454; cursiva original). En tanto liberal conservador, Ortega vincula las emociones con grupos sociales y no tanto con individuos, denuncia «la rebelión sentimental de las masas, el odio a los mejores» (509), y cifra la salvación de España en una transformación afectiva que convertiría el odio en docilidad, en el reconocimiento de que «*la misión de las masas no es otra que seguir a los mejores*» (510; cursiva original).

---

81. Barbalet estudia el papel de las emociones en la sociología de Weber, en especial la importancia que tienen en la noción de vocación o *Beruf.*

82. «Enthusiasm, ... despair and hope»; «may effect a subjective or internal reorientation born out of suffering, conflicts, or enthusiasm».

María Zambrano nos proporciona el tercer y último ejemplo en su ensayo *Horizonte del liberalismo* (1930).[83] En esta propuesta de reforma filosófica del liberalismo, Zambrano identifica una paradoja afectiva en la ética liberal: «la moral humana del liberalismo elude al hombre verdadero, a sus problemas efectivos de sentimiento» (241). En la medida en que la ética liberal nos exige sacrificar «todo apetecer, todo ansiar, todo amar... los instintos, las emociones, las pasiones» (243) en aras de una ejemplaridad fría, hecha solo de razón, Zambrano propone un nuevo liberalismo cuya esencia consistiría en una «libertad fundada, más que en la razón, en la fe, en el amor» (269). Aunque se podrían aducir más ejemplos, estos tres muestran a las claras que los esfuerzos por reformar las instituciones liberales después de la Primera Guerra Mundial contienen numerosas referencias a determinadas emociones (la desesperación, la esperanza, el entusiasmo, el odio, el amor) y empiezan a considerar la vida afectiva una dimensión fundamental de la política.

La Segunda República a través de las emociones

Para empezar a apreciar la magnitud de la crisis política, económica y social que sucedió a la proclamación de la Segunda República, conviene distinguir entre la dimensión internacional y la interior. Desde un punto de vista europeo, la Segunda República constituyó una anomalía, pues instauró un gobierno parlamentario justo en el momento en que la democracia parlamentaria era cuestionada o

---

83. Como observa Bundgård, «el nuevo liberalismo al que ella [Zambrano] apuntaba no estaba pensado únicamente como una *praxis* política, sino como horizonte, como orbe espiritual de valores que vinculara al hombre con lo sagrado» (36).

rechazada por una mayoría de los países de su entorno –lo que nos recuerda que la crisis del Estado liberal-burgués diagnosticada por Ayala en 1935 no era únicamente el resultado de un análisis teórico sino de una vivencia práctica y cotidiana–. Las noticias que llegaban de Europa, principalmente de la Italia fascista y de la República de Weimar –y, después de 1933, de la Alemania nazi– condicionaron severamente las reformas políticas e institucionales impulsadas por la República, cuyas dificultades se vieron acentuadas por los efectos devastadores de la Gran Depresión.[84] En el plano interior, el entusiasmo y la esperanza que acompañaron la proclamación de la República el 14 de abril de 1931 pronto dejaron paso a un creciente descontento y una palpable tensión social.

Los estudios historiográficos y los testimonios gráficos de la época confirman los recuerdos que han quedado grabados en la memoria colectiva: la proclamación de la República fue en gran medida saludada con una explosión de júbilo. El pueblo tomó las principales calles y plazas de España mientras cantaba la Marsellesa, la Internacional y el Himno de Riego al tiempo que agitaba con entusiasmo la bandera tricolor –morada, amarilla y roja (Vincent 118-119)–. Como observa Stanley Payne, «los republicanos saludaron el giro hacia una España moderna, progresista y exitosa, libre de las limitaciones y contradicciones del siglo diecinueve» (34).[85] Y aunque

---

84. Aunque los testimonios españoles acerca de la situación política de Italia y Alemania son abundantes, los ya citados de Chabás y Xammar constituyen una magnífica introducción al tema. Sobre la Alemania nazi, resultan esclarecedoras la monografía de Félix Santos sobre los periodistas españoles en el Tercer Reich y, como documento contemporáneo, las crónicas de Chaves Nogales recogidas en *Bajo el signo de la esvástica*.

85. «Republicans hailed the turning toward a progressive and successful modern Spain, free of the contradictions and limitations of the nineteenth century».

la iglesia católica «no estaba nada contenta con la proclamación de la República» (19),[86] inicialmente aceptó la nueva realidad política. Al recordar el ambiente que se respiraba en Madrid en las semanas previas a la proclamación de la República, Ayala lo calificó como «un ambiente de alegre expectación» y de «confiada seguridad» que se transformó, a partir del 14 de abril, en un momento de «general euforia» (*Obras* II: 194). Sin duda, Ayala participó de esta expectación y alegría, pero inmediatamente se previno ante ellas imponiéndose una distancia. Recordando el episodio en sus memorias, Ayala nos aporta una anécdota muy reveladora: cuando el día de la proclamación de la República sus amigos le insistieron que adornara su pecho con «una cintita con los colores [...] que habían de ser los de la nueva bandera nacional, izada ya en los edificios públicos y en algunos balcones», Ayala accedió a regañadientes; pero, tan pronto como se vio de nuevo a solas, se quitó «el moñito» (*Obras* II: 194).

Dos conceptos pueden ayudarnos a entender mejor las energías afectivas que acompañaron el advenimiento de la República: lo que Raymond Williams llamó «estructuras de sentimiento» y lo que Martin Heidegger denominó *Stimmung*, un término que a menudo se traduce como «estado de ánimo» o «temple de ánimo». Mientras el primer concepto se refiere a «los significados y valores tal como son vividos y sentidos activamente» (Williams 132),[87] el segundo, en palabras de Jonathan Flatley, denota «una suerte de atmósfera afectiva [...] en la cual se forman intenciones, se desarrollan proyectos y ciertos afectos se adscriben a determinados objetos» (19).[88] De esta manera, podemos

---

86. «Was not at all happy with the arrival of the Republic».
87. «Meanings and values as they are actively lived and felt».
88. «A kind of affective atmosphere ... in which intentions are formed, projects pursued, and particular affects can attach to particular objects».

afirmar que la proclamación de la República creó una estructura de sentimiento dominada por la alegría entre la pequeña burguesía y el proletariado, y que en la primavera de 1931 se impuso un estado de ánimo jubiloso que hizo que el proyecto republicano fuera visto con esperanza por muchos españoles. Como sabemos, sin embargo, la alegría y el júbilo no se prolongaron en el tiempo. Y es que tanto las «estructuras de sentimiento» como el «estado de ánimo» son conceptos históricamente variables, pasibles de transformaciones y alteraciones. En la medida en que las «estructuras de sentimiento» están fundamentalmente relacionadas con «formaciones emergentes» (Williams 134), y los «estados de ánimo» nos proporcionan «una forma de articular el efecto estructurador que el contexto histórico tiene sobre nuestras vinculaciones afectivas» (Flatley 19),[89] la organización de la República en un régimen con una legislación e instituciones específicas transformó la alegría y el júbilo iniciales en otras estructuras de sentimiento y otros temples de ánimo. Cuando el proyecto republicano dejó de ser emergente y se convirtió en dominante (por usar la terminología de Williams), y cuando fue determinado por un contexto histórico que no solo incluía el fin de la dictadura de Primo de Rivera, la huida de los reyes y la promesa de nuevas libertades, sino también un número considerable de protestas sociales e insurrecciones, se generó un nuevo conjunto de emociones, entre las cuales destacaban el miedo, la angustia y el odio.

La clave de esta transformación afectiva reside en los dos primeros años de la República.[90] Fue este un periodo de intensa actividad

---

89. «A way to articulate the shaping and structuring effect of historical context on our affective attachments».

90. Esta brevísima descripción de las reformas llevadas a cabo durante el primer bienio republicano proviene de Casanova, *The Spanish Republic and the Civil*

legislativa en el que se llevaron a cabo profundas y radicales reformas. El 28 de junio de 1931 se celebraron las elecciones a las Cortes Constituyentes. El gobierno provisional resultante encomendó un proyecto constitucional que finalmente fue aprobado el 9 de diciembre de 1931, después de algo más de tres meses de acalorado debate. Al día siguiente las Cortes eligieron a Niceto Alcalá-Zamora, un antiguo ministro de la monarquía de firmes convicciones católicas, como presidente de la República, y confirmaron a Manuel Azaña como jefe del Gobierno. Con la Constitución de 1931 aprobada, la conjunción republicano-socialista puso en marcha un ambicioso programa de reformas sociales y políticas. Muchos de estos profundos cambios, cuyo origen debe buscarse en la acelerada modernización experimentada por la sociedad española desde los inicios del siglo XX, estaban respaldados por un indudable mandato democrático, pero no por ello dejaron de causar hondas divisiones sociales. Resultaron particularmente polémicas las reformas relacionadas con la separación de la Iglesia y del Estado, las relativas a la articulación territorial del poder político, y las referentes a la distribución de la propiedad de la tierra.

Más adelante abordaré estas polémicas reformas, pero antes quisiera subrayar que el primer y más grave problema que enfrentaron las reformas republicanas fue el de su legitimidad: «Prácticamente desde el inicio de su existencia, la legitimidad del nuevo régimen empezó a decaer» (127), observó Vincent.[91] Una posible explicación

---

War (27-48). Aunque por razones de espacio no voy a considerar otras reformas relevantes de la época como la del ejército, la del sistema educativo o la de la legislación laboral, creo que mi argumento acerca de la creación de una «hegemonía emocional» también podría aplicarse a ellas.

91. «Almost from the first moment of its existence, the legitimacy of the new regime began to decay».

de este déficit de legitimidad se halla en el contenido mismo de la Constitución y en la forma en que esta definió la presidencia de la República. La Constitución de 1931, que ha sido recientemente llamada «la última de las constituciones excluyentes del siglo XIX» (Villacañas Berlanga, *Historia* 525), era un texto legal de izquierdas con disposiciones claramente anticlericales que la hicieron intolerable para los sectores más conservadores de la sociedad. Además, la presidencia de la República ostentaba «una rara legitimidad, que no era popular ni parlamentaria» y disponía de unos poderes «más bien negativos, suspensivos y de veto», lo que debilitó considerablemente los sucesivos gobiernos republicanos (*Historia* 523).

Otra posible explicación del déficit de legitimidad de la República nos la proporciona la siguiente observación de Vincent, a saber, que «de alguna manera, se concibió la legislación como una forma de producir la existencia de la nueva nación republicana» (122).[92] Esta obsesión por la legislación hizo que se depositaran esperanzas en la ley que no solo eran poco realistas, sino que, además, resultaron contraproducentes. En la medida en que las reformas legislativas aspiraban a «transformar la sociedad española antes que las instituciones del Estado, [...] la forma y la función del Estado –su cristalización– permanecieron intactas» (124).[93] Esta tímida y superficial reforma de las instituciones del Estado agravó todavía más la crisis de legitimidad del nuevo régimen, ya que impidió al gobierno consolidar e implementar de una manera efectiva su ambicioso plan de reformas. En este sentido, Mary Vincent deja constancia de cómo el programa de reformas no estaba respaldado por unas medidas

---

92. «The new Republican nation was, in a sense, to be legislated into existence».

93. «The transformation of Spanish society rather than of the institutions of the state ... the shape and function of the state –its crystallization– remained, invisible, yet impervious».

impositivas que pudieran llevarlo a buen puerto; de cómo la participación política todavía dependía de un entramado clientelar –el caciquismo– que favorecía abrumadoramente a la Confederación Española de Derechas Autónomas (CEDA), un partido que cuestionaba abiertamente la legitimidad de la República; y de cómo el uso de la violencia y del ejército para mantener el orden público hizo que la izquierda revolucionaria se distanciara progresivamente del régimen republicano (124-129).

Reformas republicanas y autocontrol emocional

Ante este déficit de legitimidad, ¿cómo reaccionaron los intelectuales comprometidos con el proyecto republicano? ¿Qué medios utilizó Ayala para convencer al público español de la validez del incipiente sistema de gobierno? Y, ¿de qué manera incidió en las emociones de sus lectores en sus intentos de consolidar la legitimidad de la República? Para intentar dar una respuesta, siquiera parcial, a estas preguntas, debemos tener en cuenta que las intervenciones de Ayala se produjeron en un contexto muy complejo, marcado por el resurgimiento de las emociones en la práctica y la teoría políticas de entreguerras y por la crisis del Estado liberal-burgués y sus instituciones. Al colaborar en una serie de periódicos de tendencia republicana, Ayala era consciente de que la irrupción de las masas en la sociedad civil moderna y la lucha de clases habían alterado profundamente las reglas del juego político e intelectual. Por mucho que siguiera afirmando los valores del liberalismo y del Estado de derecho, Ayala sabía que la apelación a la razón ya no era suficiente para dirimir las diferencias y los antagonismos sociales: además de la razón de los ciudadanos y de su público lector, se debía tener en cuenta las emociones. Por eso Ayala, como otros intelectuales liberales comprometidos con el plan de reformas impulsado por la conjunción republicano-socialista, consideró que la conducta emocional de los españoles constituía un problema político y animó a sus lectores a moderar y a templar sus emociones, conteniendo las expectativas sociales creadas por la República.

De alguna manera, Ayala desarrolló una suerte de reflexión moral sobre dicha conducta emocional. De ese modo, parecía coincidir con Manuel Azaña cuando afirmó que «únicamente como un resultado o un reflejo de la sumisión al deber moral nace la respetabilidad y el prestigio de quien gobierna» (Chaves Nogales, II: 1032). Por aquel entonces Ayala, que conocía a Azaña desde los tiempos en que este mantenía una tertulia en el café de La Granja El Henar, era miembro del partido político progresista y republicano fundado por Azaña, Acción Republicana.[94] Guiado por un sentido del deber moral republicano, Ayala aconsejó a sus lectores que controlaran y moderaran las emociones que experimentaban en relación con las instituciones e iniciativas republicanas, invocando a tales efectos las virtudes de la razón. En términos generales, se puede afirmar que Ayala siguió la tradición positivista que concibe la razón como una facultad puramente instrumental, «como la capacidad de realizar inferencias a partir de premisas que han sido establecidas en otro lugar, la capacidad para calcular los medios, pero no para determinar los fines» (Jaggar 51). Y por eso concibió las emociones como «ansias no racionales, y a menudo irracionales, que con frecuencia arrasan el cuerpo, tal y como una tormenta arrasa un territorio» (Jaggar 51). Consecuentemente, asoció la razón con «lo mental, lo cultural, lo universal, lo público y lo masculino», mientras que

---

94. Además, Ayala reseñó elogiosamente el libro de Azaña *Una política (1930-1932)* en *Luz* el 5 de diciembre de 1932 (*Obras* VII: 681-684).

relacionó las emociones con «lo irracional, lo físico, lo natural, lo particular, lo privado y, por supuesto, lo femenino» (Jaggar 50).[95] En pocas palabras, no sólo estableció un claro contraste entre razón y emoción, sino que juzgó que había una distancia insalvable entre ambas facultades.[96]

Otra forma de abordar el vínculo entre control racional de las emociones y autoridad política consiste en relacionarlo con el concepto weberiano de legitimidad racional, es decir, aquella que descansa en «la creencia en la legalidad de las ordenaciones promulgadas y del derecho de mando de los llamados por esas ordenaciones a ejercer la autoridad» (*Economy* 215). Aunque en Weber dicho concepto no hace una referencia explícita a las emociones, este tipo de legitimidad, como veremos, implica cierta dosis de autocontrol emocional. Sobre todo, cuando lo contrastamos con la legitimidad carismática, que descansa en «la entrega a la excepcional santidad, heroísmo o ejemplaridad de una persona» (*Economy* 215). Mientras que la adscripción de legitimidad carismática a un orden social está basada en «una fe afectiva, especialmente emotiva» (36), y mientras

---

95. «As the ability to make valid inferences from premises established elsewhere, the ability to calculate means but not to determine ends»; «nonrational and often irrational urges that regularly swept the body, rather as a storm sweeps over the land»; «the mental, the cultural, the universal, the public, and the male» y «the irrational, the physical, the natural, the particular, the private, and, of course, the female».

96. En la época, el contraste entre razón y emoción también se entendía como una oposición entre el individuo y las masas –un estupendo ejemplo de ello es la alusión de Ortega, formulada en 1922, a «la rebelión sentimental de las masas» en *España invertebrada* (*Obras* II: 509), un tema que desarrollará unos años más tarde en *La rebelión de las masas* (1930)–. Que razón y emoción no son facultades opuestas es un lugar común de la ciencia actual de los afectos. Jaggar desarrolla dicha complementariedad en lo relativo a cuestiones epistemológicas.

que las figuras carismáticas surgen en situaciones extremas en las que la gente experimenta «entusiasmo [...] desesperación y esperanza» (*Economy* 242), la atribución de legitimidad racional-legal es, como su nombre indica, una operación eminentemente racional. Como tal, está basada en una creencia en la legalidad de ciertas ordenaciones, bien porque estas derivan de «un acuerdo voluntario de las partes interesadas» o bien porque están impuestas «por una autoridad que es reconocida como legítima» (36).[97] Para decirlo de forma esquemática: la atribución de legitimidad racional-legal a un orden político implica una contención de los afectos, mientras el establecimiento de un nuevo orden carismático supone una movilización de las pasiones.[98]

Esto es algo que Ayala comprendió de manera cabal. Como veremos, entendió que controlar los afectos de sus lectores era un paso necesario para generar confianza en la legalidad de la República y, de esta manera, reforzar la legitimidad racional-legal del nuevo orden político. Si como Eva Illouz ha observado «una gran parte de las estructuras sociales son estructuras emocionales» (3),[99] las nuevas relaciones sociales instituidas por la Segunda República reclamaban

---

97. «A belief in the legality of enacted rules and the right of those elevated to authority under such rules to issue commands»; «on devotion to the exceptional sanctity, heroism or exemplary character of an individual person»; «affectual, especially emotional, faith»; «enthusiasm ... despair and hope»; «from a voluntary agreement of the interested parties»; «by an authority which is held to be legitimate».

98. Sin duda, los tres tipos de legitimidad enunciados por Weber (racional-legal, carismática y tradicional) son «tipos ideales». Esto es, herramientas conceptuales con las que aproximarse a diferentes formas concretas de autoridad, que a menudo integrarán elementos de las tres formas de dominación –incluida, por cierto, la tradicional, que no discuto aquí por la novedad radical que suponían las instituciones republicanas–.

99. «Much of social arrangements are also emotional arrangements».

una cultura afectiva equilibrada para consolidar y estabilizar las incipientes instituciones políticas. Como otros intelectuales liberales de la época, Ayala abogó por crear un sentido de normalidad en la política republicana. En su caso, Ayala procuró transmitir este sentido de normalidad suprimiendo, más que conteniendo, los afectos generados por la legislación y las instituciones republicanas, que figuraban en sus escritos como un producto (casi exclusivo) de la razón.

En una serie de artículos de opinión publicados en el *Diario de Alicante* entre septiembre de 1931 y abril de 1932, Ayala glosó las novedades institucionales y legislativas del momento desplegando una racionalidad fría y serena, desprovista de cualquier inversión afectiva. El primer artículo de la serie, «Viejo y nuevo parlamento» (9-IX-1931), dedicado al parlamento republicano, es muy revelador de su actitud. Después de contrastar favorablemente el nuevo parlamento con el viejo de la monarquía, Ayala consideraba que la institución republicana era un foro en el que sus componentes, al emplear «argumentos *auténticos,* esto es, ajustados a la realidad y, por cuanto que lo son, válidos», se dejaban convencer «y no precisamente por la oratoria, sino por la razón» (*Obras* VII: 638). En el rechazo que Ayala expresaba al estilo oratorio del viejo parlamento, había sin duda una condena del discurso florido y hueco que había hecho célebre, por ejemplo, al viejo político republicano Emilio Castelar (1832-1899). Pero también había una indisimulada exaltación de la racionalidad que implicaba una supresión de los afectos. Aunque al menos desde la *Retórica* de Aristóteles es sabido que las emociones constituyen una parte fundamental de la persuasión, Ayala caracterizaba el parlamento de la República como la cámara de la razón, y no de las emociones. Para Ayala, el parlamento republicano era una asamblea en la que el único modo de persuasión parecía ser el *logos,* no el *pathos,* y en la que «la aceptación del argumento adversario, su examen, su honrado justiprecio» era la práctica dominante (*Obras* VII: 638).[100]

Tan común no debía de ser la práctica de aceptar las razones del adversario político cuando durante esos años se popularizó el término «jabalí», que acabó por adquirir «en el léxico político de la II República el valor de *extremista*, e incluso *sectario*, viniendo así, en cierto modo, a sustituir al antiguo *exaltado*» (García Santos 282; cursiva original). Los *jabalíes* eran los extremistas de izquierda y derecha, cuya actuación Ayala había tenido ocasión de observar durante su estancia en Alemania. Y seguramente, en su desempeño como letrado de las Cortes –había aprobado las oposiciones a finales de junio de 1932– también conoció a más de un *jabalí*. Pero en septiembre de 1931, lo que buscaba Ayala era convencer a sus lectores de la potencialidad democrática del nuevo parlamento, en cuya actuación «está contenido todo un nuevo estilo de política, y potencia toda una nueva política de nuevo estilo» (*Obras* VII: 637) que le llevará a elaborar «una Constitución de acuerdo con el auténtico ser y esencia de la nación, y con las necesidades históricas de la vida» (*Obras* VII: 639).

En Ayala, esta visión serena y sosegada de los debates parlamentarios estaba lejos de ser el producto de una idealización entusiasta de la cámara republicana. Más bien, obedecía a una forma particular de gestionar las emociones generadas por las leyes e instituciones republicanas. Esta consistía, ante todo, en el silenciamiento y la supresión de dichas emociones. Otro ejemplo: en un breve comentario sobre el

---

100. De acuerdo con Aristóteles, la persuasión mediante el *pathos* ocurre cuando «los oyentes son llevados por el discurso a sentir una emoción» [«through the hearers when they are led to feel emotion … by the speech»] (2007: 39, 1356a), mientras la persuasión mediante el *logos* se produce cuando los argumentos (*logoi*) muestran «la verdad o la aparente verdad de lo que es persuasivo en cada caso» [«the truth or the apparent truth from whatever is persuasive in each case»] (2007: 39, 1356a).

creciente malestar social experimentado durante el verano y el otoño de 1931 en el artículo «La cuestión económica» (11-XI-1931), Ayala desoyó el clamor creado por la promulgación de la Ley de Defensa de la República el 21 de octubre de 1931, una ley escasamente democrática que concitó la resuelta oposición de los grupos anarquistas (Casanova, *Anarchism* 31), y simplemente se limitó a observar que la ley obedecía únicamente al «propósito de defender la República con la máxima eficacia» (*Obras* VII: 647). También añadió que «una vez promulgada [la ley] ha restablecido automáticamente el orden público» (*Obras* VII: 647). Los tozudos hechos históricos pronto se encargarían de refutar estas dos afirmaciones, pero Ayala seguía apostando por el clásico esquema liberal en el cual la razón se eleva por encima de los intereses y las pasiones partidarias, logrando mediar entre ellos.

Pero Ayala no fue el único intelectual liberal que conminó a sus lectores a moderar y controlar sus emociones respecto del nuevo orden político. Alarmado ante las excesivas pasiones de los votantes en las elecciones generales a las Cortes constituyentes de junio de 1931, Sagarra adoptó una estrategia similar. Esto no era una tarea fácil en la atmósfera de desbordada alegría que todavía se respiraba entonces. Y no lo era, en primer lugar, para el propio Sagarra, que confiesa que «hi ha moments que fins m'esvero, en sentir el to de la meva veu en una discussió [política], un to de veu lúgubre, humit i tremolós, exactament igual que el d'un predicador que s'està dalt de la trona, amb els ulls en blanc i el cor ple de papallones inflamades» (183).[101] Sin embargo, el control de las emociones seguía

---

101. Para que no se pierdan los matices de la prosa de Sagarra, incluyo la siguiente traducción: «hay momentos en que me alarmo cuando escucho el tono de mi voz en una discusión [política], un tono lúgubre, húmedo y tembloroso, exactamente igual al de un predicador en el púlpito, con los ojos en blanco y el corazón lleno de mariposas inflamadas».

siendo para Sagarra una tarea necesaria. Por eso, la alentó unos meses más tarde, cuando celebró que la política por fin había llegado a ser una actividad rutinaria para muchos catalanes en las elecciones parciales de octubre de 1931. Contra los que denunciaban la falta de entusiasmo que el pueblo catalán sentía por esas elecciones, Sagarra observa que «una bullida constant és un perjudici per tot; per consolidar les coses, fins per consolidar la República, fins per consolidar la felicitat, es necessita un ritme normal; el contrari és patologia o simple follia» (213).[102]

De forma parecida a Sagarra, Chaves Nogales se aplicó a gestionar el entusiasmo generado por las nuevas instituciones y libertades. Esto es evidente, por ejemplo, en la serie de crónicas que dedicó a la visita del presidente Alcalá-Zamora al Levante peninsular (Murcia, Cartagena, las Islas Baleares y Valencia) para conmemorar el primer aniversario de la proclamación de la República –todas publicadas en *Ahora* entre el 29 de marzo y el 7 de abril de 1932–. Por una parte, Chaves Nogales repetidamente dio cuenta de las efusivas muestras de entusiasmo popular que suscitó la visita presidencial y, en ocasiones, hasta parecía compartirlas. Así, describe cómo la llegada de Alcalá-Zamora a Albacete viene acompañada por «las manifestaciones de entusiasmo y los vítores [que] no cesan» (I: 286), cómo en Palma de Mallorca una multitud rodea el coche de caballos presidencial «aclamando frenéticamente a Su Excelencia» (I: 315), y cómo en Valencia el público «pretendía entrarle en hombros en el Ayuntamiento» (I: 348). Chaves Nogales confesaba su perplejidad ante el desbordante entusiasmo provocado por la visita de Alca-

---

102. «Un hervor constante supone un perjuicio para todo; para consolidar las cosas, incluso para consolidar la República, incluso para consolidar la felicidad, se necesita un ritmo normal; lo contrario es patología o simple locura».

lá-Zamora e intentaba buscarle una explicación, aventurando que la causa de ese excesivo fervor popular radicaba en el hecho de que el Presidente era «el símbolo de un régimen largos años anhelado» (I: 291). Por otro lado, y esto es lo significativo, intentó atemperar la euforia popular al anticipar el momento de su declive. «Todo está ahora en que la República no les defraude más que lo puramente indispensable», escribió; y precisó, ominosamente: «en la defraudación que fatalmente existe al hacerse realidad la ilusión» (I: 292).

Lo que Ayala (y Sagarra y Chaves Nogales) parecía desplegar en estos escritos era una aguda conciencia de que, en palabras de Stephen Frosh, «un elemento crucial de los procesos sociales reside en cómo nos hacen sentir, y en qué medida los sentimientos los infunden» (77). Es más: Ayala parecía saber que «las estructuras sociales e institucionales son contextos en los que se gestionan, con mayor o menor acierto, los sentimientos; en los que se motiva, se provoca, se incita o se silencia a las personas, quienes entonces expresan la dinámica del orden social en sus sentimientos» (83).[103] En todo caso, su insistencia en suprimir las emociones desestabilizadoras del orden vigente (así como el énfasis de Sagarra en la moderación afectiva o el enfriamiento que lleva a cabo Chaves Nogales del júbilo republicano), todas estas estrategias, pueden considerarse como intentos de crear lo que Alison Jaggar ha llamado «hegemonía emocional». La hegemonía que una sociedad proyecta sobre la «constitución emocional» de sus componentes se explica

---

103. «A key element in social processes is how one is made to feel by them, and how much feeling infuses them»; «Social and institutional structures are contexts in which feeling is managed more or less well, in which people are prompted and provoked, encouraged and silenced, and as a consequence express in their feelings the dynamics of the social order itself».

por el hecho de que, en opinión de Jaggar, «en el mismo lenguaje de las emociones, en nuestra definiciones y explicaciones básicas sobre lo que supone sentir orgullo o vergüenza, resentimiento o desprecio, hay integradas una serie de normas y expectativas culturales» (60).[104] Como bien sabía Ayala, la definición de normas y expectativas culturales constituía un medio efectivo para dar forma a la constitución emocional de sus lectores en los inicios de la República. En este sentido, las intervenciones analizadas más arriba pueden ser vistas como formas de elaborar dos normas culturales específicas: una imagen normativa del proceso legislativo como una empresa puramente racional, desprovista de emociones (Ayala) y el ideal de la contención y la moderación emocional (Sagarra y Chaves Nogales). Lo que estos estándares culturales tenían en común era la definición de percepciones y valores que servían a los intereses del orden republicano. Todavía más: estos estándares contribuían a la creación de una cultura emocional basada en dos elementos, a saber, la incitación de prácticas de autocontrol emocional y la supresión de lo que Jaggar ha llamado emociones «proscritas» o «convencionalmente inaceptables» (60).[105] De acuerdo con Ayala, Sagarra y Chaves Nogales, para ser un buen ciudadano de la República, uno tenía que suprimir aquellas emociones contrarias a la legislación y las instituciones republicanas y controlar las que llegaba a expresar en público (para evitar expresarlas inadecuadamente). Cuando los ciudadanos contemplaban la actividad parlamentaria como un proceso puramente racional y desprovisto de emociones negativas

---

104. «Within the very language of emotion, in our basic definitions and explanations of what it is to feel pride or embarrassment, resentment or contempt, cultural norms and expectations are embedded».

105. «Outlaw» y «conventionally unacceptable».

(Ayala), cuando eran conscientes de sus emociones y las moderaban (Sagarra) y cuando refrenaban su entusiasmo al aceptar el inminente declive del nuevo orden (Chaves Nogales), reforzaban la creencia en la legalidad de las ordenaciones instituidas por la República y, por lo tanto, ayudaban a reducir, o cuando menos a corregir, el déficit de legitimidad del incipiente gobierno.

Aquí interesa mucho insistir en un hecho: que la hegemonía emocional diseñada por Ayala (y por los otros intelectuales liberales) no estuviera dirigida a suscitar una serie de emociones favorables al nuevo orden político indica una paradoja y una fragilidad. La paradoja consiste en que los intelectuales próximos a las políticas republicanas se encontraban en una posición imposible, pues por una parte debían limitar el entusiasmo generado por un proyecto con el que estaban comprometidos y, por otro lado, debían suprimir el odio, el rencor y la angustia que ese mismo proyecto generaba en una parte considerable de la ciudadanía. Y esto, sin duda, implicaba una fragilidad: la de encontrarse continuamente en una posición reactiva. La impresión que nos dejan estos artículos periodísticos es que el intelectual comprometido con el proyecto republicano era un intelectual permanentemente a la defensiva, acechado por el riesgo incesante de verse desbordado por unas fuerzas históricas que parecía imposible llegar a encauzar.

Como hemos sugerido más arriba, la relevancia de las emociones como un espacio de la lucha hegemónica se hace patente cuando nos enfrentamos a algunas de las cuestiones más controvertidas y, por eso mismo, con una mayor carga afectiva, de la agenda de reformas republicana: la cuestión religiosa, la autonomía política de Cataluña y la reforma agraria. ¿Qué posiciones adoptó Ayala sobre estas controversias? Ayala terció en la cuestión religiosa siguiendo su habitual estrategia, que consistía en hacer caso omiso de las intensas emociones generadas por los artículos de la Constitución referidos a la separación de Iglesia y Estado. Estas disposiciones eran tan polémicas, y estaban tan cargadas afectivamente, que muchos diputados se negaron a participar en el debate parlamentario. De entre los que sí participaron, 233 abandonaron la cámara justo antes del voto, que se produjo en la madrugada del 14 de octubre de 1931 (Casanova, *The Spanish Republic* 33). Y dos figuras señeras del Gobierno provisional republicano acabaron presentando su dimisión (el jefe del Gobierno que más tarde se convertiría en presidente, Niceto Alcalá-Zamora, y el ministro del interior, Miguel Maura). Resulta difícil imaginar un debate tan apasionado como si fuera una discusión puramente racional, en la que los diputados reconocen los méritos del argumento contrario y acaban aceptándolo.

Sin embargo, esa es la imagen que comunica la crónica de Ayala titulada «Anales de quince días (3)» (23-X-1931). No hay en ella un ápice de la profunda amargura causada por la legislación religiosa. De hecho, Ayala señala con un tono frío y desapasionado la ausencia de los diputados «de representación católica» y consigna que la dimisión de Alcalá-Zamora y Maura llevó a una remodelación del gobierno, pero se apresura a añadir que el parlamento consideró la cuestión religiosa con un «criterio transigente» y «reflexiones de templanza» (*Obras* VII: 645). A decir de Ayala, se trataba de una consideración eminentemente racional, propia de una cámara que «por la índole de sus elementos interesantes podría implantar fórmulas extremas» pero «prefiere inclinarse hacia soluciones de concordia al elaborar una Constitución que por su amplitud sea capaz de ofrecer base a la convivencia de todos los españoles» (*Obras* VII: 645). Una vez más, la crónica de Ayala destaca por su ausencia de emoción, por tratar el enconado tema religioso con una estética distante que convierte la cuestión de la separación de Iglesia y Estado en un asunto tan desapasionado y ordinario como, pongamos por caso, la reforma de la magistratura o de la marina, temas sobre los que escribiría sendas crónicas unas semanas más tarde.[106]

Fiel a su estilo frío y distante, Ayala limó las aristas afectivas de los debates parlamentarios sobre las disposiciones religiosas del proyecto de Constitución hasta el punto de hacerlas desaparecer por completo. En otra ocasión volvió a echar mano de la misma estrategia en un artículo titulado «Un camino abierto. Política nacional de la República». Publicado en *El Sol* el 14 de abril de 1933, este artículo conmemoraba el segundo aniversario de la proclamación del nuevo régimen y hacía un balance de este. Allí, Ayala volvía a insistir en que el nuevo estatus de la Iglesia católica simplemente buscaba «liberar al Estado de la tutela y servicio de la Iglesia, relegando la religión al terreno 'privado'» (*Obras* VII: 724). Y añadía que este nuevo estatus no suponía, «como falazmente se ha dicho, persecución ninguna» (*Obras* VII: 724).

Desde luego, ni la jerarquía eclesiástica ni muchos católicos podían estar de acuerdo con la valoración de Ayala. En la medida en que no podían vivir la legislación secularizadora como el resultado de un proceso puramente racional, lo percibieron más bien como un ataque a sus creencias más íntimas, y empezaron a incubar un odio creciente hacia la Segunda República (odio que sin duda fue atizado e instrumentalizado con fines políticos). La situación resultaba tan insoportable para los sectores más radicalizados del catolicismo político que Manuel Fal Conde, el líder de Comunión Tradicionalista, proclamó que los católicos tenían el deber de «defenderse de estos ataques, incluso con su sangre» (Casanova, *The*

---

106. Los textos aludidos son «La reforma de la magistratura» (8-XII-1931) y «Las reformas navales» (28-IV-1932), recogidos en el volumen VII de las *Obras completas*, pp. 649-653.

Spanish Republic 71).[107] En tanto partícipe de esta tensa coyuntura, Sagarra también hizo frente a las emociones generadas por la nueva situación de la Iglesia en la vida pública. Y, una vez más, arguyó en favor de la moderación y la templanza. En una columna sobre el debate político que tuvo lugar en el Ayuntamiento de Barcelona acerca de la expulsión de los jesuitas, volvió a defender las virtudes del equilibro emocional. Así, pidió a sus lectores que dominaran sus emociones de acuerdo con «el criteri liberal més moderat ... [i] el més modest esperit de comprensió» para de esta manera evitar caer en los excesos desplegados tanto por la literatura anticlerical como la propaganda católica (170-171).

Otra reforma de la Segunda República que suscitó poderosas emociones fue la aprobación del Estatuto de Autonomía de Cataluña en 1932, en virtud del cual se restauraron las instituciones catalanas (la Generalitat y el Parlament). Ejemplo estupendo de ello nos lo proporciona Antonio Zugazagoitia y Frías con su *Panfleto antiseparatista*, un escrito que vio la luz en los primeros meses de 1932, justo cuando las Cortes estaban discutiendo el proyecto de Estatuto. El libelo, escrito desde una posición de izquierda, rezuma un odio exasperado contra las demandas políticas catalanas. El odio, una emoción «que participa en la negociación de los límites entre el yo y los otros, y entre diferentes comunidades, en la cual 'los otros' aparecen en la esfera de mi o nuestra existencia bajo la forma de una amenaza» (Ahmed 257),[108] constituye el hilo conductor de esta escasamente imaginativa y repetitiva diatriba contra los supuestos separatistas, «minorías despreciables y minúsculas, alimañas

---

107. «To defend themselves from all these attacks, 'even with their blood'».

108. «Involved in the very negotiation of boundaries between selves and others, and between communities, where 'others' are brought into the sphere of my or our existence as a threat».

microscópicas, que, traicionando vilmente su historia y su raza, afrentan sus respectivos lugares con las más bajunas calumnias» (48).

Ayala publicó una reseña del *Panfleto antiseparatista* de Zugazagoitia y Frías el 25 de marzo de 1932 en *Luz* titulada «Problemas políticos». Y aunque era un firme defensor de la solución constitucional para la organización territorial del Estado, tampoco sentía ningún entusiasmo por las demandas políticas catalanas –en esto su postura estaba muy cerca de la de Chaves Nogales–. Lo significativo de la reseña reside en el hecho de que Ayala, aun sin simpatizar con la causa catalana, desaprobaba el tono violento del panfleto. Nos encontramos, otra vez, con una estrategia de templanza emocional. Después de consignar que «el complejo problema catalán» había sido siempre «fuente de duros enconos» y había promovido «oleadas de apasionamiento político», Ayala rechazaba las virulentas expresiones de odio esgrimidas por Zugazagoitia y Frías al notar que «desde un punto de vista objetivo todos los aspavientos que hayan podido hacerse ante la eventual concesión de autonomía política a las regiones carecen de razón de ser y responden a una visión unilateral, a un prejuicio, muy extendido, sobre organización política territorial» (*Obras* VII: 671). Para Ayala, el panfleto de Zugazagoitia y Frías era poco más que una inoportuna «muestra típica de actitud extrema» (*Obras* VII: 672).

La actitud que reclamaba Ayala respecto de las demandas catalanas era la ejemplificada por otro libro que también reseñaría, al cabo de pocos días, en el mismo periódico, *Catalanismo y República española*, del historiador y ensayista Melchor Fernández Almagro.[109]

---

109. En sus memorias, Ayala evoca con cariño la figura de Melchor Fernández Almagro (1893-1966). Amigo de la familia Ayala desde los tiempos de la infancia en Granada, Fernández Almagro estuvo presente en muchas de las revistas del 27 y fue una figura próxima a García Lorca. Ayala recuerda con afecto que fue Fernández Almagro quien le facilitó el acceso a las páginas del diario *La Época*, donde aparecieron sus primeras publicaciones.

En la reseña «Política española» (13-IV-1932), Ayala destacaba dos virtudes del libro de Fernández Almagro: la actitud de su autor, una «actitud compleja, matizada, en la que operan consideraciones ideales y de tradición, datos objetivos y resultados innegables de acusada individualidad»; y, sobre todo, el «noble prurito de moderación, condición útil para lograr la objetividad en cuestiones tan apasionantes» (*Obras* VII: 672). El contraste que Ayala estableció entre el libro de Fernández Almagro y el panfleto de Zugazagoitia y Frías no podía ser más claro: frente a la violencia, el odio, y el extremismo que destilaban las páginas del segundo, Ayala encomiaba la mesura, moderación y sensatez del primero. Estamos, de nuevo, ante una estrategia de templanza emocional.

Una actitud parecida a la de Ayala (y a la de Fernández Almagro) ante la cuestión catalana la encontramos en Sagarra, quien, lógicamente, saludó con entusiasmo las nuevas oportunidades políticas y culturales que el Estatuto proporcionaba al pueblo catalán. Desde una posición claramente catalanista, Sagarra dejó constancia de la alegría que la presentación del Estatuto de Cataluña ante las Cortes españolas suscitaba en él y en sus conciudadanos: «la nostra alegria va creixent; una mena de satisfacció d'ordre indefinible, un goig més perdurable, més líric, més serè que tots els espasmes» (256). Conviene insistir, sin embargo, en que se trataba de una alegría serena y perdurable, esto es, una alegría templada, mesurada, moderada. Sagarra persistía en su exigencia de moderar los afectos políticos y, en este punto concreto, su postura estaba muy cerca de la de Ayala y Chaves Nogales –y esto, a pesar de que su posición frente a la cuestión catalana no coincidía con la de ellos–.

Uno de los casos más dolorosos de apasionamiento político de la Segunda República fue el provocado por el episodio de Casas Viejas, un pueblo de la provincia de Cádiz, entre el 10 y el 12 de enero de 1933. El desencanto motivado por la lentitud de la reforma agraria, junto a la situación desesperada del campesinado, desembocó en una insurrección armada que fue salvajemente aplastada por la Guardia Civil y la Guardia de Asalto. El episodio, que ha sido calificado como una auténtica masacre en la que veintitrés campesinos fueron asesinados a sangre fría por las fuerzas de orden público (Casanova, *Anarchism* 70-72), acabó desprestigiando el gobierno republicano-socialista de Manuel Azaña y contribuyendo a su caída en septiembre de 1933. Consciente de que los incidentes de Casas Viejas iban a ser instrumentalizados por la oposición, tanto de izquierdas como de derechas, Ayala trató el episodio como otra ocasión para para fomentar el autocontrol emocional. En el editorial «La conciencia republicana ante las perturbaciones sociales» (13-I-1933), que apareció en el diario *Luz* cuando muchos de los detalles más truculentos de la represión policial todavía no se habían hecho públicos, Ayala utilizó el levantamiento anarquista para transmitir una serie de recomendaciones a «la opinión republicana», es decir, «la gran masa del pueblo en que el Gobierno se encuentra respaldado» (*Obras* VII: 688).

Lo que estaba en juego era fijar la posición afectiva de los republicanos frente a dos asuntos: las acciones de los jornaleros insurgentes y las transformaciones económico-sociales impulsadas por el Gobierno. Sobre los primeros, Ayala dejó escrito que «una conciencia republicana no puede sentir odio ni repugnancia contra esos campesinos exaltados, sino tan solo el dolor de su aberración, contraproducente en primer término para el logro de esa ansia de justicia social que es también la raíz más jugosa de la República» (*Obras* VII: 688-89). Ayala recomendaba compartir el dolor de los insurgentes, apuntando a un trato compasivo hacia ellos que no estaba exento, sin embargo, de cierto sentimiento de superioridad (el dolor compartido lo era por la aberración que los campesinos representaban). Dicho esto, también reconocía la inevitabilidad del uso de la fuerza porque una conciencia republicana «tampoco puede resignarse a contemplar impasiblemente excesos y desórdenes que tanto perjudican a la marcha normal del nuevo régimen» (*Obras* VII: 689).

Respecto de las reformas económicas y sociales, Ayala pedía a sus lectores tiempo y paciencia, animándoles a moderar su entusiasmo y sus expectativas de cambio porque, según reconocía el autor granadino, el fervor que puede sentir el pueblo por la República, en ese preciso momento histórico, «se integra de esperanzas, de promesas, que comienzan solo a tomar cuerpo de realidad» (*Obras* VII: 689). Por otro lado, Ayala solicitaba a la República que defendiera «implacablemente a los campesinos, cuya ansia de justicia social ha despertado ella» y que subrayara «la orientación izquierdista del régimen, encerrando en su propio absurdo a los que atentan contra sí mismos al atentar contra el Estado republicano» (*Obras* VII: 690). De esta manera, Ayala pedía acelerar las transformaciones económico-sociales en curso porque era consciente de la disparidad entre los poderosos afectos despertados por las expectativas de justicia social y la mísera existencia del proletariado agrícola. En otras palabras: sabía que el crédito del régimen se estaba acabando.

La actitud de Ayala ante el levantamiento de Casas Viejas tenía más de un punto en común con la de Chaves Nogales. El periodista sevillano no solo despachó los afectos subyacentes a las insurrecciones anarcosindicalistas como «la bravata impresionante de los que, teniendo la suficiente sensibilidad para percibir la injustica social, son incapaces de una reacción inteligente» (III: 1433), sino que también acabó por hacer responsables de las muertes de Casas Viejas tanto a «los propagandistas del anarcosindicalismo» como a «los que no tienen alma bastante ni convicciones lo suficientemente firmes para alzar frente a ellos la voz de su razón» (III: 1438). Como ocurría con Ayala, invocar la razón sirve para silenciar y suprimir las emociones contrarias al orden establecido y, de paso, reforzar las instituciones existentes.

Un balance de la cultura de la templanza emocional

Sin duda, la creación de lo que podríamos llamar «la cultura de la templanza emocional» era un proyecto político que solo podía entenderse dentro de las coordenadas de la cultura burguesa de la época, lo que implicaba una conciencia de clase y de género muy concretas. Que la moderación afectiva promovida por Ayala suponía una marcada conciencia de género es algo que queda claro cuando nos damos cuenta de que el escritor granadino asociaba las prácticas de autocontrol emocional a un sentimiento de orgullo marcadamente masculino, y cuando repasamos, siquiera someramente, el tratamiento que dispensó a los esfuerzos legislativos de la República por promover la igualdad de género. Al hilo de un comentario acerca de los debates sociales y políticos sobre el sufragio femenino, Ayala reconoció que se trataba de un tema que «en su día apasionó a la opinión pública»; enseguida, sin embargo, se apresuró a suprimir cualquier huella afectiva en su crónica de los debates parlamentarios sobre el tema, simplemente observando, con la distancia y la frialdad habituales, que «triunfó en la Cámara el criterio favorable [al voto femenino]» (*Obras* VII: 646).

La imagen que de estos debates nos ha llegado de la pluma de Clara Campoamor (1888-1972), sin embargo, es muy diferente. Interesa aquí contrastarla con la descripción desapasionada de Ayala. A diferencia de Ayala, Campoamor, que era miembro del Partido Radical y era la figura central del movimiento por la igualdad política de las mujeres, nunca compartió –nunca pudo compartir– la visión idealizada que Ayala tenía del parlamento como la cámara que privilegia la razón y la argumentación desapasionada. Es más: las referencias a las emociones abundan en el fascinante relato de Campoamor acerca de los debates parlamentarios sobre los derechos de la mujer celebrados en el otoño de 1931. Por ejemplo, consideraba que el primero de octubre, el día en que se acabó de discutir y se votó el artículo 34 de la Constitución, que garantizaba el sufragio femenino, «fue el gran día del histerismo masculino, dentro y fuera del Parlamento» (113). Y añadía que la «nerviosidad e irritación masculinas» (113) no solo eran palpables en los debates, sino que «se concretaban y localizaban en una verdadera fobia contra la dignificación política de la mujer» (114), una fobia cuyo origen residía para Campoamor en el miedo a la mujer, «un miedo ancestral, subconsciente, casi biológico» (125). El contraste con la visión que Ayala tenía del proceso legislativo no podía ser más intenso. Para Campoamor, el parlamento estaba muy lejos de ser la cámara donde señoreaba la razón: más bien, era la asamblea donde proliferaban el histerismo, la nerviosidad, la irritación y el miedo. De alguna manera, al revelar la dimensión afectiva de la discusión parlamentaria, Campoamor se oponía a la hegemonía emocional marcadamente masculina diseñada por Ayala y los otros intelectuales liberales.

En lo que respecta a la conciencia de clase, no podemos dejar de señalar la afiliación burguesa de la cultura de la templanza emocional propugnada por Ayala. Eso ha quedado bastante claro, me parece, en su postura acerca de las insurrecciones anarquistas. En tanto construcción burguesa, este régimen emocional era una empresa frágil, destinada a ser atacada tanto por la izquierda revolucionaria como la derecha radical, dos movimientos que se afanaron por desmantelar los principios culturales de la burguesía desde el fin de la Gran Guerra. Como observó César Arconada, el escritor de filiación vanguardista que se pasó a las filas del comunismo en 1931, «el esplendor de la burguesía acaba con la guerra, que fue la zarabanda codiciosa de la burguesía mundial» (117). Pero tal vez la dimensión burguesa de la cultura de la templanza emocional quede más clara si repasamos someramente las crónicas sobre los sucesos de Casas Viejas firmadas por Ramón J. Sender, un intelectual de origen burgués cuyas simpatías libertarias estaban evolucionando hacia el comunismo a principios de los años treinta. Mientras que Ayala escribía como un intelectual liberal, por esos años Sender oficiaba de intelectual orgánico del proletariado, en una línea afín a la del intelectual marxista que desarrollé al principio del capítulo.

Sender llegó a Casas Viejas tres días después de los sucesos y dio su primera crónica a la imprenta del diario *La Libertad* el 19 de enero de 1933. A esta primera crónica, le seguirían otras catorce que luego fueron recogidas, junto con otros materiales, en sendos libros: *Casas Viejas. Episodios de la lucha de clases* (1933) y *Viaje a la aldea del crimen* (1934).[110] Ejemplo de periodismo narrativo, las crónicas de Sender estaban alimentadas por una vocación de investigación de los hechos y de denuncia de las autoridades. Sin duda, estos dos elementos no podían figurar en el editorial de Ayala, que obedecía a unas convenciones literarias diferentes (se trataba de un editorial, no de un reportaje), recogía la versión oficial de los hechos (la única conocida en el momento), y fijaba una posición política afín al gobierno de Azaña (como el gobierno, Ayala juzgaba al día siguiente de los hechos que la represión había sido inevitable y proporcional).

En sus crónicas, Sender no se conformó con la versión oficial: puso al descubierto la miseria desgarradora del campo andaluz, «donde todos los pueblos son Casas Viejas y en todas partes el hambre y el odio tienen plantados sus cuarteles» (145), y denunció el

---

110. Escisión de *El Liberal*, *La Libertad* (1919-1939) fue un periódico de ideología izquierdista, abierta al socialismo. El financiero Juan March (1880-1962) entró en el capital de la empresa en 1925 y se desprendió del periódico en 1934. De *Casas Viejas* hay una edición crítica de José Domingo Dueñas y de Antonio Pérez Lasheras, y hay una edición reciente de *Viaje a la aldea del crimen* (2016), que es por la que cito.

comportamiento criminal de las fuerzas del orden público que, en su descargo, alegaron que las instrucciones del Gobierno indicaban que este «no quería heridos, ni prisioneros, dándolas [a las instrucciones] el sentido manifiesto de que le entregáramos muertos a aquellos que se les encontrasen haciendo frente a la fuerza pública» (106). Pero más allá de la denuncia, interesa destacar aquí cómo Sender, a diferencia de Ayala, comprende y legitima el odio y el rencor creados por «las circunstancias feudales que subsisten en el régimen de la economía agraria andaluza» (34-35). Sender entiende que «lo peor está en los factores de orden psicológico [...] que determinan un estado constante de alarma» y que «los rencores, los odios, con el hambre y la distancia aumentan» (48). Más que compadecer «el dolor de la aberración» encarnada en los jornaleros sublevados, como quería Ayala, Sender trataba de comprender la vida, dominada por el hambre y el miedo, de los vecinos de Casas Viejas: «Claro es que el hambre enloquece. Hay centenares de hombres en ese y en otros pueblos de la provincia locos de hambre. Y algunas familias, en cada uno de ellos, locas de miedo» (32). Además, al adentrarse en esta realidad hecha de hambre y de ansiedad, Sender no solo se distanció de la República y se acercó progresivamente al comunismo, sino que desnudó los fundamentos materiales de la revolución cultural impulsada por la República:

> El día que esos obreros que hoy tienen hambre en Andalucía –cerca de dos millones– puedan alcanzar la cultura a que el presidente del Consejo y los propietarios de Casas Viejas se refieren, no llegará con el sistema económico actual. La «cultura» a que se refieren –el conformismo, la posición «culta» ante los problemas– no la dan las escuelas, sino el bienestar económico, el hogar caliente, y la despensa provista. Eso no se lo puede dar este régimen. Sin contar con la justicia social y con la satisfacción moral que esa justicia lleva consigo. (146)

Lo que estas palabras revelan es que la cultura y la aproximación culta a los conflictos, ejemplificada y difundida por Ayala y los intelectuales liberales, únicamente estaba al alcance de una pequeña minoría. Con una base social exigua, la «cultura de la templanza emocional» fue incapaz de superar el clima de incertidumbre, radicalización y malestar que se apoderó de la política española a partir del año 1933. De alguna manera, la tensión social, el odio y el rencor que Sender percibió en Casas Viejas acabaron por apoderarse de todo el país. En última instancia, el intento de Ayala de crear una hegemonía emocional que reforzara la legitimidad racional-legal de la República naufragó. A partir de ese momento, como señala Vincent, la «doctrina en boga» consistía en hacer que «la legitimidad, la voluntad popular, se manifestaran en las calles antes que en las urnas» (134).[111] Sin duda, los factores que explican este fracaso son múltiples y complejos. Pero quizá uno de los factores que explique el colapso de la legitimidad republicana sea la irrupción de lo que Weber llamó fuerzas carismáticas, energías que desataron y movilizaron poderosos afectos que acabaron por hacer insoportable el malestar social y el miedo que dominaban la vida política de la época.[112]

Como hemos visto, estas fuerzas incluían al sindicalismo revolucionario, que para Weber era un movimiento carismático en la medida en que buscaba «transformar la escala de valores y las actitudes éticas de sus seguidores y partidarios, deslegitimar los fundamentos simbólicos y normativos de la autoridad política establecida, generar un nuevo discurso de legitimación, y formar una nueva voluntad colectiva» (Kalyvas,

---

111. «Fashionable doctrine [was that] legitimacy, the popular will, could be demonstrated, on the streets rather than in the polling booth».

112. Aquí simplemente hago mía la hipótesis de Villacañas Berlanga sobre el carisma de los intelectuales españoles (2005), una hipótesis que nos proporciona una importante clave para interpretar la historia intelectual del primer tercio del siglo XX.

2008: 65).[113] Estas fuerzas incluían también las voces de prestigiosos intelectuales como las de Miguel de Unamuno y José Ortega y Gasset, dos figuras que inicialmente apoyaron el proyecto republicano pero que pronto se desmarcaron de él. Como un líder político plebiscitario, heroico y carismático, que exigía «un tipo de devoción y confianza altamente emocional» en su liderazgo (Weber 269),[114] Ortega, en una famosa conferencia de diciembre de 1931, ya conminó a los españoles a rectificar el curso de la República (*Obras* IV: 837-855).

Frente a Ortega, que se situaba por encima de los partidos políticos y hacía un llamamiento a la creación de «un partido de amplitud nacional» que integrara «todos los intereses parciales de clase, de grupo o de individuo» (*Obras* IV: 851), Ayala había ingresado en Acción Republicana, el partido presidido por Azaña, y creía firmemente en los partidos políticos como instituciones necesarias para el funcionamiento de un Estado democrático. Como apuntó en las conclusiones de su «Memoria doctoral» sobre *Los partidos políticos como órganos de gobierno*, los partidos políticos (en plural) son instrumentos necesarios en un Estado moderno porque actúan de mediadores entre «la función específica de gobierno» y «la opinión pública, o más bien [...] la institución del sufragio, con la masa de simpatizantes no adheridos por modo expreso» (132).[115] Mientras los intelectuales carismáticos

---

113. «To change the value system and ethical attitudes of its followers and supporters, to delegitimate the symbolic and normative foundation of the established political authority, to generate a new legitimation discourse, and to form a new collective will».

114. «A highly emotional type of devotion to and trust in».

115. En esa memoria Ayala también dejaba claro que el gobierno de un solo partido, supuestamente integrador de intereses sociales contrapuestos, en la práctica desembocaba en una dictadura, como los ejemplos de la Italia fascista y la Rusia soviética atestiguaban (22-50).

al modo de Ortega procuraban trascender el normal funcionamiento de las instituciones democráticas, los que como Ayala lucharon por la legitimidad legal de la República procuraron afianzar y profundizar el espíritu pluralista y democrático de tales instituciones.

Las fuerzas carismáticas que amenazaban el régimen republicano incluían, por último, a figuras como José Antonio Primo de Rivera, el líder de Falange Española, un partido dado a movilizar una retórica claramente afectiva, de inspiración fascista, contra el racionalismo de la ideología liberal y del parlamentarismo. Con el uso que hizo la Falange del mito nacional fascista, mi argumento regresa a la observación de Carl Schmitt que figuraba al principio de este capítulo: que el mito nacional evoca «afectos más poderosos» (96) que el mito marxista de la lucha de clases. Sin duda las evocó para la doctrina falangista, que estaba saturada del mito de la unidad nacional y del mito imperial. Mientras el primero se originaba en la afirmación de José Antonio según la cual «la nación es una síntesis trascendental, una síntesis indivisible con una finalidad propia» (54),[116] el segundo provenía de las convicciones de figuras como Ramiro Ledesma Ramos y Onésimo Redondo, para quienes el mito imperial era una necesidad para España, que de esta manera podía «gobernarse a sí misma y gobernar otros países y así convertirse en un territorio unido y un estado autoritario» (Santiáñez 172).[117] Como Schmitt presagió, el horizonte político estaba determinado por la lucha entre dos mitos. En este combate a muerte entre dos fuerzas esencialmente afectivas, el establecimiento de una legitimidad

---

116. «The nation is a transcendental synthesis, an indivisible synthesis with a finality of its own».

117. «To rule over itself as well as over other countries and thus become a unified territory and an authoritarian state».

racional-legal para la República mediante la creación de una cultura de la templanza emocional parecía poco más que un delirio optimista, el vestigio de una época en la que los afectos tal vez nunca llegaron a ser dominados por la razón pero en la que esta, al menos, intentó encauzarlos, templarlos y moderarlos.

Recordando esta época muchos años después, en 1980, Ayala evocaba la vehemente reacción que causó la famosa frase de Manuel Azaña, «España ha dejado de ser católica». Concedía Ayala que el contenido de la afirmación era cierto, pues la laicización de la sociedad era una realidad para muchos españoles desde hacía bastantes años, pero no dejaba de observar que dicha afirmación no solo fue escasamente oportuna sino también políticamente peligrosa:

> En medio de situación tan difícil, exaltados los ánimos de unos y de otros, se levanta en las Cortes la voz del gobierno para proclamar que España había dejado de ser católica [...] ¿Quién podía entender en aquella coyuntura declaración tal sino como arrogante desafío a la Iglesia y sus huestes, como la pretensión absurda de que, por decreto, la nación abandonaba su fe antigua y renunciaba así a su pasado histórico? Si algunos –en uno u otro bando– captaron el auténtico alcance de la frase (y no serían muchos, de cualquier modo), lo cierto es que los adversarios del gobierno y del régimen no desaprovecharon la ventaja que ella les proporcionaba para levantar en su contra una tormenta emocional de fuerza devastadora. («Azaña» 82)

A diferencia de Azaña, Ayala en sus quehaceres periodísticos siempre midió sus palabras y procuró aplacar los ánimos exaltados de sus conciudadanos, con el propósito de evitar la fuerza devastadora de las tormentas emocionales y, de paso, afianzar las nuevas instituciones republicanas. Esta actitud racionalista de Ayala tuvo la virtud de templar los ánimos y de equilibrar unas expectativas sociales que por entonces galopaban desbocadas por las tierras de la península ibérica. Y sin embargo, creo, también tuvo un inconveniente: el desapasionamiento de Ayala le impidió calibrar con exactitud la ferocidad de los antagonismos sociales y conocer en toda su complejidad los motivos y las razones de los grupos que Chaves Nogales, en un momento de ceguera emocional, definió como «los enemigos de la República» –expresión que sintomáticamente se refería a la «amalgama de fermentos anarquistas, sindicalistas y comunistas» y no a los conspiradores de extrema derecha que dieron el golpe de estado en julio de 1936 (*La República* 97)–.

A partir de 1933, los enemigos de la República, a izquierda y derecha, se multiplicaron. La victoria de las derechas en 1933 y la revolución de octubre de 1934 aceleraron los acontecimientos. Ayala anotó en sus memorias: «En 1934 los días finales de octubre y primeros de noviembre fueron para mí un periodo de tremenda intensidad. La rebelión socialista había comenzado. Ineluctablemente, se iniciaba la temida tragedia cuyo desenvolvimiento era demasiado previsible. Las mentalidades catastróficas que deseaban y procuraban confrontación podían estar ya satisfechas: estaba abierto el tajo» (*Obras* II: 218-219). Con esta metáfora, el autor granadino anunciaba la confrontación que acabaría por destruir y aniquilar la sociedad española. Entonces, para Ayala, la cuestión ya no será qué decir, en tanto intelectual, para reforzar la legitimidad de un orden político sino cómo actuar ante la amenaza de su destrucción. Como veremos en el siguiente capítulo, su fondo afectivo jugará, una vez más, un papel determinante.

En el fragor de la guerra.
Variaciones sobre la lealtad

A partir del otoño de 1934, el clima de enfrentamiento civil y la violencia callejera impregnaron todos los ámbitos de la sociedad. Al doble proceso insurreccional en Asturias y Cataluña se sumó la creciente beligerancia de las derechas católicas y fascistas, que comenzaron a diezmar a sus enemigos. Por supuesto, las aulas universitarias no resultaron inmunes ni a la confrontación política ni al proceso de radicalización violenta, que fueron avanzando de forma alarmante durante el curso académico 1935-1936. En vísperas de las elecciones del 16 de febrero de 1936, Ayala vivió de cerca uno de estos incidentes violentos en la Facultad de Derecho de la Universidad Central de Madrid. Cuando el 18 de enero de 1936 un grupo de estudiantes derechistas intentó agredir a Adolfo Posada, por entonces decano de la Facultad de Derecho, Eduardo Ayala, hermano de Francisco y profesor ayudante de Derecho Penal, «tomó de la mesa del decano una plegadera de metal blanco y con ella en la mano se interpuso entre el Sr. decano y su agresor resultando herido en la cabeza. Otro profesor ayudante, el Sr. De la Fuente, esgrimió un arma de fuego, con cuyo gesto consiguió detener al grupo de sus propósitos agresivos» (Puyol Montero 433).[118] Unas

---

118. Para una historia reciente de la politización de la vida universitaria madrileña, véase González Calleja. Puyol Montero ofrece un relato de la creciente conflictividad y de los episodios violentos que tuvieron lugar en la Facultad de

semanas más tarde, fue el catedrático socialista y antiguo maestro de Ayala, Luis Jiménez de Asúa, el que sufriría un atentado: una escuadra falangista lo tiroteó a la salida de su casa el 12 de marzo de 1936 por indicación del Sindicato Español Universitario (SEU), la organización estudiantil fascista. Jiménez de Asúa salió ileso, pero no así su policía de escolta, que perdió la vida (299).[119]

Es en esta atmósfera de violencia social y política que Ayala, animado por los deseos de su esposa Etelvina de viajar a Chile para reencontrarse con su familia, decidió en mayo de 1936 cambiar de aires por una temporada. Activó entonces a sus contactos y emprendió una gira de conferencias académicas que le llevarían a él, a su esposa y a Nina, su pequeña hija de un año y medio, a Uruguay, Argentina, Chile y Paraguay. El 19 de mayo, el diario *La Nación* de Buenos Aires ya daba noticia de las conferencias que ofrecería unas semanas más tarde «el prestigioso universitario» español, cuya visita estaba auspiciada por la Institución Cultural Española («Visitará el país»).[120] Durante su estancia en Sudamérica todo parecía discurrir

---

Derecho (29-43) y recoge las actas de las juntas de facultad en un anexo al final del libro (299-443).

119. Ayala evoca la figura de su maestro y amigo Jiménez de Asúa en varios pasajes de *Recuerdos y olvidos* (*Obras* II: 153-154, 251-261, 313-314). En un texto de 1989, nos ofrece un relato del atentado que sufrió en 1936 y un homenaje a la dimensión pública del ilustre penalista (*Obras* II: 597-600).

120. La Institución Cultural Española fue muy importante para Ayala porque, tres años después, facilitaría su establecimiento en Buenos Aires en 1939. Como señala Campomar en «Los viajes de Ortega», la Institución Cultural Española fue fundada en 1914 bajo la dirección de Avelino Gutiérrez, médico y cirujano montañés residente en Buenos Aires. Vinculada desde sus inicios a la Junta para Amplicación de Estudios, la Institución Cultural Española auspició las visitas a la Argentina de personalidades tan importantes como Ramón Menéndez Pidal (1914), José Ortega y Gasset (1916), Julio Rey Pastor (1917), Eugeni d'Ors

de acuerdo con las reglas de la más alta cortesía académica y social. Las élites intelectuales y políticas locales lo agasajaban, ofreciéndole recepciones y banquetes en su honor. El sosiego y la dulzura que pautaban la estancia sudamericana solo se veían interrumpidos por las inquietantes noticias que llegaban de España: primero, la del asesinato de José Calvo Sotelo (13 de julio de 1936) y, unos días después, la de la sublevación militar del 18 de julio. Desde ese mismo momento, Ayala, según consigna en sus memorias, tomó la decisión de «regresar fuera como fuese a la Península» (*Obras II*: 229). La resolución fue algo más difícil de poner en práctica: después de esperar varios días en Buenos Aires la salida de un barco de la Compañía Transatlántica que nunca salía, Ayala tuvo que comprar pasaje en otro barco, un buque inglés con destino a Lisboa; luego tuvo que dar un rodeo por Vigo, Cherburgo, París, Marsella, Barcelona y Valencia antes de llegar a Madrid a finales del verano de 1936…

Los hechos básicos que componen la biografía de Ayala en la primavera y verano de 1936 están documentados en varias fuentes y se pueden resumir en la siguiente secuencia: viaje y conferencias por Sudamérica, noticia de la sublevación militar y regreso a España para ponerse al servicio de la República. En *Recuerdos y olvidos*, Ayala nos ofrece un relato de la gira de conferencias por Sudamérica en el que combina la descripción de los placeres mundanos e intelectuales experimentados en Buenos Aires, Santiago o Asunción con el desasosiego provocado por las noticias acerca de la situación española

---

(1921), Luis Jiménez de Asúa (1923), Claudio Sánchez Albornoz (1933) o Manuel García Morente (1934). Como ha puesto de relieve López Sánchez, la Institución Cultural Española tuvo un papel decisivo en la proyección americanista de la Junta para Ampliación de Estudios en el cono sur.

(*Obras* II: 223-232). Así, nos refiere que los gratos recuerdos de la «larga y maravillosa conversación» mantenida con Jorge Luis Borges (225), de la comida ofrecida por el intendente municipal de Buenos Aires en el Jockey Club (225) o de la conversación con el jefe del Estado paraguayo (229), se vieron invariablemente empañados «por la preocupación de España, que estaba en la mente de todos» (227).

Gracias a la línea de pensamiento inaugurada por las concepciones posestructuralistas del lenguaje y la historia, sabemos que el acto autobiográfico es a la vez un acto cognitivo (la reproducción de una vida pasada) y un acto performativo/realizativo (la recreación de una vida en el presente). En *The Ethics of Autobiography*, Ángel Loureiro observa que la mímesis autobiográfica es limitada y limitante: «es limitada porque no resulta verosímil que pueda reproducir una vida; y es limitante porque una vida no puede ser aprehendida únicamente a través de la mediación de discursos cuyos poderes restauradores siempre se verán excedidos por un pasado que debe permanecer abierto e indecidible para que haya libertad e historia» (21).[121] Que la vida de un sujeto siempre sea singular y siempre exceda los discursos que la estructuran, significa que «aunque la autobiografía nunca llegue a conseguir una representación de la verdad, sí que siempre logra presentar la voluntad de conocimiento del yo» (30).[122]

De ahí que podamos contemplar las páginas de *Recuerdos y olvidos* dedicadas al periodo de la Guerra Civil como un intento de

---

121. «It is limited but also limiting: it is limited because it cannot conceivably reproduce a life; it is limiting because a life can be meaningfully apprehended only through the mediation of discourses whose restorative powers are always exceeded by a past that must be unsuturable and undecidable if there is to be any freedom and any history».

122. «Although autobiography will never achieve a representation of truth, it will nevertheless always present the self's will to know».

reproducir las vivencias y experiencias de Ayala entre 1936 y 1939 y, a la vez, como un empeño de recrear y actualizar esas vivencias y experiencias en 1982, para un público muy diferente al de los años treinta.[123] Dicho esto, nuestro interés en las memorias de Ayala radicará principalmente en su dimensión cognitiva, aunque no las utilizaremos para documentar una serie de hechos. En las páginas que siguen, los hechos –su decisión de regresar a España desde Argentina, en el verano de 1936, para ponerse al servicio de la República en Madrid y en Valencia; su desempeño en la Legación española en Praga entre junio de 1937 y abril de 1938; y su labor como secretario general del Comité Nacional de Ayuda a España durante el verano y el otoño de 1938, en Barcelona– constituirán más bien un punto de entrada privilegiado para entender mejor en qué consistió y cómo se desarrolló la lealtad de Ayala hacia la legalidad republicana.

Aunque en ningún momento pretenderé hilvanar una narración histórico-biográfica ni, mucho menos, ofrecer un relato completo de la trayectoria de Ayala durante la Guerra Civil, sí que ahondaré en la lealtad como una disposición práctica y una fuerza afectiva que explica, en parte, las actividades desarrolladas por Ayala desde julio de 1936 hasta febrero de 1939, cuando el escritor emprendió el largo y difícil camino del exilio. Primero, reconstruiré muy bre-

---

123. El público que leyó *Recuerdos y olvidos* en 1982 pudo interpretar el libro como un testimonio de un escritor claramente identificado con el bando de los vencidos pero cuyas ideas y valores eran radicalmente singulares, y lo hizo en un momento –el final de la Transición– muy significativo. Aunque en este capítulo voy a limitar mi interpretación a la dimensión cognitiva de las memorias, sería sin duda valioso explorar su dimensión performativa y entender mejor su contribución al discurso cultural de la Transición, un discurso cuya función principal fue la de consolidar y asegurar la estabilidad política de la nueva democracia.

vemente el discurso de la lealtad y la traición tal y como se desarrolló en España en los primeros meses de la guerra. En segundo término, examinaré los rasgos del tipo de lealtad expresado por Ayala, destacando su fuerte vinculación con la Segunda República, y lo contrastaré con la acomodación de algunos de sus mayores (José Ortega y Gasset, Gregorio Marañón y Ramón Pérez de Ayala) al poder de los sublevados. En tercer lugar, analizaré la trayectoria de Ayala como funcionario del Ministerio de Estado y reflexionaré sobre las difíciles circunstancias en que el escritor granadino mantuvo su lealtad a la República a través de la interpretación de unos documentos inéditos o poco conocidos (como los informes en que Luis Jiménez de Asúa daba cuenta de las actividades de la Legación en Praga). A lo largo de todo el capítulo, defenderé que la lealtad expresada por Ayala hacia la República estaba constituida por una mezcla de razones y sentimientos.

Si bien la lealtad hacia la República no puede explicar todas y cada una de las decisiones que tomó Ayala en la época, no es menos cierto que esta lealtad ha de formar parte de la explicación. En un conflicto –o una suma de conflictos– tan complejo como la guerra de 1936, las decisiones y la conducta de Ayala seguramente obedecieron a múltiples causas de muy diversa índole (personal, familiar, económica, cultural, política, etc.). Pero más allá de esta pluralidad de factores determinantes, los hechos contrastados de su biografía revelan que el escritor granadino se mantuvo constante en su fidelidad al régimen republicano, al cual le unía, por otra parte, una vinculación política y afectiva muy significativa tal y como hemos destacado en el capítulo anterior. Es precisamente esta poderosa vinculación con la Segunda República, que hasta ahora no había sido puesta en valor en toda su riqueza, la que acabó por convertir a Ayala en un sujeto ideal de la lealtad. Más allá del sentido convencional de la lealtad como cualidad de una persona que actúa con fidelidad y cumple sus compromisos, en las próximas páginas intentaré comprender mejor qué supone considerar la conducta de Ayala durante la guerra de 1936 como un acto de lealtad.

La guerra como acontecimiento

A diferencia de otros escritores que dejaron importantes testimonios contemporáneos acerca de la guerra –pienso en *Los intelectuales en el drama de España* (1936-1939) de Zambrano, en las prosas apócrifas del *Juan de Mairena* que Machado publicó en *Hora de España* (1937-1938), o en el testimonio novelado y propagandístico *Contraataque* (1938) de Ramón J. Sender, por citar obras de tres destacados escritores del bando republicano–, Ayala no se prodigó demasiado. Con su relativo silencio, continuaba la tendencia a mantener un discreto perfil público que había iniciado a finales de 1933, cuando se produjo la caída del gobierno de Azaña y se cerró el ciclo de reformas del régimen republicano.

Ahora bien, que el escritor granadino no firmara muchos textos entre 1936-1939 no significa que su comportamiento no fuera el de un intelectual, según la definición amplia de intelectual que ya presenté en un capítulo anterior. En este punto resulta pertinente rescatar la definición del intelectual como productor de una concepción del mundo que pone en juego tanto la teoría como la praxis, tanto la mente como el cuerpo, ensanchando de esta suerte la definición estricta del intelectual como productor de bienes simbólicos, de ideas y palabras, en la línea del legislador de Bauman. Para Gramsci, ejerce una función intelectual todo aquel que sea capaz de desarrollar críticamente «la manifestación intelectual [...] modificando su relación con el esfuerzo muscular-nervioso en un nuevo equilibrio» (27). Lo que nos importa retener aquí de esta formulación es que la actividad del intelectual tiene dos dimensiones, igual de importantes: la relacionada con lo mental –las ideas, los valores, la doctrina– y con lo corporal –la capacidad de acción y de organización–. Así, la voluntad de intervención pública de Ayala, de toma de posición ante los problemas sociales y políticos de su época, no se expresó tanto en los textos que firmó como en las acciones que llevó a cabo. Si el decir y el hacer juegan un papel fundamental en el modelo de intelectual propuesto por Gramsci, no es extraño que algunos escogieran potenciar la dimensión práctica de la actividad intelectual en una situación tan insólita como una guerra. En la excepcionalidad radical que supuso la guerra de 1936, Ayala hizo más de lo que dijo, interviniendo más en el terreno de la acción práctica que en el de la doctrina.

Como los escritores que pusieron su pluma al servicio de la causa republicana, Ayala luchó para ganar la guerra y hacer efectiva una concepción de la sociedad más libre, justa, igualitaria y democrática. Que lo hiciera mediante su capacidad de acción y sus aptitudes de organización sin duda determinó que tuviera un papel discreto en la vida pública del periodo 1936-1939 –prolongación, por otra parte, de su relativo silencio entre 1933-1936–. Esta menor presencia en la vida pública de la época quedó compensada, sin embargo, por dos cosas: de un lado, podemos suponer que las actividades de las que se ocupó Ayala en defensa de la causa republicana como funcionario del Estado legítimo resultaron al menos tan efectivas como muchas de las tareas propagandísticas realizadas por los escritores alineados en posiciones republicanas.[124] Ayala colaboró en una serie

---

124. En realidad, para muchos escritores no se trató de opciones excluyentes y llegaron a simultanear las actividades propagandísticas con la lucha en el frente. Por citar el ejemplo de un escritor que ya hemos mencionado en estas páginas:

de actividades –depuración de los funcionarios hostiles a la República, diplomacia y compra de armas, y coordinación de la ayuda humanitaria internacional– que resultaron cruciales para el esfuerzo bélico republicano. Por eso, su dimensión de escritor público quedó eclipsada durante la guerra –pero también por eso consiguió salvaguardar la relativa autonomía de sus creaciones literarias (recuérdese lo dicho en un capítulo anterior sobre la diferenciación weberiana de las esferas de valor)–. Esta actitud ante la guerra y ante la literatura queda condensada en una fórmula que Ayala publicó muchos años después: «si quiero combatir algo, no voy a hacerlo con una novela» (*Obras* VI: 796), fórmula que también es toda una declaración de principios sobre las posibilidades y los límites del arte. De otro lado, el discreto papel público de Ayala durante la guerra también quedó compensado por el ejemplo de su conducta, sus comportamientos y sus acciones, los cuales también fueron portadores de ideas y de valores. Dicho esto, hay que reconocer que en este caso se trata de una compensación diferida, ulterior al momento de la guerra porque quedó plasmada en las páginas dedicadas al conflicto en *Recuerdos y olvidos* –unas páginas de las que se desprenden una serie de valores morales encarnados en las actividades llevadas a cabo por Ayala en defensa de la causa republicana, lo que viene a confirmar la opinión de Gomá según la cual «la verdad moral [...] se revela en toda su plenitud exclusivamente a través de la concreción empírica del ejemplo» (48)–.

A partir del 18 de julio de 1936, la vida de Ayala –y la de todos sus conciudadanos sin excepción– sufrió una transformación radical.

César M. Arconada, que fue socio fundador de la Alianza de Intelectuales Antifascistas y también luchó en los frentes del Norte, en Irún y en Asturias (véase la nota «César M. Arconada» publicada en *El Mono Azul*).

Si hasta el año 30 su vida se había desenvuelto en los ámbitos estético y científico, y si, entre 1931-1933, profundizó en la actividad científica y se dedicó a afianzar la legitimidad de la Segunda República ejerciendo de publicista ocasional de sus políticas, a partir del verano de 1936 su actividad se desenvolvería casi exclusivamente en el orden político-estatal –un ámbito que no le era ajeno, pues desde 1932 había aprobado la oposición y ejercido como letrado de las Cortes–. De alguna manera, el conflicto suspendió y desdibujó lo que Weber había identificado como «la diferenciación de las distintas esferas de valor» que ya presenté en el primer capítulo: así, la guerra fue colonizando las diferentes esferas, imponiendo sus demandas en la conducta práctica y ética de los individuos. Ayala se introdujo de lleno en el conflicto, desplegando una actividad frenética al servicio del Estado legítimo y, a la vez, preservó los valores de sus creaciones estéticas negándose a ejercer de propagandista literario de la causa republicana.

Otra forma de pensar la ruptura radical que supuso la irrupción de la guerra en la vida de Ayala y de sus conciudadanos es a través de la distinción que Hannah Arendt elaboró entre la *vita activa* (la labor, el trabajo, la acción) y la *vita contemplativa* (el pensamiento, la voluntad, el juicio) en *La condición humana* (7-17). En los inicios de su carrera, Ayala se entregó a las actividades propias de la *vita contemplativa*, estableció una clara distinción entre esta y la *vita activa*, e incluso teorizó sobre los diferentes tipos humanos que se desenvolvían en cada ámbito, atribuyéndoles características opuestas (recuérdese su respuesta, en 1928, a la encuesta de *La Gaceta Literaria* sobre literatura y política o la reseña que hizo del libro de Jiménez de Asúa *Libertad de amar y derecho a morir* en el mismo año). En esos textos, se identificaba con el intelectual (sujeto por excelencia de la *vita contemplativa*) mientras que juzgaba al político (sujeto paradigmático de la *vita activa*) con interés y respeto, pero con distancia, como si se tratara de un tipo humano ajeno a sus intereses.

A partir del verano de 1936, la distinción entre *vita contemplativa* y *vita activa* dejó de ser operativa. De hecho, la guerra implicó una debilitación radical tanto de la *vita contemplativa* como de la *vita activa*. Las múltiples y cambiantes necesidades de una situación de guerra determinaron una disminución radical tanto de las posibilidades de reflexionar como de las de actuar en libertad. Hannah Arendt concibió el énfasis moderno y burgués en la vida doméstica y en los asuntos económicos como un encogimiento de la realidad del mundo y de su inherente pluralidad. Para Arendt, el totalitarismo, en tanto fenómeno típicamente moderno, constituye un ejemplo extremo de esta devastación de la pluralidad porque «destruye todas las relaciones excepto una: la relación del individuo con el poder totalitario que lo domina mediante el terror» (McGowan 23).[125] La guerra podría ser otro ejemplo. En efecto, la guerra aniquiló la pluralidad de relaciones que, en tiempos de paz, se tejieron en los diferentes ámbitos de la condición humana –desde el trabajo y la familia hasta el arte, el pensamiento y la política– destacando por encima de esa pluralidad de relaciones la satisfacción de las necesidades biológicas del individuo, haciendo de la supervivencia una actividad primordial.

La guerra no solo fue un índice de la incapacidad de las instituciones jurídicas y de los rituales simbólicos de la sociedad española para controlar los desacuerdos, las divisiones y las luchas que la caracterizaban. También fue la causa de la destrucción de las instituciones sociales y políticas que habían hecho posible el

---

125. «It destroys all relationships except one: the relation of the individual to the totalitarian power that dominates him through terror».

desarrollo de diferentes tipos humanos, entre ellos los dos de los que Ayala se ocupó a finales de los veinte, el intelectual y el político. En tiempo de guerra, las divisiones y diferencias que escindían a la sociedad llegaron a su forma extrema y se organizaron bajo la forma amigo-enemigo, suspendiendo el ordenamiento habitual de los asuntos públicos. La política puede estar en el origen de la guerra, pero como ya señalara Carl von Clausewitz en su día, la guerra suspende toda política: «Como se sabe, la única fuente de la guerra es la política —el trato con los gobiernos y las gentes; pero es lícito asumir que la guerra suspende ese trato y lo reemplaza por una condición radicalmente diferente, regida por una ley propia, autónoma» (605)–.[126] Y como apuntó el mismo Clausewitz la ley de la guerra —su esencia— no es otra que la violencia (20).

Ayala también era consciente de la transformación radical que implicaba la irrupción de un conflicto armado. En una situación de guerra, en un mundo fatalmente escindido entre amigos y enemigos, no parecía haber espacio ni para la política ni, mucho menos, para la contemplación. El problema de ese momento crítico consistía más bien en tomar una decisión: «Una vez planteado el conflicto de manera irrevocable», dice Ayala, «no le quedaba a uno otra opción que la de tomar partido» (*Obras* II: 218). Y este tomar partido, esa elección inexorable entre amigos y enemigos, llevaba aparejada la dolorosa conciencia de que el mundo anterior al conflicto, con sus instituciones, sus valores, y sus sentimientos, iba a desaparecer para siempre. Al reconstruir su estado de ánimo ante la revolución de

---

126. «It is, of course, well-known that the only source of war is politics –the intercourse of governments and peoples; but it is apt to be assumed that war suspends that intercourse and replaces it by a wholly different condition, ruled by no law but its own».

octubre de 1934 y «la situación en que uno habría de verse envuelto a partir de julio de 1936», Ayala recuerda en sus memorias que:

> Los dados estaban echados, y no quedaba sino aguardar con el alma llena de tristeza que la tragedia avanzara a su consumación. En el afligido silencio con que asistí a ella pude darme buena cuenta de cómo el crudo enfrentamiento destruía las ilusiones y equívocos sobre los que la solidaridad social está basada. (*Obras* II: 219)

A pesar de que Ayala se nos presenta, en 1982, como un espectador impotente ante la trágica represión de 1934, llevada a cabo por «un poder ciegamente reaccionario encarnizado en las más atroces de las represalias» (*Obras* II: 218), sabemos que dos años más tarde, en 1936, tomó claramente partido por la República e hizo lo que estuvo en sus manos para alterar el curso de los acontecimientos, luchando por los valores de justicia y libertad encarnados en el gobierno legítimo. En 1936 dejó de lado el «afligido silencio» con que había reaccionado a la «malhadada revolución de octubre de 1934» (*Obras* II: 216) e intervino con resolución en ese momento decisivo que marcó a sangre y a fuego tanto su vida como las del resto de todos los actores que participaron en ese drama.

El discurso de la lealtad y la traición

Uno de los primeros signos de que la guerra implicó un quiebre absoluto con la situación anterior fue la irrupción del discurso de la lealtad y la traición en el verano de 1936. Así, desde el mismo momento de la sublevación militar, cualquier intervención en la esfera pública pasó a entenderse como una expresión de lealtad o de traición, ya fuera a la legalidad republicana o a la insurgencia militar. Frente a esta disyuntiva, más de un intelectual lamentó tal estado de cosas y optó por el silencio público (esta fue la infeliz opción escogida por Ortega, como enseguida veremos). Pero tanto el silencio como cualquier otra forma de no intervención acabaron por formar parte del drama de la lealtad y la traición. Ello es así porque la sublevación militar, al presentar un modelo de nación enfrentado al republicano, cumplió con una exigencia conceptual de la lealtad: la aparición de la parte contraria, del competidor que es susceptible de exigir sus propias lealtades y sancionar sus particulares traiciones. Como nos explica George Fletcher en su ensayo *Loyalty*,

> Siempre hay tres partes, A, B y C en la matriz de la lealtad. A puede ser leal a B solo si hay una tercera parte C (otro amante, una nación enemiga, una empresa hostil) que hace el papel de potencial competidor de B, el objeto de la lealtad. El competidor siempre acecha entre bambalinas, rechazado de momento, pero siempre listo para tentar y seducir. El elemento fundamental de la lealtad es el hecho ausente –el enunciado condicional y contrafáctico según el cual, si el competidor aparece y nos llama, la persona leal se negará a seguirlo–.[127] (8)

A partir de la sublevación militar del 17-18 de julio, empezó a surgir la tercera parte en disputa: la visión de la nación promovida por los rebeldes, la cual inauguró un nuevo marco de relaciones políticas. Sin duda, la guerra de 1936 fue muchas guerras a la vez: un

---

127. «There are always three parties, A, B, and C, in a matrix of loyalty. A can be loyal to B only if there is a third party C (another lover, an enemy nation, a hostile company) who stands as a potential competitor to B, the object of loyalty. The competitor is always lurking in the wings, rejected for the time being, but always tempting, always seductive. The foundational element in loyalty is the fact not present –the counterfactual conditional statement that if the competitor appears and beckons, the loyal will refuse to follow».

enfrentamiento ideológico entre fascistas y comunistas; un conflicto cultural entre unas élites progresistas y un catolicismo tradicional; una encarnizada lucha de clases en la cual un sector del proletariado anarquista llevó a cabo una revolución social; un combate entre un Estado centralizador y unas nacionalidades –como la catalana o vasca– que demandaban mayores derechos y libertades; una pugna entre un mundo rural tradicional y un mundo urbano que se venía modernizando aceleradamente desde los comienzos del siglo XX; un conflicto con una fuerte dimensión internacional, en el cual destacó la intervención de dos potencias extranjeras, Alemania e Italia; y, en fin, una guerra de exterminio de la ciudadanía. Para resumir, y en las palabras de Alberto Reig Tapia, fue «una guerra negativa y particularmente destructora en medio de una profunda crisis y un virulento conflicto ideológico» (78).[128]

Pero como observa José Álvarez Junco, la interpretación dominante de la guerra entre los participantes en el conflicto fue la nacional: «los combatientes y propagandistas de ambos bandos simplificaron toda la complejidad de aquella guerra en términos nacionales [...] todo lo que estaba ocurriendo –o al menos lo fundamental– era que 'los españoles' luchaban contra un invasor extranjero» (638). De esta manera, las élites dirigentes de uno y otro bando crearon dos visiones enfrentadas de la nación: una visión republicana, de raíz liberal, y una visión derechista, identificada con

---

128. La bibliografía científica producida por la Guerra Civil es inabarcable. Para los propósitos de este capítulo, me limito a señalar algunos textos recientes de introducción a la guerra de 1936 que desarrollan las diferentes interpretaciones y dimensiones del conflicto reseñadas en el cuerpo del texto: Casanova, Esenwein (introducción con fuentes primarias), Graham y Reig Tapia; Preston y Sánchez León e Izquierdo Martín (305-379) avanzan una interpretación de la guerra de 1936 como guerra de exterminio y de erradicación de la ciudadanía.

los valores nacionalcatólicos. Ambas visiones habían sido elaboradas, en sus rasgos más significativos, a lo largo del siglo XIX, pero fueron adquiriendo nuevas características durante el primer tercio del siglo XX. Una vez desatada la guerra, la visión republicana consideraba que «los defensores de la legalidad republicana eran los verdaderos 'españoles' y luchaban en ella por 'España', por salvaguardar la identidad nacional. Lo que significaba, por supuesto, que se enfrentaban con extranjeros, que 'España' estaba repeliendo una invasión externa, proveniente del 'fascismo internacional', es decir, Alemania e Italia» (645); esto significaba también que los republicanos pugnaban contra fuerzas antinacionales de carácter interno como la Iglesia católica y la burguesía, «enemiga del pueblo por definición y dotada, también por definición, de tendencias 'apátridas' y 'traidoras'» (646). Frente a esta visión republicana de la nación, las fuerzas rebeldes promovieron una visión nacionalcatólica de España, fundada en la voluntad de independencia del pueblo español, la religión católica, la idea de la unidad espiritual y, finalmente, los valores religiosos y culturales tradicionales (661-662). El resultado de este planteamiento es que la derecha presentó la guerra de 1936 –iniciada por ella misma– como «una lucha de 'España' contra una invasión extranjera y contra un proceso degenerativo interno del que eran responsables los 'enemigos de España' y los 'malos españoles'» (665), esto es, los defensores de la legalidad republicana y los integrantes de la «anti-España» (según la propaganda derechista: los rojos, ateos, canalla, hordas, abisinios, etc.).

En tanto condición estructural de la esfera pública –e incluso del ámbito privado o familiar– de la época, el discurso de la lealtad y la traición afectó de manera directa a los intelectuales. Al inaugurar un nuevo marco de relaciones políticas, este discurso les obligó a tomar una decisión y a escoger en qué bando situarse. Consiguientemente, sus acciones caían irremediablemente bajo una de las siguientes dos categorías: la lealtad o la traición. Y por mucho que quisieran sustraerse a esta dicotomía, al creer con razón que ese modo de juzgar las cosas suponía una regresión, un empobrecimiento, y una simplificación, no pudieron hacerlo porque sus contemporáneos acabaron interpretando su conducta como un ejemplo de lealtad o de traición.

Para los leales a la República no había mayores traidores, lógicamente, que los generales sublevados. En los primeros números de *El Mono Azul*, la revista impulsada por Rafael Alberti y María Teresa León, José Bergamín señaló a Francisco Franco, dedicándole un romance titulado «El traidor Franco». Pero según la misma revista, no solo los iniciadores materiales de la rebelión merecían la consideración de traidores: el compromiso de Unamuno con los sublevados en los primeros compases del conflicto, del que luego se arrepentiría, también mereció análoga calificación.[129] En el primer número de *El Mono Azul* de agosto de 1936, Armando Bazán entendía que «la voz y el pensamiento de Unamuno representaban a una España decadente y moribunda, que en sus espasmos de muerte desgarraría la entraña de la España joven, que trae una aurora nueva para el mundo en la frente» (7). Planteada la conducta de Unamuno en términos de un conflicto entre dos Españas, solo cabía considerar su defección como «la más dolorosa de todas las traiciones» (7). La expresión figura en la columna inaugural de la sección de la revista titulada «¡A Paseo!», donde también se denunciaba a Eugenio Montes como un intelectual desafecto a la causa republicana. En una línea

---

129. Para una matizada interpretación de la conducta de Unamuno durante la guerra, véase la síntesis que le dedica Reig Tapia, que considera su actitud «paradigmática del auténtico intelectual libre e independiente» (276), en el capítulo «Inteligencia y política: el intelectual inorgánico», pp. 273-316.

similar pero más descarnada, *Fragua Social,* órgano de la CNT en tierras levantinas, también incluía una sección en su última página titulada «La canalla dorada», donde se levantaba inventario de los traidores (fueran intelectuales o no) y se escarnecía su conducta –la del 21 de noviembre de 1936 es especialmente truculenta porque estaba dedicada a Ramiro de Maeztu, quien pocas semanas antes, a finales de octubre, había sido asesinado en el cementerio de Aravaca en una de las sacas realizadas en la cárcel de Ventas...–.

Desde la posición ideológica opuesta, el escritor y periodista Manuel Iribarren hacía un ajuste de cuentas con la intelectualidad liberal en el primer número de *Jerarquía,* la revista de la Falange. Después de preguntarse «¿Qué parte de culpa corresponde a la intelectualidad en esta guerra, sin cuartel, donde España se destroza con brutal inquina?» (123), Iribarren edificaba su particular panteón de intelectuales leales y traidores. De un lado, los que habían trabajado en «la aplicación y glosa del Renacimiento de nuestra patria, dentro de los buenos moldes tradicionales», encabezados por Marcelino Menéndez y Pelayo, «aquel apóstol, archivo animador de nuestras glorias» (123), cuya obra era prolongada por «los más autorizados propugnadores» del movimiento nacionalista, Eugenio Montes y Ernesto Giménez Caballero. De otro lado, las fuerzas intelectuales de carácter antinacional y antirreligioso que se desarrollaron en Madrid: «Madrid, disfrazándose unas veces de absolutista, otras de liberal, otras de republicano, otras de soviet [...] en flagrante traición siempre con la reciedumbre y pureza que nos han caracterizado y acreditado como país» (124). Entre los intelectuales traidores, Iribarren señalaba a Ramón Gómez de la Serna, «que dotó de alma a los objetos más extravagantes, en detrimento del Alma auténtica, inmortal y cristiana» (124); a Benito Pérez Galdós, que «influyó enormemente en la formación anticlerical de la sociedad madrileña» (125); a Pío Baroja, que «con su fuerza indiscutible y su individualismo huraño por salvaje, ha sido un valor deletéreo» (126); y, finalmente, al recientemente asesinado Federico García Lorca, que «detentaba el título de Pontífice, llevando su andalucismo de ballet bajo los cielos grises del norte, como un profesional de la españolada» (126). En una posición ambigua e intermedia quedaba Ortega y Gasset, al cual «puede acusársele de ignorancia en cuanto a la realidad y posibilidades españolas» pero que en el futuro será considerado, aventuraba Iribarren, como «precursor del movimiento nacionalista» (123), en una interpretación que repetía la lectura de la obra de Ortega propugnada por Giménez Caballero en *Genio de España* (1932).

Aunque los intelectuales, por su relevancia pública, se vieron condicionados por el discurso de la lealtad y la traición, no fueron los únicos. En realidad, se empleó el discurso de la lealtad y la traición para juzgar la conducta de todos los ciudadanos, sin distinción de clase social, género, empleo o formación. Los editoriales y artículos del *ABC* madrileño y sevillano del verano y el otoño de 1936 son muy instructivos al respecto. Tras ser incautado por la República al estallar el conflicto, el *ABC* madrileño abría su nueva etapa señalando a los generales Goded, Fanjul, Mola, Franco y Queipo de Llano como «los traidores [que] venían gestando su obra largamente», y destacando la reacción del pueblo sorprendido por la traición, que «destrozó en unos cuantos días de intensa lucha toda la paciente obra preparada por los estrategas de la felonía en dos largos años de maquinación incesante» («Segunda Guerra de Independencia»). Por su parte, el *ABC* de Sevilla, en manos de los rebeldes, señalaba a los militares leales a la legalidad republicana como traidores. Así, en su edición de 13 de octubre de 1936, confirmaba que, en el frente de Montoro, se encontraba «el traidor del teniente coronel Sarabia», el cual, por supuesto, había permanecido leal a la República. Para el *ABC* sevillano, sin embargo, no había duda de que «la traición y la deslealtad» eran las notas dominantes del carácter de Sarabia («El teniente coronel»). En otra nota del *ABC* sevillano, esta de 12 de diciembre de 1936, se denunciaba a los comerciantes que inflaban sus precios como traidores y se insistía en que dichos comerciantes incurrían automáticamente «en delito de traición a la Patria y de favor al enemigo» («Los explotadores»).

De estos y otros ejemplos se desprende que a partir del 17-18 de julio de 1936, las acciones de los ciudadanos se empezaron a percibir únicamente a partir del binomio conceptual lealtad/traición. En un perceptivo y documentado artículo que nos ayuda a entender los antecedentes históricos y los usos del discurso de la lealtad/deslealtad (término que él prefiere a traición) en el ámbito de las corporaciones del Estado (Ejército, judicatura, diplomacia, docencia, mundo científico y universidad), Julio Aróstegui observa que «en la defensa de la República el 'discurso de la lealtad' fue, frente a la rebeldía o insurrección de una amplia parte del aparato funcionarial del Estado republicano gobernado por el Frente Popular, el primero que apareció y uno de los más persistentes a lo largo del conflicto» (25). Y añade que el discurso de la lealtad solo se puede aplicar al campo republicano:

> Entiendo con toda rotundidad que la exaltación de la *lealtad* solo es aplicable a quienes se mantuvieron en sus posiciones junto a la República. Fue la República la que manejó tal concepto, como no podía ser de otra manera. La deslealtad era la clave del levantamiento armado que hubo de ser legitimado, precisamente, por los levantados a través de sus referencias a valores 'más altos' y más permanentes, apoyándose en ellos para justificar posiciones como el 'derecho a la rebelión'. La lealtad como componente del lenguaje y como elemento característico de la defensa de la legitimidad solo la aplicamos aquí a la República. Los procesos legitimadores de los sublevados fueron por otros caminos. (27)

Si ceñimos el argumento al gobierno y a las corporaciones del Estado que encarnaban la legalidad republicana, no hay duda de que Aróstegui lleva razón. Para retomar la discusión del capítulo anterior acerca de las diferentes formas de legitimidad, podríamos decir que, a partir del 18 de julio, los republicanos fueron los únicos que expresaron lealtad a la legalidad constitucional, los únicos que defendieron las instituciones republicanas esgrimiendo la legitimidad racional-legal del régimen y, por lo tanto, los únicos que persistieron en lo que Weber llamó «la creencia en la legalidad de las ordenaciones promulgadas y del derecho de mando de los llamados por esas ordenaciones a ejercer la autoridad» (*Economy* 215). Los sublevados, por su parte, se alinearon con los sectores más conservadores y reaccionarios de la Europa de entreguerras, que llevaban unos años desacreditando la legalidad como forma de legitimidad. Prueba de ello es el libro de Carl Schmitt *Legalidad y legitimidad* (1932), donde el jurista alemán presentó la legalidad como producto de un discurso racionalista agotado y de una forma estatal superada –«el Estado legislativo parlamentario», el cual, «a causa del principio en él dominante de la elaboración de normas generales y predeterminadas, y de la distinción que le es esencial entre ley y aplicación de la misma [...] padece necesariamente de cierto carácter abstracto» (29-30)–.[130] A los supuestos defectos jurí-dicos y contradicciones internas del Estado legislativo parlamentario, Schmitt oponía las virtudes de la voluntad plebiscitaria del pueblo encarnada en la figura del Presidente del Reich. En consonancia con esta desacreditación de la legalidad, los insurrectos no reconocieron

---

130. Para una interpretación de los argumentos de Schmitt en el contexto del colapso de la República de Weimar, véase la introducción de John P. McCormick a la edición inglesa de *Legalidad y legitimidad*.

la legitimidad de la nación representada en las Cortes de 1936 ni los valores democráticos establecidos en la Constitución de 1931. Sin embargo, estuvieron muy lejos de esgrimir voluntad popular alguna porque se rebelaron enarbolando una autoridad tradicional, que era expresión y suma de las esencias patrias (la religión católica, el imperio, la unidad nacional, el orden social tradicional). Sin duda, como afirmaba Aróstegui, la lealtad a la legalidad estatal solo podía aplicarse a los leales a la República y no a los insurrectos.

Pero, ¿qué ocurre si consideramos el binomio lealtad/traición en relación con otros sectores de la sociedad, más allá del gobierno y los funcionarios españoles? ¿Qué ocurre si contemplamos el par lealtad/traición en relación con la nación (y no con la legalidad establecida), como hemos venido haciendo porque así entendieron el conflicto los combatientes de 1936 y así aparece en los documentos citados más arriba? De acuerdo con esta referencialidad ampliada, el discurso de la lealtad y la traición sería aplicable tanto a los que se mantuvieron leales a la República como a los que, en nombre de una visión distinta de la nación, se alzaron de manera ilegal y violenta contra ella. Además, si excluyéramos de antemano las lealtades de los sublevados, sería difícil entender el aspecto trágico de los conflictos de lealtades que muchos ciudadanos experimentaron durante el enfrentamiento, incluidos, por supuesto, los funcionarios del Estado que abandonaron sus puestos. Si la exaltación de la lealtad solo es aplicable a los que se mantuvieron firmes en sus posiciones republicanas, ¿cómo aproximarse al caso de un funcionario cuya identidad múltiple (personal, familiar, de clase, corporativa y nacional) suscitó en él lealtades contradictorias? Por eso, en lugar de restringir el discurso de la lealtad y de la traición a una categoría política (los leales a la República), parece razonable extenderlo, en este sentido más amplio, al conjunto de toda la ciudadanía.

En el verano de 1936, el dilema que enfrentaron, con mayor o menor intensidad, todos los actores implicados en la guerra, se planteó, en su forma más extrema, de la siguiente manera: o se era leal (a la República o al bando nacional) o se incurría en traición (a la República o al bando nacional). Seguramente los actores de 1936 no siempre percibieron este dilema de una forma tan clara ni tan perentoria, ni estuvieron en disposición de tomar partido de forma concluyente y definitiva. Lo más probable es que, entre el polo de la lealtad y el de la traición, muchos ciudadanos acabaran por ocupar una zona gris y adoptaran una serie de actitudes ambiguas e intermedias, hechas de adaptaciones, compromisos, transacciones y componendas con la autoridad que había triunfado en su territorio (elaboraré esta zona gris más adelante, cuando compare el compromiso de Ayala con la actitud adoptada por otros intelectuales liberales durante la guerra). Pero lo importante ahora es entender que este dilema de la lealtad y la traición, esta exigencia de tomar partido, se planteó a todos los ciudadanos, independientemente de su condición –ya fueran ciudadanos de a pie, intelectuales, militares, comerciantes o, como señalaba Aróstegui, funcionarios del Estado–. Es en este ambiente siniestro dominado por el miedo y la brutalidad que Ayala, junto con millones de españoles, tuvo que tomar partido y sobrellevar la guerra.

«Tenía obligación de venir»

En el caso de Ayala, su primera actitud significativa respecto del conflicto tuvo lugar, como ya dijimos, en el viaje que emprendió a Sudamérica durante la primavera y el verano de 1936. Descartando por completo la posibilidad de quedarse en Argentina, Ayala decidió regresar a un país sumido en el caos y la violencia, en el cual «la autoridad había abdicado y el poder público estaba tirado en la calle» (*Obras* II: 226). También lo estaban, tirados en la calle, los muertos, que en los primeros meses de la guerra ya se contaban por decenas de miles. Cierto es que a finales de julio de 1936 casi nadie sospechaba que la sublevación militar iba a convertirse en una guerra larga, cruel y devastadora. Como la mayoría, Ayala creía que el conflicto no se alargaría demasiado y que al cabo de pocos días prevalecería el Gobierno legítimo.

Sin embargo, cuando pudo llegar a Madrid a finales del verano de 1936, la ciudad ya estaba asolada por los horrores de una guerra cuyo final no se atisbaba. Entonces se presentó a su puesto en la Secretaría de las Cortes y allí su compañero Jesús Rubio, que con el tiempo llegaría a ser ministro de Franco, le preguntó extrañado por qué y para qué había vuelto a España.[131] Rubio no era un compañero cualquiera para Ayala: según nos refiere en *Recuerdos y olvidos*, era su «amigo más íntimo», con el que se entendía «a las mil maravillas por más que sus posiciones políticas fueran tan diferentes de las

---

131. Se trataba de Jesús Rubio García-Mina (1908-1976). Contemporáneo de Ayala, su vida siguió un curso paralelo a la del escritor granadino: estudió derecho en Madrid, amplió estudios en el extranjero (Viena, París y Múnich) y se doctoró por Universidad Central de Madrid, ingresando también en el cuerpo de letrados de las Cortes. En el ambiente fuertemente politizado de los años treinta, sus caminos empezaron a separarse: colaborador de José Antonio Primo de Rivera, Rubio ingresó en la Falange en el momento de su fundación, mientras que Ayala se mantuvo leal a los principios republicanos. Según el relato de Ayala, hasta el inicio de la guerra de 1936 lograron conservar su amistad. Al inicio del conflicto, Rubio se refugió en la embajada de Chile temiendo represalias por su condición de falangista. En 1939, asumió la Secretaría General de Falange Española Tradicionalista (FET) y de las Juntas de Ofensiva Nacional-Sindicalista (JONS). Con el tiempo, Rubio llegaría a ser ministro de Educación Nacional de Franco entre 1956 y 1962.

mías» (*Obras* II: 234). Ayala, lacónicamente, le contestó: «Tenía obligación de venir» (234). Quisiera detenerme unas líneas en esta justificación de la decisión de Ayala de regresar a un país en guerra: «Tenía obligación de venir».

En el contexto de las páginas de *Recuerdos y olvidos* dedicadas a la guerra de 1936, esta respuesta de Ayala a Jesús Rubio destaca por su absoluta falta de emoción. No hay en ella ni el deleite ni la alegría propios del relato de la gira de conferencias en Sudamérica ni, mucho menos, la angustia y el miedo que se palpaban en el relato del viaje de regreso a España. El tono es absolutamente neutro. A la vez, Ayala tampoco aporta una justificación razonada de su decisión de regresar a España en pleno conflicto. En su prólogo a los escritos autobiográficos de Ayala, García Montero escribe que Ayala decide regresar a España porque «la posibilidad de mantenerse al margen, sintiéndose por encima del bien y del mal, le parece un acto de cobardía o, incluso, de colaboración encubierta con el enemigo» («Prólogo» 30). Y sigue explicando que dicha decisión responde a un «imperativo ético» («Prólogo» 30). La ausencia de emociones y de razones en la justificación de Ayala parece abonar la interpretación de García Montero. Es como si la decisión de volver a España hubiera surgido de una sencilla pero categórica ley íntima que Ayala, a diferencia de su amigo Jesús Rubio, se sintió compelido a cumplir. ¿En qué sentido el cumplimiento de esta íntima obligación constituye un ejemplo de lealtad?[132]

---

132. Además, como parte integrante de las memorias de Ayala, este enunciado es el producto tanto de un acto cognitivo (la reproducción de una conversación que tuvo lugar en el verano de 1936) como de un acto performativo (la actualización de dicha conversación en 1982).

Si entendemos la lealtad como la constancia «en un vínculo con el que una persona se ha comprometido porque es fundamental para su identidad» (Kleinig 1),[133] hay varios aspectos de la decisión de Ayala que la constituyen en un acto de lealtad. En primer lugar, Ayala ya estaba predispuesto a ser leal a la República a causa de su fuerte vinculación con el régimen de 1931. En este sentido, podemos decir que su subjetividad cumplía con los requisitos del sujeto ideal de la lealtad. Este, según nos dice Fletcher, es un yo histórico (*historical self*), un yo que a lo largo del tiempo ha establecido un tipo de relación con el objeto de su lealtad que le lleva a juzgarlo con interés y parcialidad. A diferencia de la moral liberal, que postula un sujeto moral abstracto y solitario, dotado de una razón universal pero sin vínculos relevantes con el prójimo (11-21), el sujeto de la lealtad ya viene constituido por las relaciones que establece con la gente que le rodea y con las organizaciones y las comunidades a las que pertenece: «En las lealtades de la gente siempre encontramos su historia, lo que implica que las razones del apego hacia un amigo, la familia o la patria invariablemente transcienden las características del objeto de la lealtad» (7).[134] Esta diferencia entre la subjetividad de la lealtad y la subjetividad liberal la podemos apreciar en nuestra experiencia cotidiana. Pongamos el caso de un padre que es leal a su hijo delincuente: el primero no lo es en atención a las virtudes del hijo (su bondad, su coraje, su honestidad) sino en razón del tiempo compartido, de las experiencias vividas, y de los afectos prodigados. Todo ello hace que el hijo se convierta en un episodio fundamental

---

133. «In an association to which a person has become intrinsically committed as a matter of his or her identity».

134. «People bring their histories to their loyalties, which implies that the reasons for attachment to a friend, family, or country invariably transcend the particular characteristics of the object of loyalty».

en la biografía y en la identidad del padre, el cual queda de esta suerte predispuesto a serle leal.

Algo parecido ocurrió con Ayala y la República. Según vimos en el capítulo anterior, desde el primer momento Ayala saludó con entusiasmo la llegada de un nuevo parlamento y de una nueva Constitución, identificando su trayectoria intelectual y pública –sobre todo entre 1931 y 1933– con las reformas del gobierno republicano. Los vínculos afectivos, éticos e intelectuales que a lo largo de esos años estableció con el nuevo régimen quedan claros en reflexiones como la del 9 de septiembre de 1931 en el *Diario de Alicante*, en la que se felicitaba por el desempeño del nuevo Parlamento y confiaba en que llegaría a «elaborar una Constitución de acuerdo con el auténtico ser y esencia de la nación, y con sus necesidades históricas de la vida» (*Obras* VII: 639). O en la defensa que hizo desde las páginas de *Luz* el 12 de diciembre de 1932 del principio de la doble nacionalidad consagrado en la Constitución, al que calificaba de «acierto indiscutible» dirigido hacia «un porvenir previsible, ancho, superador de nacionalismos» (*Obras* VII: 685). O, finalmente, en el exitoso balance que de la política republicana hizo el 14 de abril de 1933 desde las páginas de *El Sol*, donde manifestaba con orgullo que «la República viene a ser para España el auténtico Estado nacional, el instrumento de su resurgimiento» y que, consiguientemente, «el pueblo español se ha incorporado y se está potenciando en el Estado republicano» (*Obras* VII: 722). De alguna manera, la sincera y persistente vinculación de Ayala con lo que representó el gobierno de 1931-1933 acabó por conformar su identidad política de tal manera que, en 1936, pudo declararse leal hacia la República con sencilla naturalidad. Quien defendió y se identificó con la República a lo largo de los años, no vaciló en ponerse del lado del gobierno legítimo el 18 de julio de 1936.

Desde luego, esto no significa que Ayala se engañara respecto de los muchos errores cometidos por y durante la República. Como buen observador de la política del régimen, los conocía bien. En ocasiones, también alzó la voz contra ellos. Así, en el mismo artículo donde hacía un balance elogioso de dos años de política republicana, se lamentaba de la escasa intervención del Estado en la economía y denunciaba «el peligro que encierra el hecho de que las reivindicaciones proletarias frente a un capitalismo débil como es el nuestro no vayan acompañadas de un proceso parejo de estatificación que vigorice y propulse la actividad industrial del país por medio de las entidades públicas» (*Obras* VII: 725). En otra ocasión, lamentó los «excesos y desórdenes que tanto perjudican a la marcha normal del nuevo régimen» (*Obras* VII: 689). Pero a diferencia de los intelectuales y sectores sociales que mostraron un inicial entusiasmo por la República y a los pocos meses desertaron del nuevo régimen, Ayala se mantuvo firme en sus convicciones. En 1933, replicaba a los desencantados con el nuevo régimen de la siguiente manera: «Para combatir su obra, dicen: no es lo convenido. Y en efecto, no es lo convenido, sino lo real. Carne de realidad, tierra firme, sustancia nacional de la República española, que cada cual podrá comprobar con sus particulares módulos y sus cánones ideales» (*Obras* VII: 721).[135] La profunda huella que el proyecto de

---

135. Tal vez no sería exagerado interpretar la oración «Para combatir su obra, dicen: no es lo convenido» como una velada expresión de discrepancia con Ortega, quien había concluido un artículo publicado en *Crisol* el 9 de septiembre de 1931 con la siguiente frase: «Una cantidad inmensa de españoles que colaboraron en el advenimiento de la República con su acción, con su voto o con lo que es más eficaz que todo esto, con su esperanza, se dicen ahora entre desasosegados y descontentos: '¡No es esto, no es esto!'» (*Obras* IV: 827). Ortega expresó su desafección a la República de forma tan temprana que publicó su *Rectificación*

la conjunción republicano-socialista dejó en Ayala hizo que, en la hora decisiva, se pusiera del lado de un régimen que ya formaba parte de su identidad como intelectual y como ciudadano.

A este compromiso con la obra de gobierno de la conjunción republicano-socialista, se unía otro rasgo del nuevo régimen que resultó fundamental en la conformación de la identidad republicana de Ayala. Me refiero a su percepción de la República como un régimen digno. Más allá de las personas, las políticas concretas y las contingencias históricas, la palabra que según Ayala resumía y compendiaba «la nota esencial de la política republicana» era «la dignidad». Y añadía que la dignidad era una virtud moral que, «en el gobernante, es devoción y servicio del Estado» (*Obras* VII: 683). Esta comprensión de la República como un régimen esencialmente digno aparece formulada en 1932 en una importante reseña al libro de Manuel Azaña *Una política (1930-1932)* y queda repetida en otro artículo de 1933, donde Ayala atribuía a la República «la dignificación de las costumbres políticas, la elevación de moral y de tono de la vida pública» (*Obras* VII: 726). Es esta identificación de la República como un régimen fundamentalmente digno lo que permitió a Ayala sentir como propias las estructuras del Estado. Como apunté en un capítulo anterior, Ayala consideraba que este tipo de identificación con el Estado era un elemento necesario para

---

de la República en diciembre de 1931 (*Obras* IV: 775-855). Gregorio Marañón, otro de los intelectuales que colaboró en el advenimiento de la República, retomó las palabras de Ortega en el título de un artículo que publicó en *El Sol* el 22 de junio de 1932, «No es eso». Allí defendía a Ortega de las críticas de la izquierda, en nombre de la importancia del disenso en una democracia: «La República no puede suponer la adhesión incondicional de nadie a cada uno de sus actos, por muy republicano que se sea. Para eso precisamente es República...» (1).

garantizar su estabilidad. De ahí que diagnosticara la ausencia de este compromiso íntimo con las instituciones y leyes del Estado como uno de los factores que explicaba la crisis de la República de Weimar. En la Alemania de 1930, nos decía Ayala, el público contemplaba las instituciones de gobierno «con desconfianza» y «con fría indiferencia» (*Obras* VII: 622) y no había políticos ni partidos que sintieran «de un modo, pudiéramos decir, personal, el interés del Estado» (*Obras* VII: 621). Por todo esto, no es exagerado pensar que esta «sensación de responsabilidad del Estado» (*Obras* VII: 620) también tuviera un papel decisivo en el verano de 1936, en el momento en que Ayala decidió mantenerse fiel al régimen republicano. De alguna manera, Ayala sintió la obligación de actuar con lealtad hacia la República porque tanto el programa de reformas del primer bienio como la dignidad encarnada en el nuevo régimen habían configurado previamente su identidad política y personal. Durante este tiempo, él sintió de un modo personal el interés de la República. Así, al expresar con naturalidad su lealtad a la República con la expresión «Tenía obligación de venir», Ayala estaba en cierto sentido reclamando para sí mismo la dignidad que según él caracterizaba al régimen republicano. En otras palabras, estaba afirmando su identidad política ante Jesús Rubio: le estaba dejando claro quién era Francisco Ayala, políticamente hablando.

Además de surgir de una identidad claramente republicana, hay otro elemento en la actitud de Ayala que cumple con los requisitos de un acto de lealtad: el hecho de que la decisión de regresar a Madrid consistiera en una mezcla de ciertas razones y sentimientos. Todo esto está condensado en la respuesta que Ayala le dio a García-Mina, «Tenía obligación de venir». Por un lado, esta declaración transparenta una motivación racional y una decisión deliberada. Ayala regresó a Madrid porque escogió cumplir con los compromisos que se derivaban de su condición de funcionario. Se trataba, de alguna manera, de cumplir con un deber previamente establecido y aceptado racionalmente por Ayala. Esto es, Ayala se reincorporó a su puesto porque quiso cumplir con las normas deontológicas propias del funcionario.[136]

Por otro lado, la lacónica expresión «Tenía obligación de venir» también nos coloca ante el fondo no racional propio de las expresiones de lealtad. Como observa Fletcher, «las lealtades suponen compromisos que no se fundamentan en razones compartidas por los demás. Llega un punto en que la lógica se agota y uno tiene que fijar su lealtad en el simple hecho de que se trata de *mi* amigo, *mi* club, *mi* alma máter, *mi* nación» (61; énfasis original).[137] Porque en última instancia el fundamento de la lealtad no atiende a razones, Ayala no trató de convencer a su amigo Jesús Rubio de la rectitud de su conducta. Tampoco atendió a la demanda de razones de su amigo, condensada en la pregunta que le dirigió Rubio («¿Para qué has venido?» [*Obras* II: 234]), y se limitó a manifestar su lealtad hacia la República. Esto se explica porque hay un fondo emocional en toda lealtad. «La lealtad es una emoción derivada de nuestras interacciones que nos proporciona una idea de quiénes somos» (38),[138] escribe

---

136. Hay otro pasaje de *Recuerdos y olvidos* que avala esta consideración racionalista, próxima a la obligación jurídica, del acto de lealtad: al preguntarle Enrique Díez Canedo, que estaba en París por haber concluido su misión de embajador en Buenos Aires, acerca de la conveniencia de regresar a la zona republicana, Ayala no dudó en manifestarle que «tenía el deber de presentarse al Gobierno (pues, a juicio mío, era indecente lo que algún embajador amigo nuestro había hecho negándose a comparecer una vez concluida su misión)» (*Obras* II: 240).

137. «Loyalties invariably entail commitments that cannot be grounded in reasons others share. There comes a point at which logic runs dry and one must plant one's loyalty in the simple fact that it is *my* friend, *my* club, *my* alma mater, *my* nation».

138. «Loyalty is an emotion of interaction that gives us a sense of who we are».

Connor, y, como tal, la lealtad exhibe las mismas características que otras emociones: se trata de una experiencia encarnada con una clara dimensión somática, cumple una misma función social que otras emociones (nos ayuda a entender nuestra vinculación a los otros y nos otorga una identidad) y nos motiva a sentir, pensar y actuar de cierta manera (28). La intensidad afectiva de la escena entre Ayala y García-Mina queda clara cuando, justo después de decir Ayala que «Tenía la obligación de venir», se hizo un silencio, incómodo y elocuente a la vez, entre los dos amigos: «Y ya no hablamos más; estaba todo dicho,» nos dice Ayala en sus memorias (*Obras* II: 234). En definitiva, y retomando el razonamiento de Fletcher y Connor, Ayala no solo se mantuvo leal al gobierno legítimo porque decidió cumplir con su obligación como funcionario; también lo hizo porque, más allá de cualquier juicio o razón, *su* República estaba en peligro y se sintió impelido a actuar en su defensa.

Otra dimensión de la consideración del regreso a España como un acto de lealtad esclarece, en tercer lugar, la conformidad existente entre los compromisos políticos y privados de Ayala, entre su vida pública y su vida familiar. En la medida en que nuestra vida se desenvuelve en diferentes ámbitos y pertenecemos a diferentes grupos a los que debemos lealtad (la familia, las amistades, el trabajo, el partido político, la patria, etc.), siempre cabe la posibilidad de que se produzca un conflicto de lealtades. Por ejemplo, uno puede deberle cierto tipo de lealtad a sus compromisos laborales y otro tipo de lealtad, diferente o enfrentado al primero, a sus convicciones políticas y/o a su familia. El caso de Jesús Rubio nos puede servir como un primer ejemplo. Afiliado a Falange desde la creación del partido, y miembro de «una familia católica muy derechista» (*Obras* II: 234), Rubio escogió traicionar la lealtad debida a la legalidad republicana, especialmente intensa en su caso debido a su condición de funcionario del Estado, y mantenerse leal a sus convicciones políticas y a la tradición familiar.

En la Guerra Civil española, tal vez el caso más famoso de este conflicto de lealtades fuera el de los hermanos Manuel y Antonio Machado. Cómplices y colaboradores antes de la guerra, los hermanos Machado se adhirieron a bandos opuestos durante el conflicto: Manuel, a quien la guerra le sorprendió en Burgos, se convirtió en uno de los propagandistas de mayor prestigio de los militares rebeldes, mientras que Antonio, que se encontraba en Madrid cuando estalló el conflicto, puso su pluma al servicio de la causa republicana. La historia de los dos hermanos se ha contado innumerables veces y no es mi intención volver a contarla aquí.[139] Solo la refiero brevemente porque nos ayuda a comprender mejor dos cosas: primero, la dimensión trágica del conflicto de lealtades, una dimensión que «dignifica al actor humano al reconocer su capacidad de admitir verdades parciales cuando hay demandas contrapuestas» (Fletcher 153).[140] Sin duda, cuando alguien experimenta un conflicto de lealtades esa persona se gana nuestro respeto porque imaginamos el desgarramiento interno y la culpa que debe haber sentido. Ambos se intuyen en una entrevista que el periódico de CNT de la regional valenciana, *Fragua Social*, le hizo a Antonio Machado en diciembre de 1936. Cuando el entrevistador le preguntó por su hermano Manuel, Antonio respondió con visible incomodidad que «marchó allí [a Burgos] unos días antes del levantamiento, para solventar

---

139. Uno de los relatos recientes del caso que ha alcanzado mayor circulación es el que nos ofrece Javier Cercas en su novela o «relato real» *Soldados de Salamina* en las pp. 24-26. Otro relato canónico de esta tragedia es el ofrecido por Andrés Trapiello en *Las armas y las letras* en pp. 114-19 y 339-47, que se puede contrastar con la visión ofrecida por Enrique Baltanás en la biografía de la familia titulada *Los Machado*.

140. «Dignifies the human actor by recognizing his or her capacity to recognize the partial truths in conflicting demands».

unos asuntos familiares, y allí le sorprendió la Revolución»; ante la insistencia del periodista sobre «aquel tema desagradable», Antonio Machado optó por despacharlo añadiendo que no tenía noticias de su hermano (José Luis). En segundo lugar, el caso de los hermanos Machado acentúa un aspecto de las guerras civiles que a menudo se pierde de vista. En una guerra civil, los conflictos de lealtades se dan en un contexto extremadamente complejo porque, en este tipo de conflictos, la enemistad no se despliega únicamente en un plano ideológico. En la medida en que las rencillas, los agravios acumulados y los ajustes de cuentas, esto es, las hostilidades privadas, constituyen una dimensión ineludible de los conflictos fratricidas (Kalyvas, «The Ontology»), la cuestión de la lealtad se ve notablemente complicada porque en las identidades y las acciones de los participantes en la guerra siempre hay una mezcla de lo político y lo privado. Los que se encuentran atrapados en una guerra civil no solo pueden experimentar un conflicto entre, digamos, lealtad política y lealtad familiar, sino que en muchas ocasiones los términos mismos de la discusión, «la política» y «la familia», no están tan claros porque el conflicto, por su misma naturaleza, desdibuja las fronteras entre ellos. Lo mismo ocurre con la frontera entre el ámbito profesional y el político. Una vez declarada la guerra, para algunos resultó imposible mantener una coherencia de actuación entre los dos ámbitos. Fue el caso, ya referido, de Jesús Rubio. Otro caso mucho más indecente es el de Enrique Suñer, catedrático de Pediatría en la Universidad Central de Madrid, referido por José-Carlos Mainer. Al comienzo de la República, a Suñer se le instruyó un expediente disciplinario. Convertido en vicesecretario de Educación y Cultura en la Junta de Burgos (1937), Suñer «refugió su animosidad en un libro de título revelador, *Los intelectuales y la tragedia española*, donde se exige paladinamente la muerte y la depuración para sus colegas de izquierdas» (*Años* 165). Mezclando rencor personal y político, Suñer concluyó su libro demandando «una extirpación a fondo de nuestros enemigos, de esos intelectuales, en primera línea, productores de la catástrofe. Por ser más inteligentes y más cultos, son los más responsables» (171). Eran los mismos que le habían instruido el expediente disciplinario.

Durante la guerra de 1936, Ayala no se encontró en la disyuntiva de escoger entre lealtades públicas (políticas o profesionales) y lealtades privadas (personales o familiares). En un contexto donde para muchos era difícil discernir donde empezaban las primeras y terminaban las segundas, el escritor granadino puedo hacer coincidir sin esfuerzo lealtad política y familiar. Se trató, sin embargo, de una coincidencia funesta. Uno de sus hermanos, Eduardo, «se había incorporado a las milicias como miembro de las Juventudes Socialistas para la defensa de Madrid» al inicio de la guerra (*Obras* II: 233). Otra parte de la familia se encontraba en Burgos, la capital de la zona facciosa, donde el padre de Ayala ejercía de administrador del monasterio de Las Huelgas. Después de muchos meses sin saber nada de la familia que estaba en Burgos, Ayala tuvo noticias de su padre y hermanos al final de la guerra. Entonces averiguó que el destino de su padre fue mucho más aciago que el de Manuel Machado, pues a Francisco Ayala Arroyo, «le había tocado entrar cierto día en una de las cotidianas sacas de presos y había sido asesinado junto con los demás infelices» (*Obras* II: 262). Y que a su hermano Rafael, «reclutado por el ejército [faccioso] a los diecisiete años de edad, lo habían fusilado como desertor» cuando intentó pasarse a las filas republicanas (*Obras* II: 262). Sus otros hermanos José Luis y Vicente, leales también a la República, acabarían saliendo al exilio, así como los pequeños Enrique y Mariluz, de los que se harían cargo Ayala y su mujer.[141] Es por esta coincidencia de lealtades que Ayala pudo

---

141. Sobre este episodio de la vida de Ayala, García Montero ofrece detalles reveladores en *Francisco Ayala. El escritor en su siglo*, pp. 75-76.

recordar como una unidad, sin contradicciones o desgarramientos internos, los desastres privados y los políticos, las desgracias familiares y las nacionales: «Recuerdo, sí, que en mi ánimo la tragedia, familiar y nacional, que toda era una, hacía mezclarse los sentimientos de dolor con sentimientos de indignación moral y de rabia impotente, y que estos eran tan fuertes como para contrarrestar piadosamente el abatimiento de un dolor excesivo» (*Obras* II: 262).

Liberalismo y acomodación: la actitud de los mayores

La aparente naturalidad con que Ayala se mantuvo leal a la República no debe hacernos olvidar que no todos los intelectuales liberales españoles se pusieron del lado del gobierno legítimo una vez estalló la guerra. Muchos se negaron a tomar partido por la República y siguieron el camino inverso al de Ayala, expatriándose en cuanto tuvieron la oportunidad de hacerlo. Esta actitud fue especialmente frecuente entre los mayores de Ayala, aquellos que promediaban unos cincuenta o sesenta años cuando estalló el conflicto. En el certero retrato de José-Carlos Mainer, se trataba de unas gentes cuya

> fuerte sensación de rechazo a la guerra les llevó a una inmediata búsqueda de culpables. Los valores de su mundo personal y las mismas peleas ideológicas de su juventud habían tenido como horizonte referencial el liberalismo y como motivo fundamental, su conciencia de pertenecer a una élite intelectual. Eran liberales pero difícilmente podían ser demócratas: ni siquiera la sincera aceptación que Machado hizo de la República está ausente de idealización populista y de ribetes de pedagogía. Pero los demás fueron unos pedagogos decepcionados que no podían entender el desprecio de los valores de la tolerancia que se percibía en la juventud republicana, a la vez que miraban con profunda aprensión el clericalismo y el

fanatismo que se exhibían en la retaguardia franquista. Y sabían, por otro lado, que lo que sucedía en España era solo un episodio del amenazante eclipse de sus creencias. (*Años* 139-140)

Son conocidos, por la relevancia y la significación de los personajes, los casos de José Ortega y Gasset, Gregorio Marañón y Ramón Pérez de Ayala. Su actitud ante la República y la guerra nos resulta particularmente iluminadora por el contraste que ofrece con la de Ayala. El 10 de febrero de 1931 los tres estamparon su firma al pie del Manifiesto de la Agrupación al Servicio de la República en el diario *El Sol*, reclamando de esta manera la creación de «una República que despierte en todos los españoles, a un tiempo, dinamismo y disciplina, llamándoles a la soberana empresa de resucitar la historia de España» (Ortega, *Obras* IV: 661). El objetivo no era otro que propiciar «la movilización de los intelectuales y las clases medias como motor de la opinión pública en la puesta en marcha de ese nuevo Estado» (Márquez Padorno 67). La iniciativa tuvo un éxito considerable y, desde entonces, los nombres de Ortega, Marañón y Pérez de Ayala quedaron unidos a la fundación de la República, de la que fueron diputados en las Cortes Constituyentes de junio de 1931.

Sin embargo, y a diferencia de lo que ocurrió con Ayala, muy pronto se distanciaron del nuevo régimen. A los pocos meses de la proclamación de la República, en diciembre de 1931, Ortega publicó su *Rectificación de la República*, con la que Marañón y Pérez de Ayala estuvieron de acuerdo. Toda esta desilusión pautó las intervenciones políticas de Ortega a lo largo del año 1932, que culminaron con el manifiesto de disolución de la Agrupación al Servicio de la República, firmado por Ortega, Marañón y Pérez de Ayala y publicado en *Luz* el 29 de octubre del mismo año (Ortega, *Obras* V: 51-53). Al considerar que la República ya estaba consolidada, y ante el fracaso del llamamiento de Ortega para que se formase una nueva fuerza política que rectificase el rumbo del nuevo régimen, los tres acordaban disolver la Agrupación. Como apunta Márquez Padorno, «bajo la aparente serenidad de este manifiesto, latía un profundo desengaño por parte de quienes habían intentado contribuir a la formación de un Estado mejor y asistían impotentes a la que para ellos era la desvirtuación de la República» (240).

Nada de esto ocurrió con Ayala, que se mantuvo firme en su apoyo a la República incluso en sus momentos más delicados, como en enero de 1933, cuando apoyó la intervención del gobierno en la insurrección anarquista de Casas Viejas. Como hemos visto, en abril del mismo año hizo un balance exitoso del nuevo régimen para conmemorar su segundo aniversario en las páginas de *El Sol* y veladamente recriminó a los que, como Ortega, Marañón y Pérez de Ayala, habían retirado su apoyo a la República porque no se ajustaba a su concepción ideal de lo que esta debía representar. Durante las campañas contrarreformistas llevadas a cabo durante la etapa radical-cedista de 1933-1936, Ayala abandonó la primera línea de la opinión pública, pero siguió defendiendo con firmeza los principios consagrados en la Constitución de 1931 en los escritos de índole técnica que publicó en revistas especializadas.[142] Y mantuvo esta visión de la República como un nuevo modelo

---

142. Me refiero a dos escritos aparecidos en la *Revista de Derecho Público*. En el primero, Ayala defiende el principio de autonomía municipal consagrado en la Constitución de 1931 en su estudio sobre «El proyecto de bases para la Ley municipal» (*Obras* VII: 712-717), al estimar que el proyecto de bases del gobierno escamotea dicho principio. En el segundo, sostiene la importancia del principio constitucional de igualdad ante la ley como un punto de apoyo de cualquier democracia en su reseña al libro de Eduardo Luis Llorens, *La igualdad ante la ley* (*Obras* VII: 717-719).

de Estado capaz de canalizar las ansias de democratización y de modernización de amplios sectores del pueblo español hasta el estallido mismo del conflicto. En efecto, el 21 de julio de 1936 pronunció en Buenos Aires una conferencia sobre la Constitución de 1931 en la que rebatía los argumentos de quienes juzgaban el texto constitucional como el producto de un excesivo racionalismo. El texto de la conferencia no ha sobrevivido, pero disponemos del resumen publicado por *La Nación* el 22 de julio de 1936. De él se desprende que por esas fechas Ayala seguía considerando la Constitución como un instrumento válido de transformación democrática, esto es, como la «suma o expresión de las realidades de la sociedad española en el momento constituyente» y, también, como «un nuevo elemento de la realidad social, que va a influir sobre ella y a dejarse influir por ella matizándose con las aplicaciones e interpretaciones que la sucesión de los casos va aportando» («Conferencia»).

Esta actitud de Ayala, de firme y constante compromiso con la República, contrasta vivamente con la de sus mayores y muestra que, en el fondo, ni Ortega ni Marañón ni Pérez de Ayala llegaron a establecer un compromiso político fuerte, ni mucho menos a sentir una afinidad afectiva, con el régimen de 1931 y, por lo tanto, que nunca estuvieron predispuestos a ser leales a la República. Ninguno de estos pedagogos liberales –intelectuales a la manera del legislador analizado por Bauman– llegaron a establecer con la República un vínculo que los llevara a juzgarla con interés o parcialidad en el momento en que su existencia misma estuvo en peligro. Más bien ocurrió todo lo contrario: en el verano de 1936 cada uno de ellos se desentendió del régimen que habían impulsado cinco años antes. Seguramente lo hicieron, como apunta Francisco Pérez Gutiérrez, porque «rechazaron lo que consideraban secuestro de la República a manos del comunismo, el socialismo revolucionario y la revolución libertaria» (6).[143] Sin duda, Ayala no entendió así los acontecimientos de la España de 1936: lo que rechazó a su regreso de Argentina fue el golpe de Estado contra el gobierno legítimo y la legalidad republicana.

Además de manifestar un común rechazo ideológico a la izquierda revolucionaria, Ortega, Marañón y Pérez de Ayala dieron varios pasos más en su acercamiento a los insurrectos. Como veremos, tanto sus opiniones como sus comportamientos pueden enmarcarse dentro de lo que el historiador Philippe Burrin ha llamado *accommodement*, categoría que da cuenta de las diferentes formas y grados de aceptación y transigencia con el poder triunfante en un territorio.[144] Según Burrin, la acomodación al poder triunfante se explica por cuatro motivos principales: «la percepción de una coacción, el interés material, la complacencia personal y la complicidad ideológica» (183). En la medida en que los tres intelectuales tenían a sus hijos luchando con el ejército franquista, podemos descartar que se vieran coaccionados a acomodarse a la autoridad de los sublevados. Se trató más bien de una acomodación escogida y voluntaria, en la que el interés personal en el triunfo del bando

---

143. Remito al lector interesado en la trayectoria de estos tres intelectuales al epistolario que mantuvieron entre 1937 y 1939, que fue editado por Francisco Pérez Gutiérrez, y al libro de Andrés Trapiello *Las armas y las letras*, que analiza el comportamiento de los escritores españoles durante la Guerra Civil. Ahí Trapiello ofrece un relato panorámico de la conducta de Ortega (95-103), Marañón (185-194) y Pérez de Ayala (188-195) durante el conflicto.

144. Esta categoría, acuñada para explicar las diversas actitudes de la población francesa durante la ocupación alemana de su territorio durante la Segunda Guerra Mundial, es trasladable a las circunstancias de la Guerra Civil española en la medida en que muchos ciudadanos españoles, más allá de sus sentimientos y preferencias ideológicas, tuvieron que adaptarse al orden impuesto por el conflicto en su territorio. Agradezco a José María Rodríguez García esta referencia.

sublevado se mezclaba con otros motivos menos honrosos (desde la expectativa de obtener alguna ventaja material o simbólica hasta la complicidad con algunos aspectos de la ideología de los insurrectos, sin descartar algún episodio de complacencia con el poder).

En las páginas que siguen referiré brevemente el caso de estos tres notorios intelectuales liberales, consciente de que resultará imposible hacerles justicia. Si aludo a vuelapluma a estos tres casos es sencilla-mente para calibrar mejor la actitud de Ayala y para compararla con la de otros escritores que, de alguna manera y por bastante tiempo, también destacaron por sus compromisos liberales. Empezaré por Ortega, del que Ayala estuvo muy próximo en los inicios de su carrera. Sin embargo, y como ya hemos dicho, desde un punto de vista político estuvo más cerca de Azaña –en cuyo partido Acción Republicana llegó a militar– que de Ortega, del que se distanció durante la Segunda República. Después del turbio episodio acaecido en la Residencia de Estudiantes, donde Ortega dijo haber firmado un comunicado en apoyo de la República bajo amenazas de los comunistas en julio de 1936 –un extremo desmentido por su hija Soledad, según Andrés Trapiello (95)–, el pensador y su familia, temiendo por su vida, huyeron de Madrid en agosto de 1936.[145] El silencio público de Ortega sobre el conflicto, así como su reticencia a manifestarse en favor de uno u otro bando, son bien conocidos.

---

145. En relación con este episodio es útil recordar aquí la airada reacción de José Bergamín ante las acusaciones de Ortega. En efecto, Bergamín le contesta desde México acusándole de mentir y precisando que, si Ortega puso su nombre, María Zambrano mediante, al pie del manifiesto de los escritores de la «Alianza de intelectuales antifascistas», lo hizo de forma completamente voluntaria. Además, Bergamín arremete contra el silencio público de Ortega y contra la censura de este a las muestras de apoyo a la causa republicana por parte de los intelectuales del mundo entero (Ortega censuró particularmente a Albert Einstein). Dice Bergamín:

También lo es el deseo, expresado en su correspondencia privada, de que los ejércitos de Franco se alzaran con la victoria, así como su colaboración, más o menos eficaz, con la oficina de Prensa y Propaganda de los sublevados en Londres (Elorza 238-247; Gracia cap. 15, «Entre 'The Times'»). Puede ser que el silencio de Ortega viniera de lejos y surgiera del convencimiento, expresado con ocasión de la Primera Guerra Mundial, de que «cuando las armas resuenan deben callar las plumas» (*Obras* I: 907). En una interpretación benevolente, también es posible que su actitud de entonces no fuera «un subterfugio para no comprometer su posición de cara a un regreso, sino el encastillamiento soberbio y ultrahistórico en la rigidez de quien no negocia, paradójicamente, con la contingencia social e histórica» (Gracia cap. 15). Lo que es seguro es que la gran mayoría de los intelectuales leales a la República, desde Margarita Nelken hasta Manuel Azaña, lo vivieron como un vergonzoso ejercicio de tacticismo, cobardía o traición (Giustiniani). El gran periodista catalán Agustí Calvet, reflexionando en enero de 1937 sobre el silencio de los intelectuales españoles residentes en París, donde él mismo estaba exiliado bajo el paraguas protector de Francesc Cambó, lo explicó con meridiana claridad: «El horror nos inoculó el miedo; el miedo nos impuso silencio, y ese silencio, de prolongarse demasiado, sin que nos diésemos cuenta, nos conduciría a la traición» (3).

«Al profesor Ortega, exquisitamente preocupado de técnicas históricas, parece escapar el alcance y el sentido moral de tales opiniones y juicios. Para el insigne profesor la destrucción de las ciudades y pueblos españoles, sistemáticamente ejecutada por la intervención de potencias extranjeras en nuestro suelo, con el beneplácito y colaboración –complicidad sin encubrimiento– de una parte de los españoles, culpables, al parecer, nada frívolo, de tales intelectuales (*sic*), de tan criminal y traicionero empeño, no merecía la protesta enérgica y decidida de ningún intelectual extranjero a las complicadas causalidades históricas de nuestra España» (32).

Marañón era otro de esos eminentes intelectuales residentes en París al principio de la guerra. Su caso es tal vez más difícil de entender que el de Ortega, pues en los inicios del conflicto «hizo un doble juego descarado, se afilió a la CNT, soltó en estaciones de radio comunistas unas encendidas soflamas que ensalzaban al obrero» y, simultáneamente, «hizo un tiempo de Pimpinela Escarlata poniendo a salvo en embajadas a mucha gente (a Ricardo León en la de Haití, por ejemplo)», gesto que le ayudó, más tarde, a congraciarse con el régimen franquista (Trapiello 187). En la primera oportunidad que se le presentó, en las navidades de 1936, abandonó Madrid sin que aparentemente mediaran amenazas graves para su vida. En el exilio, y de forma más clara que Ortega, Marañón empezó a hacer declaraciones a favor de los sublevados. Los intelectuales que permanecieron leales a la República no tardaron en replicarle.[146]

El comportamiento de Pérez de Ayala, que ofició de embajador de la República en el Reino Unido hasta la victoria del Frente Popular en febrero de 1936, y que al estallar la guerra ejercía el cargo de director del Museo del Prado, es sin duda el más incomprensible de los tres. Porque Pérez Ayala no solo salió de Madrid

---

146. Así, Jacinto Benavente, Antonio Machado, Victorio Macho, León Felipe y los profesores Carrasco, Montesinos y Navarro Tomás suscribieron un «Manifiesto de los intelectuales madrileños, condenando unas declaraciones del Dr. Marañón», publicado en *La Vanguardia* el 7 de marzo de 1937, en el que puntualizaban que Marañón salió de España por su propia voluntad, provisto de un pasaporte expedido por las autoridades republicanas y acompañado por su hijo. El manifiesto concluía diciendo: «Si la tragedia de su Patria le lleva hacia la España de Franco, allí podrá encontrar un caso ejemplar al que atemperar su conducta: el de Unamuno, muerto de dolor, de vergüenza y de asco, en la atmósfera irrespirable y asfixiante de la Salamanca fascista». El manifiesto ha sido recogido por Santos Juliá en *Nosotros, los abajo firmantes* (294).

en septiembre de 1936 también con destino a París, sino que, a los pocos meses, ofreció su pluma y su palabra a la causa franquista. Con una contundencia impropia de la fina ironía que destila su literatura, en 1938 Pérez de Ayala hizo la siguiente declaración de adhesión al bando nacional al periódico *The Times* de Londres: «Desde el comienzo del movimiento nacionalista, he asentido a él explícitamente y he profesado al general Franco mi adhesión, tan invariable como indefectible» (cit. en Trapiello 193).

Esta preferencia por el bando franquista, común a los tres intelectuales, está expresada de forma todavía más categórica y entusiasta en las cartas que Ortega, Marañón y Pérez de Ayala se cruzaron entre 1937 y 1939. De la correspondencia se desprende, además, que el odio hacia la República y sus dirigentes les hacía entender la victoria de Franco como un mal menor en medio de la catástrofe. En carta de marzo de 1939, en vísperas de la victoria franquista, Marañón se desahogaba con Pérez de Ayala y se refería a los leales republicanos que resistían en Madrid en los siguientes términos:

> ¡Qué asco, qué asco! Tendremos que estar varios años maldiciendo la estupidez y la canallería de estos cretinos criminales, y aún no habremos acabado. ¿Cómo poner peros, aunque los haya, a los del otro lado?
>
> Con todos sus defectos me parecen y nos deben parecer arcángeles y no de los de [Eugenio d'] Ors, sino de los de verdad. Veo estos días a muchos de los que han salido de Barcelona. Todos dicen ahora que no estaban conformes y que estaban allí a la fuerza y que Negrín es un bandolero. Pero ¡ahora! Horroriza pensar que esta cuadrilla hubiera podido hacerse dueña de España. Sin quererlo siento que estoy lleno de resquicios por donde me entra el odio, que nunca conocí. Y aún es mayor mi dolor por haber sido amigo de tales escarabajos; y por haber creído en ellos. ¡No merecemos que nos perdonen! (12)

El desprecio y la denigración hacia la República y sus dirigentes también era palpable en las opiniones vertidas por Ortega, quien, en carta de 17 de septiembre de 1938 desde Saint-Jean-de-Luz, le comentaba a Marañón que «por aquí corren solo especies de origen rojo que, por su extrema puerilidad, revelan hasta qué punto están tocando el fondo del arca. Suponen terrible estado de discordia entre Hitler y los generales, caída próxima del Gobierno Chamberlain, y demás zarandajas de villorrio» (11). En otra anterior, de 23 de julio de 1938, daba Ortega rienda suelta a su paranoia comunista (común a los tres amigos, por cierto) al dar noticia a Marañón de la escisión de la sucursal de Espasa Calpe en Argentina y de la creación por parte de su director, Gonzalo Losada, de la editorial que llevaría su nombre, que tan importante sería para Ayala en los años de su exilio porteño: «Losada se ha separado con algunos muchachos de la izquierda y ha creado una editorial cuyo capital, de cuantía desconocida, no tiene un origen todavía notorio. Es resueltamente una editorial roja» (10), y seguía explicando a su interlocutor con evidente alarma que «lisa y llanamente está en juego el control español del libro castellano en América» (11).[147]

Si bien es cierto que Ortega, Marañón y Pérez de Ayala pudieron sufrir una serie de contradicciones intelectuales y afectivas

---

147. En realidad, como explica Dora Schwarzstein, esta editorial «resueltamente roja» a decir de Ortega, se creó como reacción a la adhesión de la casa española de Espasa Calpe al bando franquista. Entonces «Gonzalo Losada no dudó en ese momento en hipotecar su casa, vender su auto y con ese capital, junto con Guillermo de Torre, Atilio Rossi, Amado Alonso, Pedro Henríquez Ureña, Luis Jiménez de Asúa y Francisco Romero, fundar su propio sello editorial. Losada, la 'editorial de los exiliados', constituyó un hito en la industrial editorial no solo argentina sino de toda América» (149). Más que con el comunismo, la nómina de fundadores se identificaba políticamente con un liberalismo democrático. Durante su exilio porteño, Ayala colaboró frecuentemente con la editorial Losada.

considerables, no lo es menos que los tres optaron por apoyar el bando que luchaba encarnizadamente por desterrar el liberalismo por el que habían luchado durante toda su vida. Los tres sucumbieron «a la tentación autoritaria de los liberales españoles, justificada como única alternativa frente al caos engendrado por la libertad democrática» (Giustiniani). De esta manera, los tres acabaron apoyando al bando de sus enemigos políticos de antaño, el bando de las derechas católicas, los tradicionalistas monárquicos y los falangistas.

Frente a la decisión política de estos tres notables intelectuales liberales que veían el fantasma del comunismo por todas partes, la decisión de Ayala de mantenerse leal a la República parece –sin duda desde la perspectiva de hoy– mucho más sensata, ecuánime y acertada. A pesar de no sentir fascinación alguna por el marxismo revolucionario sino más bien prevención y desconfianza, aceptó que durante la guerra resultaba inevitable forjar una alianza estratégica con el partido comunista y la Unión Soviética. Lejos de implicar para Ayala una convergencia política con el comunismo –algo por otra parte imposible, dados sus compromisos liberales–, esta alianza no representaba otra cosa que una asociación puramente pragmática, la cual, por otra parte, venía impuesta por la realidad de los menguados apoyos que recibió la República durante el conflicto.[148] Comparado con la paranoia comunista de Ortega y su obsesión con

---

148. En este sentido, era del todo normal que Ayala entrara en relación con su homólogo de la Legación soviética cuando estuvo destacado en la Legación española en Praga. Como aparece en el informe 45, de 31 de octubre de 1937, sobre las actividades de dicha Legación: «El día 25 almorzó Ayala con el Secretario de la Legación soviética y le dijo que ellos nos ayudan en todo lo que pueden y que además presionan constantemente con el Gobierno checoeslovaco, para que este a su vez haga gestiones con Francia para que se nos restituyan nuestros derechos internacionales y nuestra libertad de comercio».

el fantasma rojo, esta actitud de Ayala parece mucho más ajustada a la realidad. Lo mismo podríamos decir del compromiso de Ayala con la democracia liberal, de la que Ortega siempre desconfió. Más allá de su elitismo cultural, Ayala la vivió con naturalidad. Como vimos en el capítulo anterior, creía firmemente en la democracia parlamentaria y sentía respeto por la realidad popular. Esto le apartaba de Ortega, que en el fondo nunca creyó en el principio democrático de la soberanía popular porque siempre juzgó la intervención de las masas en la política como una usurpación. Como afirmó el Ortega de *La rebelión de las masas*, en la medida en que «las funciones de gobierno y de juicio político sobre los asuntos públicos» constituían una actividad «especial» de la sociedad, esta solo debía de ejercerse por individuos «con dotes también especiales» (*Obras* IV: 379). De este convencimiento a la aceptación resignada del autoritarismo había solo dos o tres pasos, que Ortega acabó dando al asomarse a los horrores de la guerra y al augurar, en el «Epílogo para ingleses» al mismo libro, escrito desde París en diciembre de 1937, que «el 'totalitarismo' salvará al 'liberalismo', destiñendo sobre él, depurándolo, y gracias a ello veremos pronto a un nuevo liberalismo templar los regímenes autoritarios» (*Obras* IV: 528).

En parte por pertenecer a la generación de los jóvenes, y en parte por tener un compromiso más claro con la República y la democracia, Ayala nunca cayó en las acomodaciones de sus mayores. Es cierto que, a diferencia de ellos, había adquirido un compromiso con ese régimen político que surgía de lo más íntimo de su persona: la República ocupaba un lugar central en su biografía y su identidad, formaba parte de su yo y de su historia. Pero no es menos cierto que esta estrecha vinculación con el régimen republicano tampoco garantizaba una actuación leal hacia él. En definitiva, si Ayala logró actuar lealmente hacia la República fue también porque escogió cumplir con su deber de funcionario y, a la vez, se identificó afectivamente con los ideales de democracia, modernidad y dignidad encarnados en el régimen de 1931. Comprendemos entonces que en el origen de la lealtad palpitan tanto la razón como las emociones –y comprendemos también que esta dialéctica entre razón y emociones empieza a adquirir el carácter de una constante en el pensamiento y las actuaciones de Ayala–.

La lealtad del funcionario: Valencia, noviembre de 1936 - junio de 1937

Mientras otros escritores expresaron su lealtad a la República ejerciendo de propagandistas en ensayos, artículos, manifiestos y poemas, o en los discursos pronunciados en el célebre II Congreso Internacional de Escritores para la Defensa de la Cultura celebrado en Valencia, Barcelona, Madrid y París en 1937, Ayala siguió manifestando su lealtad en el terreno de la acción práctica. En los primeros meses de la guerra, estas manifestaciones de lealtad hacia la República se concretaron en la incorporación de Ayala a su puesto de funcionario del Estado y, desde ese lugar institucional, en la tarea de apartar del servicio a los funcionarios hostiles a la República. De esta manera, Ayala profesó y, a la vez, seleccionó lealtades.

Según lo referido en *Recuerdos y olvidos*, Ayala se entregó a la tarea de seleccionar lealtades sin entusiasmo, pero con plena conciencia de su importancia en un momento en que «el generalizado espíritu de sospecha hacía temer, y no sin razón, actividades de saboteo y espionaje por parte de quienes pudieran prevalerse de su posición dentro de los organismos oficiales» (*Obras* II: 235). Concluido de forma abrupta el proceso de depuración llevado a cabo en Madrid por el traslado forzoso del gobierno a Valencia en noviembre de 1936, Ayala se dedicó a similares tareas en esa ciudad hasta junio de 1937. Allí, por encargo del Ministerio de Estado, se ocupó de la sección europea del servicio diplomático, dedicándose a fiscalizar a los funcionarios diplomáticos que «permanecieron durante el mayor tiempo que ello les fue posible cobrando sus sueldos del Gobierno republicano mientras servían desde sus puestos a la causa rebelde» (*Obras* II: 237). Fue este un problema gravísimo para la República. Varios historiadores han dado cuenta de la situación de emergencia creada por la defección de los servidores del Estado, sobre todo en los ámbitos del ejército, la judicatura y la diplomacia. Julio Aróstegui, por ejemplo, observa que «la lealtad pasó de ser una cualificación aplicable a personas, ciudadanos de mayor o menor relevancia, a ser un problema de guerra que afectaba a partes esenciales del servicio del Estado o instituciones de trascendencia social y política e influencia indudables» (34). Circunscribiendo sus comentarios al servicio diplomático, Pierre Vilar señala que en los primeros meses de la guerra «lo peor, para el gobierno español, fue *la deserción masiva de sus diplomáticos en activo*» (68; énfasis original). Los de la embajada de París, sigue explicando, sabotearon sin tregua los esfuerzos del gobierno republicano para conseguir ayuda y apoyo de Francia, retardando «sistemáticamente toda entrega de armas» y alimentando «la violenta campaña de prensa contra la eventual confabulación de los dos 'frentes populares' [el español y el francés encabezado por Léon Blum]» (68). Y Ángel Viñas, en un estudio reciente sobre el tema, calcula que se produjo «la defección de casi un 90 por 100 de los funcionarios de la carrera diplomática española» («Una carrera» 267). En esta dramática situación, a Ayala no le faltaba trabajo.

En Valencia, aunque Ayala frecuentaba la tertulia de escritores del Ideal Room y participaba ocasionalmente en la de Rosa Chacel y Concha de Albornoz, no quiso colaborar con el «grupo juvenil que editó la estupenda revista *Hora de España*» (*Obras* II:

240), es decir, el grupo integrado por Rafael Dieste, Ramón Gaya, Juan Gil-Albert y Antonio Sánchez-Barbudo. Toda esta gente era política e intelectualmente afín a Ayala, pero él decidió limitar su actividad a la tarea de selección de lealtades.[149] Y es que su perfil público en esos meses fue deliberadamente discreto, sobre todo si lo comparamos con su asidua presencia en los periódicos durante los años 1931 a 1933. Solo en dos ocasiones Ayala se apartó de esta norma de conducta: cuando firmó el manifiesto «publicado el 11 de febrero de 1937 en *El Día Gráfico* advirtiendo del peligro que corría Leopoldo Alas, Rector de la Universidad de Oviedo» e hijo de *Clarín*, que fue fusilado por los rebeldes (García Montero, «Antes» 96), y cuando suscribió el manifiesto titulado «Un grupo de escritores y hombres de ciencia se dirige a la conciencia del mundo condenando la guerra» junto a cuarenta y tres personalidades más, entre las que destacaban Manuel Altolaguirre, Jacinto Benavente, Rafael Dieste, Juan José Domenchina, Rodolfo Halffter, León Felipe, Antonio Machado, Tomás Navarro Tomás, Gustavo Pittaluga y Esteban Salazar Chapela. Aparecido en el ya mencionado órgano de CNT de la regional valenciana *Fragua Social* el 23 de febrero de 1937, el manifiesto recordaba «la sañuda

---

149. Sobre *Hora de España*, Mainer ha dicho que fue representativa «como ninguna otra cosa del aliento y la generosidad de estos años: por esa última virtud, por su calidad y por su coherencia, *Hora de España* representa la más digna despedida de un periodo excepcional de las letras y el espíritu españoles» (*Años* 176). Se publicaron veintitrés entregas durante casi dos años en Valencia y Barcelona (enero de 1937 a octubre de 1938). Entre sus colaboradores habituales destacan Antonio Machado, María Zambrano, Rafael Dieste, Luis Cernuda, Rosa Chacel, Ramón Gaya, Juan Gil-Albert, Antonio Sánchez Barbudo y Arturo Serrano Plaja. Hay una antología de la revista preparada por Francisco Caudet; también se encuentra digitalizada (con acceso libre y gratuito) en la Hemeroteca Digital de la Biblioteca Nacional de España.

persecución aérea y artillera de que se ha hecho víctima a los no combatientes –ancianos, mujeres y niños– de toda la España leal» y apelaba, «más allá de nuestras fronteras», a todos «los hombres capaces de reflexión a quienes interese el porvenir del mundo» para que pusieran fin «con normas de derecho y de justicia [a] la gran catástrofe moral» que suponía la guerra en España. El manifiesto insistía una y otra vez en la forma inhumana e indigna que tenía el ejército rebelde de hacer la guerra, una guerra que había perdido «toda sombra de dignidad humana porque empieza a hacerse de manera fría y sistemática contra los indefensos y los inofensivos». Y alzaba repetidamente la voz no solo contra las atrocidades que se habían cometido en España, sino contra las que se podían llegar a cometer en el mundo entero si, como muchos pensaban, la guerra de España era tan solo «el prólogo sangriento de una guerra mundial de proporciones incalculables».

Junto con los otros firmantes del manifiesto, Ayala estaba dando la señal de alarma sobre una forma inédita e inesperada de hacer la guerra en España –no así en sus posesiones coloniales, como Marruecos, donde el ejército español se comportó de forma particularmente brutal (Balfour, *Deadly*)–. Toda la conmoción provocada por las masacres de los no combatientes (ancianos, mujeres y niños) en manifiesta violación del derecho de gentes apunta a que la violencia de la guerra de 1936 se desplegó bajo la forma de una *guerra total*, típica de acontecimientos catastróficos –guerras, revoluciones, conflictos, crisis– que asolaron Europa entre 1917 y 1945. Como observa el historiador Enzo Traverso:

> Surgido en 1915, este término [guerra total] se generaliza rápidamente en todas las lenguas occidentales antes de ser consagrado por la obra homónima del general alemán Erich Lundendorff, veinte años más tarde. La guerra total supera, por definición, los límites de una guerra clásica para invadir el espacio de la sociedad

civil, tradicionalmente excluida del dominio militar. No se combate ya solamente sobre las líneas del frente, sino también sobre
la retaguardia. Los submarinos llevan el combate a los mares y los
bombardeos aéreos impactan sobre las ciudades. (*A sangre* 105)

Para los firmantes del manifiesto, todos ellos en mayor o menor
medida educados en la tradición de la Institución Libre de Enseñanza y en el respeto a las normas de la moral y el derecho, los
bombardeos sistemáticos de ciudades y pueblos llevados a cabo
por los rebeldes eran un signo inequívoco de barbarie. Sin duda,
se trataba de una barbarie fría, típica de las sociedades modernas e
industriales y de sus avances tecnológicos, pero no por ello dejaba
de ser menos brutal e impactante. De ahí que los firmantes del
manifiesto, gentes consagradas «por hábito y profesión a las tareas
de la inteligencia, que son faenas de la paz», reaccionaran ante esa
barbarie con horror, indignación y la más enérgica de las protestas.
Ayala se sumó a ellos y denunció los horrores de una guerra regida
por dispositivos tecnológicos de exterminio que anunciaban un
conflicto todavía más atroz y aterrador.

Con excepción de estos dos manifiestos, la conducta de Ayala
a lo largo y ancho del conflicto se ajustó al patrón de comportamiento de un funcionario, tal y como lo describió Max Weber. El
funcionario, nos dice Weber, «no debe hacer política, sino 'administrar' *sin partidismos*», desempeñando su cargo «*sine ira et studio*,
'sin cólera ni entusiasmo'» (*La política* 88). En otras palabras, el
funcionario despliega la dimensión técnica de su tarea y entiende
que su actividad está sujeta al estricto cumplimiento de las órdenes
de sus superiores, aunque le parezcan equivocadas. Frente al principio de obediencia que caracteriza el honor del funcionario, el del
político reside en «su *propia* y exclusiva responsabilidad por lo que
haga» (88). Y esta actividad del político se puede resumir, según
Weber, en una palabra: luchar. Pues «la toma de partido, la lucha,

la pasión –*ira et studium*– constituyen el elemento del político, y sobre todo, del *líder* político» (88).

Claro está, estas reflexiones de Weber acerca del funcionario deben adaptarse al contexto bélico de 1936, en el cual, como hemos venido viendo, resultaba imposible no tomar partido: Ayala tomó partido al ponerse al servicio de la República en el verano de 1936 y, a partir de entonces, desempeñó lealmente su cargo de funcionario del Estado legítimo. Sin duda, desempeñar ese cargo también implicó luchar por la causa republicana. Y es que la guerra y el discurso de la lealtad y la traición acabaron politizando todo, sobre todo a los servidores del Estado legítimo, que debieron escoger entre permanecer leales a la legalidad vigente o traicionarla. En este contexto, Ayala luchó por la causa republicana en tres grandes ámbitos: como ya hemos visto, el primero de ellos fue la depuración de los funcionarios desafectos a la República; en las próximas páginas nos ocuparemos brevemente de los otros dos ámbitos, que fueron la internacionalización del conflicto armado y la gestión de la derrota republicana.

La internacionalización del conflicto armado: Praga, junio de 1937 - abril de 1938

Durante su servicio en Praga entre junio de 1937 y abril de 1938, Ayala, junto con el puñado de diplomáticos que permanecieron leales a la República, luchó por recabar el apoyo y la solidaridad de las potencias europeas. Fue esta –la dimensión internacional del conflicto– una cuestión decisiva.[150] Aunque hay pocas dudas

---

150. Sobre la dimensión internacional de la guerra, véase la interesante colección de documentos de época recogida por Esenwein (128-152).

de que las causas inmediatas de la Guerra Civil radicaron en los problemas y desequilibrios nacionales, no es menos cierto que el conflicto se decidió, en buena medida, por la intervención de las potencias extranjeras. A los pocos meses del inicio de la guerra, los leales a la República vivieron la no intervención de Gran Bretaña y Francia como una traición y el apoyo de Alemania e Italia a la causa rebelde como una escandalosa violación del derecho internacional. También contemplaron con ambivalencia, sobre todo aquellos que no simpatizaban con el comunismo, la intervención de la URSS a favor de la República, pues si por un lado dicha intervención puso a su disposición un armamento imprescindible, por otro lado hizo aumentar exponencialmente el peso del Partido Comunista y las actividades de la inteligencia soviética en España.[151]

Las causas del acuerdo de no intervención, que surgió de la iniciativa del Ministerio de Asuntos Exteriores francés pero que pronto consiguió la adhesión de todos los grandes países europeos, incluso de los que como Alemania, Italia y la Unión Soviética prestaron apoyo y proporcionaron material de guerra a las partes del conflicto, hay que buscarlas, según Jaume Vicens Vives, en las complejas relaciones internacionales de entreguerras, que estuvieron marcadas por el «empuje de los movimientos totalitarios, [la] crisis de la Sociedad de las Naciones, [y las] profundas divisiones políticas y sociales en el seno de las democracias» (226). A finales de noviembre de 1936, las alianzas internacionales ya estaban meridianamente claras. En un manifiesto que el gobierno de República hizo público

---

151. En contra de aquellos que quisieron ver una «sovietización» de la República durante la guerra, Helen Graham argumenta que para amplios sectores de la población la Unión Soviética representó, sobre todo, un icono de modernidad; y recuerda que los servicios de inteligencia soviéticos no fueron los únicos que llevaron a cabo asesinatos políticos en España (61-67).

el 22 de noviembre de 1936, se puede leer que «desde ahora, el faccioso Franco cuenta ya con el beneplácito oficial de Berlín y de Roma» mientras que la República «cuenta con el apoyo de México, de la Unión Soviética, de la mayoría de los pueblos democráticos del mundo» («El Gobierno de la República»). La clave estaba en la palabra «pueblos». La República podía contar con el favor de los pueblos democráticos del mundo, pero desde luego nunca llegó a disponer de un apoyo claro por parte de los gobiernos de dichos pueblos –en especial del Reino Unido y Francia–.

Para intentar revertir esta situación, el gobierno de la República recompuso como pudo el servicio diplomático (recordemos que cerca del 90 por ciento de los funcionarios de la carrera diplomática se pasaron a las filas rebeldes) y elaboró una estrategia exterior basada en dos objetivos: conseguir el apoyo material de las potencias democráticas y estrechar la relación con la Unión Soviética (Viñas, «La gran estrategia» 60). En el caso de la Legación española en Praga, que también sufrió la defección de sus representantes diplomáticos, estos dos objetivos se concretaron en la siguiente misión:[152] persuadir a los países democráticos que abandonaran la política de no intervención y proporcionen armas a la República; desactivar los esfuerzos diplomáticos de los facciosos; y, por último, recabar información acerca de los sublevados y sus aliados, sobre todo en Alemania (Eiroa 208). Para llevarla a cabo, el gobierno nombró a Luis Jiménez de Asúa (1889-1970), de quien ya hemos hablado

---

152. Como escribe Matilde Eiroa citando un libro de Marina Casanova: «El encargado de negocios Luis García Guijarro presentó su adhesión a la Junta de Defensa Nacional a fines de julio de 1936 mientras que el secretario de primera, Gaspar Sanz y Tovar, notificó su dimisión el 6 de agosto, aunque no volvió a Madrid, sino que permaneció en Checoslovaquia como agente de los rebeldes» (212 n10).

al principio del capítulo, para dirigir la Legación de Praga como Ministro de España en agosto de 1936. Allí, Jiménez de Asúa puso en marcha «instrumentos de carácter comunicativo –la creación de un Bureau de Prensa–, informativo –el montaje de una red de espionaje por Centroeuropa y el territorio ocupado por el ejército franquista– y propagandístico –la organización de actos cultura-les»– (Eiroa 208). La red de espionaje creada por Jiménez de Asúa, conocida como el Servicio de Información e Investigación, se convirtió en una impresionante fuente de inteligencia política y militar, notoria por la precisión y fiabilidad de sus informes. Encabezada por Leopold Kulcsar (1900-1938), un socialista austríaco refugiado en Checoslovaquia, llegó a contar con varias decenas de agentes que operaban en nueve países.[153] Como el trabajo en la Legación de Praga era abrumador, Jiménez de Asúa solicitó al Ministerio de Estado el traslado de su discípulo y amigo Francisco Ayala a Praga a los pocos meses de tomar posesión del cargo. El sábado 12 de junio de 1937 Ayala llegó a Praga para asumir el puesto de Secretario y Encargado de Negocios de la Legación. Se convirtió en la mano derecha de Asúa y participó en todas las actividades de la Legación hasta que la abandonó el 15 de abril de 1938 al ser reclamado de nuevo por el Ministerio de Estado.

Disponemos de los informes en los que Jiménez de Asúa rendía cuentas de las gestiones diplomáticas de la Legación al correspondiente Ministro de Estado –Julio Álvarez del Vayo desde agosto de

---

153. Según Eiroa, «la red de agentes pasó a controlar nueve países –Alemania (28-31 agentes), Checoslovaquia (31 agentes y ocho discontinuos), Austria (cinco agentes), Hungría (un agente), Polonia (un agente), Rumanía, Bulgaria, Yugoslavia e Italia (un agente para los cuatros países)–, un servicio de contraespionaje (cinco agentes), el llamado 'territorio rebelde' e instituciones concretas como la embajada británica en Praga y el MZV checoslovaco» (230).

1936 hasta mayo de 1937, José Giral desde mayo de 1937 hasta abril de 1938–, y su lectura revela con elocuencia que la profesión y la selección de lealtades siguió acompañando a Ayala durante su desempeño en Praga.[154] De la lectura de los informes, se desprenden tres grandes asuntos en relación con la cuestión de la lealtad: primero, las precarias condiciones materiales y políticas en las que Ayala y sus compañeros en la Legación tuvieron que defender la causa de la República; luego, las sospechas que Jiménez de Asúa y Ayala tenían acerca de la lealtad del agregado comercial de la Legación, Juan Renard Olivert, que fue finalmente cesado el 19 de diciembre de 1937; por último, la solidez de la lealtad de Ayala con la causa republicana, que se hizo patente en la respuesta que dio a la reclamación de información interpuesta ante la Legación de Praga por la desaparición de dos disidentes comunistas en España, Karl Bräuning y Waldermar Bolze.

En primer lugar, los textos acopiados testimonian las precarias condiciones en las que Ayala y sus compañeros en la Legación tuvie-

---

154. El relato que figura en las siguientes páginas está basado en los 76 informes que Luis Jiménez de Asúa remitió regularmente al Ministerio de Estado, entre el 19 de octubre de 1936 y el 7 de diciembre de 1938, detallando las actividades de la Legación española en Praga. Los informes se encuentran en el archivo Luis Jiménez de Asúa (ALJA) en la Fundación Pablo Iglesias (FPI). Cuando algunos de estos escritos llevan la firma de Francisco Ayala es por una de estas dos razones: bien porque Jiménez de Asúa estaba ausente de la embajada y entonces Ayala quedaba al frente de la misma como Encargado de Negocios o bien porque se trata de anexos a los informes de Jiménez de Asúa elaborados por el mismo Ayala. La mayoría de las menciones a Ayala y a sus actividades, sin embargo, figuran en los informes firmados por Jiménez de Asúa. Quisiera expresar mi gratitud a Manuel Gómez Ros, antiguo responsable de la biblioteca y el archivo de la Fundación Francisco Ayala y hoy director de esta, por proporcionarme una copia de los informes. Y a Carolina Castillo Ferrer por proporcionarme el vaciado de la información obtenida en los informes, lo que ha facilitado muchísimo mi tarea.

ron que desempeñar sus cargos. Las quejas de Jiménez de Asúa por la falta de dinero y la escasez de medios eran constantes. Se hicieron especialmente insistentes a lo largo del año 1938. En el informe 53, de 5 de febrero de 1938, por ejemplo, escribía: «No quiero insistir, porque no me moteje V.E. de tenaz, en describirle la situación económica desfavorable en que la Legación se encuentra»; en el 56, de 8 de marzo, seguía advirtiendo a su interlocutor «la insostenible e intolerable situación económica del Servicio de Información»; en el informe 61, de 22 de abril de 1938, Asúa continuaba lamentándose: «no hemos recibido en lo que va de año los gastos ordinarios; el crédito especial de correspondencia está agotado hace más de dos meses, y a pesar de nuestros insistentes requerimientos, no se envían los nuevos fondos». La situación era tan dramática que Jiménez de Asúa cerraba el informe con la exigencia al Ministerio de Estado de «que se decida de una vez si nos van a mandar o no las 200.000 pesetas oro que faltan del crédito concedido en diciembre para los gastos del Servicio de Información».

A las paupérrimas finanzas de la Legación se añadía otro obstáculo formidable: el progresivo debilitamiento de los apoyos que recibía la causa republicana en Checoslovaquia. Las expectativas de solidaridad que todavía cabía esperar en 1936, fundadas en los vínculos de simpatía que Jiménez de Asúa había logrado establecer con el presidente Edvard Beneš (1884-1948), se irían esfumando con el correr de los meses. Esta merma en la solidaridad hacia la República obedecía al progresivo deterioro de la situación política de Checoslovaquia durante la presidencia de Beneš (1935-1938). Desde el punto de vista de la política interior,

> [...] el paulatino cambio de tendencia que experimentó [el gobierno checoslovaco], desde un gabinete de coalición con fuerza y predominio socialdemócrata a una situación de pérdida de poder de los

partidos de izquierda frente a la presión del conservador Partido Agrario de Milán Hodža (presidente del Consejo de Ministros) y del Frente Patriótico de los Alemanes de los Sudetes fundado por el pro-nazi Konrad Henlein en 1935. (Eiroa 215)

Desde el punto de vista de la política exterior, las tensiones económicas, sociales y políticas de la época y, sobre todo, las ambiciones de la Alemania hitleriana sobre parte del territorio checoslovaco marcaron el rumbo de la joven república centroeuropea. Tras la derrota del Imperio austrohúngaro en la Primera Guerra Mundial, Checoslovaquia se había convertido en un Estado independiente (en parte gracias a la habilidad negociadora de Tomáš Garrigue Masaryk [1850-1937], fundador y primer presidente de la república).[155] En los años veinte, la prosperidad económica y el esplendor cultural asociado a las novelas filosóficas de Karel Čapek, las composiciones musicales de Leoš Janáček o las actividades del Círculo Lingüístico de Praga crearon un clima de optimismo en torno a las posibilidades de la democracia checoslovaca. Pero la crisis iniciada en Wall Street en 1929, las crecientes tensiones sociales y el problema de las nacionalidades –en especial el de la minoría alemana en los Sudetes, que nunca se llegó a resolver– ensombrecieron la situación de la joven república a principios de los años treinta. La inestabilidad alcanzó su punto culminante con los acuerdos de Múnich, suscritos el 29 de septiembre de 1938 por Neville Chamberlain (Reino Unido), Édouard Daladier (Francia), Benito Mussolini (Italia) y Adolf Hitler (Alemania). En virtud de dichos acuerdos, de los cuales Checoslovaquia estuvo ausente, se cedía una parte significativa del territorio soberano checoslovaco a Alemania (y luego a Hungría y Polonia).

---

155. Para una visión de conjunto de la política y la cultura checoslovacas entre 1918 y 1948, véase Bažant (239-305).

Esto significó la destrucción de Checoslovaquia como un Estado independiente. Como la Segunda República española, sucumbió ante la desastrosa política de no intervención y de apaciguamiento de las democracias occidentales.

A todo esto, y en relación con la situación de la Legación en Praga, debemos sumarle las intrigas promovidas por Gaspar Sanz y Tovar, antiguo representante diplomático de España en Praga que se pasó al bando faccioso y siguió residiendo en Praga, y los intentos de sabotaje llevados a cabo por la Gestapo. En el anexo 4 al informe 36-37, fechado el 23 de julio de 1937, Ayala se dirigía al ministro de Estado denunciando los «actos de provocación» por parte de agentes alemanes de la Gestapo «dirigidos a averiguar la supuesta organización de envío de voluntarios a España y a procurarse algún documento acreditativo de que esta misión diplomática se ocupa en asuntos que por resultar incorrectos, darían lugar, de ser ciertos, a un escándalo». Dentro de este clima hostil y enrarecido, persuadir a las potencias democráticas de que se apartaran de la política de no intervención se antojaba sumamente complicado. En el informe 45, de 31 de octubre de 1937, Asúa informaba a sus superiores que «el día 25 almorzó Ayala con el Secretario de la Legación soviética y le dijo que ellos nos ayudan en todo lo que pueden y que además presionan constantemente con el Gobierno checoeslovaco, para que este a su vez haga gestiones con Francia para que se nos restituyan nuestros derechos internacionales y nuestra libertad de comercio». Como sabemos, la libertad de comercio, que era sobre todo la libertad de adquirir unas armas que el gobierno republicano necesitaba con desesperación, nunca llegó a ser restituida. En el informe 43, también de octubre de 1937, Asúa identificaba con precisión las dificultades de su empresa al referir a sus superiores la opinión de Kamil Krofta, el ministro checoslovaco de Negocios Extranjeros, sobre los debates de la Asamblea de la Sociedad de las Naciones en la cuestión de España:

Según mis informes, [Krofta] ha dicho que viene verdaderamente asqueado de la mentalidad de Ginebra, absolutamente llena de hipocresía e incapaz de tomar una resolución firme en cuanto se presenta un asunto de gravedad. Krofta ha dicho: «Todo el mundo sabe que es Italia quien ataca a España, pero cuando Negrín y Litvinov dicen claramente quién es el agresor, las gentes se estremecen y afirman que el representante de España y de la U.R.S.S. tratan de perturbar la paz».

El progresivo aislamiento de la República española ya era evidente en marzo de 1938, cuando se produjo la invasión alemana de Austria. Uno de los últimos informes remitidos por Asúa, el 58, fechado en Praga el 24 de marzo de 1938, anunciaba la catástrofe que se abriría paso unos meses más tarde con los acuerdos de Múnich: «De fuente absolutamente segura sabíamos, según notifiqué a V.E., que en Sajonia y Silesia, fronterizas a Checoeslovaquia, el Reich alemán concentraba tropas». El inicio de un conflicto europeo ya se intuía. Es entonces cuando el miedo se apoderó de los interlocutores de Jiménez de Asúa y de Ayala en el Ministerio de Negocios Extranjeros. Como explicaba Asúa en el mismo informe, «el Sr. Ayala pudo comprobar el día 18 un temor rayano casi en el pánico, entre los funcionarios del Ministerio de Negocios Extranjeros con quienes habló». En esas condiciones, cualquier intento de mediación en favor de la causa republicana resultaba poco menos que una quimera.

A pesar de la precaria situación económica de la Legación, de la creciente hostilidad del ambiente político checoslovaco hacia la República, de la indecisión y la cobardía de las potencias democráticas, e incluso del miedo que a partir de la primavera de 1938 atenazaba a los funcionarios checoslovacos, Ayala no solo se mantuvo firme en su compromiso con la causa republicana sino que también tuvo que hacer frente a las actividades de sabotaje que provenían del interior mismo de la Legación. No pocas fueron las energías que Jiménez de Asúa y Ayala dedicaron a esclarecer el llamado caso Renard, que ocupa varios informes. La conducta del agregrado comercial de la embajada, Juan Renard Olivert, había levantado las sospechas del resto de funcionarios. Como figura en el anexo número 5 a los informes 36 y 37, fechado en Praga el 4 de agosto de 1937, Kulcsar, el jefe de Información de la Legación opinaba que «de todos los hechos hasta ahora averiguados se deduce que don Juan Renard Oliver (sic) y su esposa, María Palao Martialay, son vivamente sospechosos de ser agentes del espionaje militar alemán en España, encargados de mantener la comunicación entre la organización de este espionaje en España y el centro del mismo en Alemania». Según se desprende del informe 40, de 27 de agosto de 1937, Ayala viajó a Valencia y expuso al Gobierno «todas las sospechas que nos ha engendrado la conducta del agregado comercial» y entregó «cartas y documentos con un informe en español, un resumen de conclusiones y varios anexos». Después de examinar toda la documentación, el Gobierno cesó a Renard Olivert el 19 de diciembre de 1937.

Más allá de las difíciles condiciones materiales y políticas en las que Ayala profesó y seleccionó lealtades, hay un incidente que puso a prueba, y acreditó, la solidez de su propia lealtad hacia el régimen republicano. Me refiero a la respuesta que tuvo que dar a la petición de información acerca de Karl Bräuning (1886-1962) y Waldermar Bolze (1886-1951), dos disidentes del Partido Comunista Alemán que habían luchado en el bando republicano integrados en las milicias organizadas por el Partido Obrero de Unificación Marxista (POUM).[156] Destinados a una fábrica de aviación de Sabadell, fue-

---

156. El testimonio más famoso de las actividades de las milicias del POUM en el frente de Aragón es el que dio el escritor inglés Eric Blair (George Orwell) en su conocidísimo *Homenaje a Cataluña* (1938), en el que a su vez está basada la

ron detenidos en marzo de 1937 y trasladados al convento de Santa Úrsula en Valencia, siniestro centro de detención de la NKVD (la policía política y de seguridad del Estado soviético, antecedente del KGB). Por supuesto, Ayala ignoraba estos detalles porque se trató de una operación clandestina, hecha a espaldas del Gobierno de Valencia. De ahí que, cuando llegó a la Legación de Praga una carta firmada por Christian Bloss y Josef Valkl el 22 de septiembre de 1937 en la que se pedía información sobre el paradero de Bräuning y Bolze, Ayala respondiera que tendría mucho gusto en dirigirse «a las autoridades correspondientes para pedirles noticias acerca de la situación de los dos mencionados señores» (Anexo 15 al informe 43, 12-X-1937). Además, aprovechó la respuesta a Bloss y Valkl para negar contundentemente que la detención de esos voluntarios alemanes obedeciera a motivos políticos:

> Tengo que rechazar con la mayor energía el supuesto de que se encuentran detenidos por exigencia (*sic*) del Comité Central del Partido Comunista de Alemania. Es ofensivo para el Gobierno que represento lo que Uds. se atreven a afirmar en su carta. Las autoridades españolas no obedecen indicaciones de ninguna organización extranjera, como tampoco realizan detenciones injustificadas y arbitrarias, tal como Uds. quieren presentar.
>
> De la misma manera rechazo la expresión «métodos de terror del Partido Comunista en el territorio de la República Española» por ser falsa, injusta e intolerable. El Partido Comunista Español es uno de los partidos que constituye el Frente Popular y que está representado en el Gobierno del mismo, sin que a nadie, y muchos menos a extranjeros, le sea permitido hablar de unos métodos de terror que no existen ni se practican.

---

película de Ken Loach *Tierra y libertad* (1995). Bolze aporta detalles acerca de su detención y de la de Bräuning en su testimonio «Where are the real saboteurs?».

Esta carta firmada por Ayala constataba, una vez más, su lealtad sin fisuras hacia el Gobierno de la República. Cuando se cernió una sospecha sobre la conducta del Gobierno, Ayala salió a defender la independencia y la honorabilidad de la institución para la que trabajaba, ligando de alguna manera el destino de esta con el suyo personal. Al ataque contra los métodos empleados por la República durante la guerra, respondió afirmando públicamente la rectitud de su proceder. Como deja claro en una ulterior nota dirigida al ministro de Estado en Valencia, de 27 de septiembre de 1937, la intención de la carta era «cortar en seco este asunto». Pero Ayala era todo menos ingenuo, y más allá de su lealtad, su razón le decía que algo más podía haber en el caso de Bräuning y Bolze. Por eso, en esa misma nota Ayala pidió aclarar privadamente la situación de los dos detenidos: «Convendría en todo caso que V.E. dispusiera se envíe a esta Legación noticia de lo que haya de cierto en el asunto de los dos extranjeros objeto de dichas cartas, y que tuviera a bien dar copia de ellas al Ministerio de la Gobernación y a la Sección de Información del Ministerio de Estado». En pocas palabras: Ayala respondió a las dificultades reafirmando públicamente su compromiso con el Gobierno republicano, pero, al mismo tiempo, también expresó privadamente la posibilidad de que las acusaciones contra el Partido Comunista tuvieran un fondo de verdad. Quería saber, en definitiva, lo que había de cierto en el asunto.

La lealtad y la traición en tiempos oscuros: la información visible y la invisible

De alguna manera, la detención de estos dos voluntarios alemanes nos permite indagar en los límites de la lealtad, una cuestión especialmente compleja en una situación de guerra: ¿hubo un momento en que las conductas desplegadas por el Gobierno de la República o en el territorio bajo su control dejaron de merecer la lealtad de sus partidarios? Y ¿qué riesgos y peligros suponía dejar de profesar lealtad hacia la República cuando el esfuerzo bélico del bando nacional estaba basado en el exterminio planificado de una parte de la población? Siguiendo una larga tradición filosófica cuyo penúltimo eslabón es la obra de Alasdair McIntyre, Fletcher nos recuerda que la diferencia entre lealtad e idolatría es a menudo una mera diferencia de grado: «La adhesión ciega a un objeto cualquiera de lealtad –ya sea un amigo, un amante o la patria– transforma la lealtad en idolatría. Hay un peligro moral en considerar que una persona o entidad particular pudieran convertirse en la fuente definitiva del bien y del mal» (6).[157] La lealtad absoluta e incondicional, más allá de cualquier consideración moral, indica Fletcher, deja de ser una virtud y se convierte en un vicio.[158]

La aclaración interna solicitada por Ayala acerca de la situación real de Bräuning y Bolze muestra que su lealtad hacia la República fue una adhesión sólida, pero en ningún caso fue un compromiso ciego o absoluto. Que pidiera aclaraciones sobre la detención de Bräuning y Bolze muestra dos cosas: que nunca llegó a considerar a la República como fuente definitiva del bien y que la razón siguió guiando su conducta (aunque la relegara al ámbito privado). Si en la respuesta oficial a la detención de los dos disidentes alemanes puso

---

157. «Blind adherence to any object of loyalty –whether friend, lover, or nation– converts loyalty into idolatry. There is a moral danger in thinking that any concrete person or entity could become the ultimate source of right and wrong».

158. Esta concepción de la lealtad como virtud puede compararse con la de Simon Keller, quien en su valiosa reflexión acerca de los límites de la lealtad, niega que lo sea (aunque reconoce que ciertas formas de lealtad pueden ser virtuosas).

por encima de todo los intereses de la República, mi impresión es que lo hizo porque era su deber como diplomático al servicio de la República y, como tal, su prioridad era hacer todo lo necesario para ganar la guerra. De alguna manera, sabía que la alternativa –la victoria del bando nacional– iba ser infinitamente peor para una mayoría de la población.

Lo que la detención de Bräuning y Bolze también puso de manifiesto es que había dos tipos de información disponible para los actores de la guerra: una información visible y otra invisible. Esta diferencia fue particularmente importante para los funcionarios del servicio diplomático que, en mayor o menor medida, participaron en actividades de espionaje y contraespionaje.[159] Como hemos visto en el caso de Juan Renard Olivert, cuando Ayala alcanzó la conclusión de que la conducta de este era desleal, basó su decisión en la información recopilada en cartas, documentos e informes que presentó al Gobierno de Valencia. Parte de esta información era visible para Ayala, que trabajaba con Renard y lo observaba en su conducta diaria. Otra parte, la recopilada por Kulcsar y los servicios de contraespionaje de la Legación de Praga, era invisible (hasta que se materializó en los informes). Una estructura similar, pero todavía más clara, informó su respuesta a la detención de Bräuning y Bolze: como no disponía de información visible acerca del caso, optó en primera instancia por reafirmar su lealtad hacia la República, a la

---

159. Aunque oficialmente Ayala se desplazó a Praga para ejercer como Secretario y Encargado de Negocios de la Legación, no hay que descartar que también participara en tareas de inteligencia (eso se desprende, al menos, del certificado expedido por el Servicio de Investigación Militar el 5 de julio de 1938 en Barcelona, en el que se da fe de la buena conducta de Francisco Ayala García Duarte, que estaba «afecto a este Servicio»). Véase «Certificado del Secretario del Servicio de Investigación Militar».

vez que, en un segundo momento, solicitó a las autoridades que compartieran la información invisible que podía haber sobre esas detenciones.

Hoy disponemos de información sobre esas dos detenciones que era invisible para Ayala a finales de septiembre de 1937. Por ejemplo, sabemos que las detenciones de esos dos voluntarios alemanes en España eran parte de las actividades llevadas a cabo por la inteligencia soviética durante la Guerra Civil para eliminar a la disidencia anarquista y trotskista. En el centro de esta trama se encontraba Alexander Orlov, un agente de la NKVD que asumió el mando de la organización en España a partir de febrero de 1937.[160] En el contexto de la represión ulterior a los hechos de mayo de 1937 en Barcelona, donde grupos anarquistas y trotskistas se enfrentaron al Gobierno de la República, a la Generalitat de Cataluña y a grupos comunistas y socialistas, su tarea principal consistió no solo en la detención de los disidentes comunistas que por aquellos años estaban actuando en España sino, directamente, en su eliminación. Su víctima más famosa fue el dirigente del POUM Andreu Nin, pero hubo muchas otras. Se calcula que llegó a haber unas veinte víctimas: entre ellas Mark Rein, el hijo del líder menchevique Rafail Abramovich; Erwin Wolf, que había sido el secretario de Trotsky durante su exilio en Noruega (1935-1936); y Kurt Landau, un trotskista austríaco muy próximo a las posiciones del POUM.[161] Rein desapareció el 9 de

---

160. Tomo la información que sigue acerca de las actividades clandestinas de Orlov y de otros agentes soviéticos en España de Paul Preston, *The Spanish Holocaust*, pp. 406-419. Boris Volodarsky le ha dedicado una fascinante monografía a Orlov, en la que aporta abundante información sobre sus siniestras operaciones en España durante la Guerra Civil en pp. 135-351.

161. Su esposa Katja Landau (Julia Lipschutz) es autora del panfleto «Stalinism in Spain» (1938), donde denunció muchos de estos crímenes. Desacreditado por

abril de 1937 cuando salió del Hotel Continental en Barcelona; Wolf fue arrestado por actividades subversivas el 27 de julio de 1937 en Barcelona, liberado al día siguiente, e inmediatamente devuelto a la cárcel hasta el 13 de septiembre de 1937, cuando fue oficialmente puesto en libertad; Landau fue arrestado el 23 de septiembre de 1937, también en Barcelona. Como ocurrió con Rein, ni Wolf ni Landau fueron vistos de nuevo.

Hoy sabemos que los disidentes comunistas fueron asesinados y que el cerebro de todas estas operaciones fue Orlov. Pero todavía hay más: también sabemos que uno de los agentes reclutados por la NKVD fue Leopold Kulcsar, el jefe del Servicio de Información e Investigación de la Legación en Praga. En su biografía de Orlov, Boris Volodarsky afirma que «es probable que Kulcsar fuera reclutado o bien en Viena (donde un oficial muy experimentado de la NKVD llamado Vasili Roschin operó bajo protección diplomática entre 1935 y 1938) o bien en Praga (donde Peter Zubov encabezó el servicio de la NKVD en 1937-1939). En noviembre de 1937, Kulcsar fue enviado a España y empezó a trabajar para Orlov» (277).[162] En efecto, la fecha de noviembre de 1937 también aparece en los informes de Jiménez de Asúa. Allí se reseña que Kulcsar viajó a España, pero que lo hizo para visitar la tierra por la que estaba luchando y para reencontrarse con su esposa Ilsa, que trabajaba junto

---

el estalinismo como propaganda y explotado políticamente por los anticomunistas, el panfleto da noticia de la desaparición de varios disidentes comunistas, desde Andreu Nin y Kurt Landau hasta Marc Rein [Rhein en la ortografía del panfleto], Erwin Wolf y Hans Freund.

162. «It is likely that he had been recruited either in Vienna (where a very experienced NKVD officer named Vasili Roschin was the NKVD legal resident in 1935-8), or in Prague (where Peter Zubov headed the NKVD station in 1937-1939). In November 1937 Kulcsar was sent to Spain and started working for Orlov».

con el que unos años después se convertiría en su esposo, Arturo Barea, futuro novelista y por aquel entonces responsable de censura de la prensa extranjera en el Ministerio de Estado en Madrid. Según consta en el informe 53, de 5 de febrero de 1938:

> En el mes de noviembre quiso Kulcsar ir a España. Este deseo, manifestado en otras ocasiones con grande empeño, era lógico desde el punto de vista sentimental y práctico. Kulcsar había ya llegado a ser un español y amaba a nuestra tierra tanto como a la suya. Los entusiasmos por nuestros triunfos y los dolores por nuestros reveses los sentía tan en el fondo del corazón como los funcionarios españoles de esta casa.

Para Jiménez de Asúa –y en esta apreciación coincidía Ayala, como veremos enseguida–, Kulcsar no tenía otras razones para viajar a España que aquellas de orden «sentimental y práctico». Volodarsky, sin embargo, nos dice que fue enviado a España en una misión especial relacionada con Kurt Landau (275-278). De hecho, la esposa de Landau, Katja, que también fue detenida en Barcelona, pero logró salir con vida, asegura que Kulcsar fue uno de los agentes de la NKVD que la interrogaron en un centro de detención secreto radicado en el número 104 del Paseo de San Juan. De acuerdo con el testimonio de Landau, que reconoció a Kulcsar porque ambos habían militado en el Partido Comunista Austríaco a mediados de los años veinte, este se dirigió a ella en los siguientes términos:

> Me he desplazado hasta aquí para cumplir un encargo especial en el caso Landau. Mi misión histórica es aportar las pruebas necesarias para demostrar que, de veinte trotskistas, dieciocho son fascistas, agentes de Hitler y Franco. Tal vez, subjetivamente, seas una recta partidaria de la revolución, pero estás convencida de que

una victoria de Franco sería más favorable para llevar a cabo tus ideas trotskistas que una victoria del estalinismo («Stalinism in Spain»).[163]

Después de cumplir su misión en España, Kulcsar regresó a Praga a finales de diciembre de 1937.[164] Aquejado de graves problemas

---

163. «I have come on a special assignment for the Landau case. My historic mission is to furnish proof that out of twenty Trotskyists, eighteen are fascists, agents of Hitler and Franco. Perhaps subjectively you are a good revolutionary, but you are convinced that the victory of Franco would be more favourable to the realisation of your Trotskyist ideas than the victory of Stalinism».

164. La visita de Kulcsar a España también está recreada en la tercera parte de la novela autobiográfica de Arturo Barea *La forja de un rebelde*. Allí Arturo Barea enfatiza la dimensión personal de la visita de Kulcsar, que quería recuperar a la que legalmente era todavía su esposa, Ilsa, quien por ese entonces había iniciado una relación con Barea. Pero además de aportar observaciones sobre la esencial bondad de Kulcsar, en lo que coincidía con Ayala y Jiménez de Asúa, Barea deja claro que Kulcsar estaba en Barcelona no solo por un motivo personal (intentar recuperar a su esposa): «Poldi estaba en el mismo despacho, hojeando un montón de papeles relacionados con su misión oficial, material acerca de los líderes extranjeros del POUM catalán que habían sido arrestados bajo la sospecha de un complot internacional» (319). Unas líneas más adelante, Barea recrea el encuentro entre Ilsa y Katja Landau (aunque no la identifica con su nombre) así como el interrogatorio que le hizo Kulcsar: «Otro agente trajo otra mujer prisionera, una mujer menuda, con facciones tensas y amargadas y los ojos oscuros, dilatados, de un animal perseguido. Se dirigió a Ilsa:

—Tú eres Ilsa. ¿No te acuerdas de mí, hace doce años en Viena?

Se estrecharon las manos e Ilsa se quedó rígida en su silla. Poldi comenzó a interrogar, un fiscal perfecto en un tribunal revolucionario, en el que nuestra presencia parecía desvergonzada. Estaba pensando en cómo le debía sonar su voz en sus propios oídos. Indudablemente aquello era la realización de un sueño o tal vez lo que había imaginado en prisión, cuando le habían arrestado por su participación en la huelga general de Austria contra la otra guerra, y no era más que un muchacho incierto, ambicioso e imaginativo. Ahora estaba ejerciendo lo que concebía su deber, y lo terrible era que su poder sobre los otros le proporcionaba un placer. En la luz amarillenta sus ojos estaban hundidos como las órbitas de una calavera» (319).

de salud, se trasladó a un sanatorio para recuperarse. Uno de sus médicos opinó que «se hallaba tan solo afectado por una gran crisis de fatiga y por fenómenos nerviosos agudos» (Informe 53, 5-II-1938). Falleció el 28 de enero, causando una sincera consternación en el personal de la Legación. En el informe 53, donde figura un relato pormenorizado de los últimos días de Kulcsar, Jiménez de Asúa explica que durante su entierro tomó «la palabra en nombre de España» e hizo «a Kulcsar los honores de un hombre que ha muerto en el frente de la democracia y en la defensa de nuestra Patria». Del informe se desprende la imagen de Kulcsar como un defensor entusiasmado y sincero de la causa republicana, una persona extravagante y encantadora y, en fin, un compañero noble y desinteresado. A los ojos de Asúa, Kulcsar representaba el paradigma de la lealtad en toda su pureza. ¿Llegaron a saber Jiménez de Asúa y Ayala que, además, había actuado como agente de la NKVD durante su visita a España?

Por lo que figura en los informes de la Legación y en otros documentos, nunca llegaron a sospecharlo. No hay referencia o insinuación alguna acerca de la posibilidad de que Kulcsar hubiera actuado al servicio de la Unión Soviética. En parte, esto se puede explicar por algo que Jiménez de Asúa indica en el informe 53: Kulcsar había gozado «de una autonomía absoluta en la organización del servicio y por tanto yo [Asúa] no lo conocía ahora al detalle». De entrada, la información visible de la que disponía Asúa sobre Kulcsar y sus actividades era bastante limitada. Algo parecido ocurrió con Ayala, que muchos años después de los hechos seguía recordando a Kulcsar como un partidario leal de la causa republicana y un buen amigo. Entre 1959 y 1961, Ayala intercambió algunas cartas con Ilsa Barea, que había estado casada con Kulcsar y a la que ya he hecho referencia, porque la editorial Macmillan le había encargado la traducción al inglés de *Muertes de perro*. Al entrar en contacto con Ayala, Barea hace referencia a Kulcsar con cierta prevención (¿porque ella estaba al tanto de las actividades de su primer marido al servicio de la Unión Soviética?). Después de comunicarle a Ayala algunos pormenores de la traducción, Barea le pregunta: «Y ¿me equivoco si creo que usted ha conocido a mi primer marido en Praga, a Leopold Kulcsar? Ya sé que esto, si es así, puede haberle causado alguna, digamos, inhibición hacia mi persona: pero ¡han pasado tantos años y tantas cosas!» («Carta de Ilsa Barea a Francisco Ayala», 27-IX-1959). En su respuesta, Ayala, lejos de expresar prevención alguna hacia Kulcsar, lo recuerda en términos decididamente afectuosos:

> En efecto, conocí a Leopold Kulcsar, fui amigo suyo y asistí a su muerte. Era un hombre excelente, y siempre nos habló de usted con respeto y entusiasmo; inclusive nos contó la entrevista con ustedes, tal cual luego había de relatarla Arturo en su libro. En cierto modo, mi amistad hacia usted pasa a través del recuerdo de aquellos años inolvidables y sin embargo, tan amargos de recordar. («Carta de Francisco Ayala a Ilsa Barea», 3-X-1959)

Unos veinte años después, en *Recuerdos y olvidos*, Ayala seguía manifestando hacia Kulcsar el afecto más sincero, precisando que «Kulçar [así escribe Ayala su nombre] era persona encantadora: fino, agudo, bondadoso. Su entusiasmo por nuestra causa resultaba conmovedor» (*Obras* II: 259). Sin duda, Kulcsar podía ser todas estas cosas y, a la vez, un agente de la NKVD. Pero si Ayala lo hubiera sospechado, ¿habría hablado de él en esos términos y le habría dedicado páginas tan elogiosas en sus memorias?

En cualquier caso, lo que revela el caso de Leopold Kulcsar es la complejidad extrema inherente a la profesión y selección de lealtades en un escenario de guerra. Al principio del capítulo, decíamos que una de las exigencias conceptuales de la lealtad era la aparición de la parte contraria, del competidor que es susceptible de exigir sus propias lealtades y sancionar sus particulares traiciones. En la Guerra Civil española, los competidores proliferaron por todas partes, pero sobre todo en el bando republicano. Y es que, al modelo de nación propuesto por los leales a la República, debemos sumar la atracción que ejercieron la Unión Soviética (como demuestra el caso de Kulcsar) y la utopía revolucionaria disidente del estalinismo y su deriva totalitaria (sería el caso del POUM y sus simpatizantes). Como demostraron los hechos de mayo de 1937 en Barcelona, el enfrentamiento entre estas lealtades llegó a convertirse en una lucha mortal. A todo ello, debemos añadir otra dificultad: la profesión y selección de lealtades estaba condicionada tanto por la información (visible e invisible) disponible en cada momento como por una serie circunstancias que escapaban al control de los actores (las campañas de sabotaje y desinformación, reales o imaginarias, realizadas contra un adversario –un desleal– demasiado molesto). Muchas lealtades no fueron libremente escogidas, sino impuestas por la violencia y el miedo. Otras, como revela el caso de Kulcsar, resultaron opacas durante largo tiempo. Por eso todavía adquiere más valor la actitud de los que, como Ayala, se mantuvieron leales al Gobierno de la República en ese escenario endiablado.

Concluida la misión en Praga en abril de 1938, Ayala fijó su residencia en Barcelona entre mayo de 1938 y enero de 1939, donde luchó por gestionar la derrota de la República con dignidad. En julio de 1938, Ayala fue nombrado secretario general del Comité Nacional de Ayuda a España, un organismo encargado de coordinar la ayuda extranjera que por aquel entonces llegaba a la España republicana. A medida que los rebeldes iban avanzando sobre las posiciones republicanas, la miseria y los sufrimientos de la población se convirtieron en una cuestión candente. En *La Vanguardia* del 23 de julio de 1938 apareció una nota que informaba de la conferencia internacional de ayuda a España que se celebró en París el día anterior, el 22 de julio. Allí se afirmaba que «el problema de la vigilancia y el mantenimiento de varios miles de huérfanos cuyas madres y padres han muerto o desaparecido en el curso de la guerra en España, ha sido una de las cuestiones más importantes discutidas hoy en la Conferencia de ayuda a los niños españoles» («La Conferencia Internacional»). En la misma nota se reproducían unas declaraciones de Ayala en su calidad de secretario general del Comité Nacional de Ayuda a España, en las que explicaba que «el fin de esta nueva organización es únicamente canalizar la ayuda a España, pero que no interferirá en modo alguno el trabajo de otras organizaciones que en la hora presente prestan su ayuda a la España republicana» («La Conferencia Internacional»).

Con el correr del año 1938, la República esencialmente digna de 1931, con la que Ayala se comprometió y por la que luchó hasta el final, fue desapareciendo bajo las bombas y los ataques del ejército rebelde. A partir de la frustrada ofensiva republicana en la batalla del Ebro (julio-noviembre de 1938) y la ulterior caída de Cataluña, la República por la que Ayala regresó a Madrid desde Buenos Aires, en el ya lejano verano de 1936, empezó a ser definitivamente borrada del mapa. El 23 de enero de 1939 Ayala abandonó España con destino a Francia. Se disponía, sin demasiadas ilusiones ni esperanzas, a hacer el trayecto inverso del verano de 1936. El exilio argentino de Ayala, que se prolongaría durante casi diez años y solo fue interrumpido por una corta estancia en Brasil, propició una redefinición de su tarea como intelectual. La experiencia viva de la Segunda República y de la guerra de 1936, junto con la ausencia de un público nacional, imponían unas condiciones absolutamente novedosas. ¿Qué modelo de intelectual propuso Ayala en este periodo extraordinariamente fértil de su carrera, el que va de 1939 hasta 1949? Y ¿qué papel jugaron en él la razón y las emociones, habida cuenta de que Ayala se desvinculó afectivamente tanto del pasado bélico como del régimen republicano en el nuevo escenario abierto por el exilio? A contestar estas dos preguntas dedicaré el último capítulo del libro.

Desde el mirador del exilio.
Duelo, experiencia y universalismo

Con la asignación que recibió como miembro del Comité Nacional de Ayuda a España, y gracias a un visado expedido por la Legación de Cuba en París, Ayala emprendió con su familia la larga travesía del exilio. Se embarcó en el puerto de Saint Nazaire y, tras cumplir varios trámites en La Habana, Valparaíso y Santiago de Chile, finalmente se estableció en Buenos Aires en agosto de 1939. Que escogiera Buenos Aires como destino de su destierro no fue casualidad, pues allí, como vimos en el capítulo anterior, ya había impartido una serie de conferencias a finales de julio de 1936 y disponía de algunos contactos vinculados a la Institución Cultural Española y al grupo de *Sur*, la revista de Victoria Ocampo. Además, la ciudad era la sede de numerosas e importantes editoriales, entre las que destacaban las recientemente fundadas Sudamericana y Losada.[165]

---

165. Ortuño Martínez (115-118) estudia la inserción de los exiliados en la industria del libro argentino y Gómez Ros ofrece una relación panorámica de las actividades de Ayala como editor durante el exilio. Sobre la llegada de Ayala a Buenos Aires y su inserción en las redes de sociabilidad intelectual de la capital argentina, véase la excelente introducción de Giulia Quaggio a *Una doble experiencia política*; Escobar aborda la ulterior vinculación de Ayala con la Universidad Nacional del Litoral de la ciudad de Santa Fe, donde ejerció como profesor de Sociología entre 1941 y 1943; y Emiliozzi recoge y estudia las contribuciones de Ayala en el diario *La Nación* de Buenos Aires, desde su llegada a la capital argentina hasta 1993. De forma más general, Schwarzstein y Ortuño Martínez abordan el exilio de posguerra en Buenos Aires.

Tal vez por esta sensación de no tener que partir de cero en la tierra que iba a acogerle, o tal vez por una cuestión de personalidad, Ayala partió hacia el exilio sin ilusiones pero con serenidad, dispuesto a forjarse un destino lejos de su patria. En *Recuerdos y olvidos* encontramos la siguiente anotación: «Sabía que había salido de España para muchísimo tiempo, quizá para siempre, y sin querer engañarme con falsas esperanzas, me dispuse a rehacer mi vida al otro lado del Atlántico» (*Obras* II: 267-68).

Al disponerse a rehacer su vida en Argentina, Ayala tuvo que considerar qué podía llegar a significar la lealtad al Gobierno republicano después de la derrota militar. En la medida en que la lealtad es constancia y persistencia en un vínculo, podemos identificarla como una actitud más orientada al pasado que al futuro. O mejor dicho: es una actitud que necesita mantener vivos los vínculos creados en el pasado con su objeto para poder seguir siéndole fiel en el presente (y en el futuro). Como decía Fletcher, en las lealtades de la gente siempre encontramos su historia (7). Esta historia le permitió a Ayala mantenerse leal al Gobierno legítimo desde el primer hasta el último momento de la guerra. Pero cuando la República dejó de existir en tanto régimen dotado de eficacia política el 1 de abril de 1939, el vínculo histórico que unía a Ayala con esa forma de Estado se disolvió. Ayala mantuvo su lealtad a las ideas de libertad, igualdad y democracia encarnadas en las instituciones políticas republicanas, pero no podía seguir siéndolo a las instituciones mismas, a la República como entramado institucional. Para alguien formado «en el campo de las disciplinas del Estado», como él mismo nos recordó en 1944 en el prólogo a *Los políticos* (*Obras* V: 633), y para alguien que desarrolló la primera parte de su carrera en las instituciones del Estado, resultaba poco menos que una insensatez seguir siendo leal a unas instituciones que, o bien habían desaparecido, o bien habían quedado reducidas al estatuto de ficciones jurídicas. En una fecha tan temprana como 1943, Ayala ya juzgaba los intentos de restauración de la República llevados a cabo por algunos exiliados como un despropósito en la medida en que carecían de un «artilugio institucional adecuado» en el que asentarse (*Obras* V: 722).

De entre las muchas cosas que significó el exilio para Ayala, hay una que sobresale por encima de las demás: la temprana consideración de la guerra como un pasado políticamente clausurado y de la derrota política como algo irreversible. De alguna manera, Ayala comprendió muy pronto que si quería adaptarse a la nueva vida que le había sido impuesta por las circunstancias del exilio, tenía que empezar a elaborar la pérdida simbólica de lo que representaban la guerra y la República. Hasta la primavera de 1939, la República había encarnado para él la dignidad política y nacional; a partir de la primavera de 1939, supo que su pérdida era irrevocable y que debía asumirla como tal si quería superar la derrota política y desarrollar un programa intelectual acorde con el nuevo escenario internacional que se estaba dibujando durante la Segunda Guerra Mundial.

A diferencia de los exiliados que, en 1945, creían que la derrota del Eje abría la posibilidad de un cambio de régimen en la España franquista, Ayala nunca creyó en ella.[166] Por eso, en lugar de alimentar proyectos de futuro que él juzgaba improbables, volvió la mirada hacia su pasado inmediato con la intención de desvincularse política y afectivamente de él para, de esta manera, poder aceptarlo y superarlo. Todos los textos analizados en este último capítulo, fechados entre 1939 y 1944, apuntan en esa dirección. Como veremos en las páginas que

---

166. Sobre los menguantes apoyos internacionales a la República entre el final de la Segunda Guerra Mundial y los primeros años cincuenta, véase Caudet, *Hipótesis sobre el exilio republicano de 1939*, pp. 223-243; Faber, *Exile and Cultural Hegemony*, pp. 153-155; Gracia, *A la intemperie*, pp. 24-27.

siguen, la vida afectiva (incluidas las emociones propias del duelo y los aspectos no racionales de la experiencia) tuvieron un papel crucial en ese proceso. Son tres los grandes temas que analizaré en este capítulo: primero, el duelo por las pérdidas colectivas y personales objetivado en «Diálogo de los muertos. Elegía española» (1939), una conmovedora reflexión sobre la Guerra Civil en la que Ayala se distancia claramente de las pasiones que agitaron el conflicto, y en «Día de duelo» (1942), un texto que recrea la muerte de la madre; luego, la desvinculación afectiva respecto de la República gracias al concepto de «experiencia viva», que Ayala desplegó en *Una doble experiencia política: España e Italia* (1944), testimonio del intercambio intelectual que mantuvo con el filósofo del derecho italiano Renato Treves; y, finalmente, el horizonte intelectual construido por el ensayo *Razón del mundo* (1944), donde Ayala sigue confiando en la razón como guía imperfecta de un nuevo tipo de intelectual (se trataba de una razón que se nutría de la cultura humanística española del siglo XVI y que rectificaba las tendencias destructoras del proceso de modernización como el desarrollo de la razón instrumental y la desvinculación de la política de cualquier principio ético). El objetivo último de este nuevo horizonte intelectual era superar los límites de la cultura nacional mediante el inicio de un diálogo con un público más amplio, tanto en América como en España y, a largo plazo, forjar un nuevo horizonte de convivencia en España, lo que por aquel entonces era un propósito tan invisible como irrealizable.

Desde el mirador del exilio

El 3 de mayo de 1938, en una Barcelona que todavía se recuperaba de los bombardeos fascistas de unas semanas atrás, Antonio Machado escribió en las páginas de *La Vanguardia* una sentencia enigmática: «Colocados en este mirador, el que nos proporciona la guerra, claramente vemos que lo terriblemente monstruoso es lo que llamamos paz» (185). ¿Cómo podía afirmar Machado que lo terriblemente monstruoso era la paz cuando Barcelona seguía hundida en la angustia y la ruina provocadas por las bombas? «La hoguera de la guerra nos ilumina y nos ayuda a ver la paz», proseguía Machado. Y lo que entonces llegó a percibir, en los países que como Francia o Inglaterra todavía no estaban en guerra en 1938, era la normalización de lo inhumano y lo aberrante. Solo desde el mirador de la guerra, insistía Machado, era posible percibir que para «millones de obreros sin trabajo que literalmente se mueren de hambre» la paz no era otra cosa que una «monstruosa contienda» (185); y solo desde el mirador de la guerra, resultaba concebible considerar que la ausencia de conflictos armados en los países vecinos era poco más que «un equilibrio entre fieras» (186). Contemplados desde la guerra, el presente –y aun el pasado– se abrían a nuevos significados. La guerra tornaba lo familiar extraño y, de paso, desentumecía los sentidos, rompía inercias y afilaba la percepción. Machado se aplicó a pensar su presente a partir de la catástrofe de la guerra en una serie de artículos publicados en *La Vanguardia* entre el 3 de mayo de 1938 y el 6 de enero de 1939, titulada, precisamente, «Desde el mirador de la guerra». Lo hizo porque estaba convencido de que todos los intelectuales tenían el deber de pensar el presente a partir de la guerra:

> Cierto que la guerra reduce el campo de nuestras razones, nos amputa violentamente todas aquellas en que se afincan nuestros adversarios; pero nos obliga a ahondar en las nuestras, no solo a pulirlas y aguzarlas para convertirlas en proyectiles eficaces. De otro modo, ¿qué razón habría para que los llamados intelectuales tuvieran una labor específicamente suya que realizar en tiempos de guerra? (184)

El ímpetu y la coherencia que hacen posible este discurso revelan bien a las claras que la guerra fue para Machado un lugar de enunciación excepcional, un espacio que hacía posible un tipo de conocimiento distinto al habitual. De alguna manera Ayala, en su exilio porteño, recogió el guante lanzado por Machado unos años antes y se aplicó a pensar su presente desde otro lugar de enunciación excepcional: el mirador del exilio, una atalaya que en muchos aspectos seguía siendo el mirador de la guerra. Desde este mirador, Ayala asumió y superó la catástrofe de la Guerra Civil porque el exilio le permitió encarnar lo que Edward Said llamó la «doble perspectiva» o la «perspectiva exiliada». El auténtico intelectual, según Said, desarrolla una posición epistémica en la cual «una idea o una experiencia se contrapone con otra, de tal manera que ambas aparecen a menudo bajo una luz nueva o impredecible» y «las situaciones [aparecen] como algo contingente, no inevitable, como el resultado de una serie de elecciones históricas efectuadas por hombres y mujeres» (60).[167] Forzado por el exilio a comparar su naturaleza histórica española con las realidades diversas de una diáspora que empezó en Argentina (con un intermedio brasileño) y luego prosiguió en Puerto Rico y los Estados Unidos, Ayala se construyó una mirada que potenció dos formas de pensamiento que venía desarrollando desde los inicios de su carrera: la aspiración al universalismo (entendido como inclinación a pensar más allá del marco del Estado-nación) y la sensibilidad hacia las contingencias históricas (la perspectiva historicista que, como señaló Sebastián

---

167. «An idea or an experience is always counterposed with another, therefore making them both appear in a sometimes new and unpredictable light»; «Look at situations as contingent, not inevitable, look at them as the result of a series of historical choices made by men and women».

Martín, Ayala había aprendido, entre otros, del politólogo y jurista alemán Herman Heller).[168] Desde ellas, consideró las experiencias de la guerra y la República con distancia y sin idealizaciones.

La empresa, sin duda, no fue fácil. Pero en ella Ayala se vio auxiliado por la forma que tuvo de vivir la derrota política en Argentina. Retomando las palabras de Claudio Guillén en «El sol de los desterrados», podríamos decir que Ayala adoptó ante el exilio una postura más próxima a la actitud representada por Plutarco que a la ejemplificada por Ovidio.[169] Es decir, fue un escritor que vivió el exilio más como reto y oportunidad que como desgracia y desgarramiento, más como apertura hacia un proceso de universalización que como lamentación por la pérdida de la cultura nacional. En palabras de Guillén,

> Sugerida por unas arquetípicas palabras de Plutarco, esta actitud parte de la contemplación del sol y de los astros, continúa y se desarrolla rumbo a dimensiones universales. Conforme unos hombres y mujeres desterrados y desarraigados contemplan el sol y las estrellas, aprenden a compartir con otros, o a empezar a compartir, un proceso común y un impulso solidario de alcance siempre más amplio –filosófico, o religioso, o político, o poético–. (30)

---

168. La perspectiva historicista, según nos refiere Martín en su excelente estudio sobre «La noche de Montiel», «trataba de conciliar los factores objetivos del desarrollo social –climáticos, culturales, geográficos, económicos, institucionales– con las acciones voluntarias de carácter individual y colectivo, planteando así una representación compleja del movimiento histórico, animado por factores cambiantes, no por un *telos* permanente, y donde entraban desde variables estratégicas hasta el propio azar» (57).

169. La primera versión del ensayo se publicó bajo el título *El sol de los desterrados: literatura y exilio* y apareció en Quaderns Crema en 1995. La definitiva fue recogida como el primer capítulo de *Múltiples moradas*, que es la edición por la que cito.

La segunda respuesta valorativa al exilio, dice Guillén, «denuncia una pérdida, un empobrecimiento o hasta una mutilación de la persona en una parte de sí misma o en aquellas funciones que son indivisibles de los demás hombres y de las instituciones sociales» (30). A grandes rasgos, así es como vivió el gran escritor Max Aub (1903-1972) su exilio mexicano. Contemporáneo y amigo de Ayala, Aub, en la estela de Ovidio, dejó testimonio de su experiencia del exilio como crisis y desgarramiento en *La gallina ciega* (1971), diario de su breve y amarga estancia en España a finales de 1969 que impresiona al lector por ser un testimonio lacerante de lo que Guillén llama el «destiempo», ese *«décalage* o desfase en los ritmos históricos de desenvolvimiento que habrá significado, para muchos, el peor de los castigos: la expulsión del presente; y por lo tanto del futuro –lingüístico, cultural, político– del país de origen» (83).[170] Sin duda, Aub no fue el único escritor que vivió la soledad del exilio como una pérdida insoportable de la cultura nacional. Hubo muchísimos otros. Entre ellos, la escritora Rosa Chacel o el historiador Claudio Sánchez Albornoz, con el que Ayala mantuvo una airada polémica en 1947 en las páginas de la revista *Realidad,* a cuenta, precisamente, de la vigencia o no de las categorías nacionales para el análisis historiográfico (*Obras V*: 411-19). De entre los que pudieron o supieron vivir el exilio como el inicio de una nueva vida en libertad y plenitud, destacan figuras como los poetas Pedro Salinas y Juan Ramón Jiménez, los pensadores José Gaos y Josep Ferrater Mora, o el director de cine Luis Buñuel y el arquitecto Josep Lluís Sert, gentes que vivieron

---

170. Aub y Ayala mantuvieron una sostenida correspondencia que ha sido recogida por Ignacio Soldevila Durante y se encuentra digitalizada en el epistolario de la Fundación Francisco Ayala, disponible en su página web.

la derrota «sin que la frustración política e ideológica anulase o bloquease la propia vida» (Gracia, *A la intemperie* 65). Sin duda, estos dos patrones de exiliado propuestos por Guillén se encarnaron en muchísimas otras de las cerca de 400.000 personas, muchas de ellas anónimas, que fueron expulsadas de España en 1939 en un exilio que ha sido caracterizado como «el más importante en la historia de la cultura española desde la expulsión de los judíos» (Guillén 94).

Duelo, literatura y despolitización de la guerra

Es de sobra evidente que la política estuvo en el origen del exilio de 1939 y que, por lo tanto, se convirtió en una dimensión constitutiva del mismo. Si cientos de miles de ciudadanos se vieron forzados a salir de España, la causa no fue otra que la crueldad y la brutalidad de la dictadura franquista. Como afirman Mari Paz Balibrea y Sebastiaan Faber, «la naturaleza política del exilio y de toda su producción es en este sentido constitutiva y por tanto inescapable, más allá e independientemente de la ausencia o presencia de una actividad personal/colectiva de carácter político o de una producción de objetos en el exilio de temática política» (18). Ahora bien, los exiliados desarrollaron en la práctica muchas formas de hacer política. Para algunos como María Zambrano, Eduardo Nicol o Max Aub, el exilio significó, en la lectura de Balibrea en *Tiempo de exilio*, la ocasión de proponer «críticas a la modernidad española originadas en la formación intelectual y política de los años treinta» (20), unas críticas que para Balibrea ostentan la capacidad de perturbar el consenso liberal característico de la España democrática. Para otros, la dimensión política del exilio consistió en algo menos elevado, como lo fue prolongar las diferencias y mantener vivas las facciones que habían caracterizado al bando republicano durante la guerra.[171]

En un divertidísimo cuento, «La verdadera historia de la muerte de Francisco Franco», Aub satirizó esta forma de hacer política de los exiliados españoles en México, una forma que poco a poco fue cobrando sentido para el protagonista, un camarero originario de Sonora, que con el tiempo fue entendiendo

> cómo un socialista partidario de Negrín no podía sino hablar mal de otro socialista, si era largocaballerista o 'de Prieto', ni dirigirle la palabra, a menos que fuesen de la misma provincia; [...] cómo un anarquista de cierta fracción podía tomar café con un federal, pero no con un anarquista de otro grupo y jamás –desde luego– con un socialista, fuera partidario de quien fuera, de la región que fuese. El haber servido en un mismo cuerpo de ejército era ocasión de amistad o lo contrario. El cobrar los exiguos subsidios que se otorgaron a los refugiados los primeros años, subdividía más a los recién llegados: los del SERE frente a los del JARE, así fuesen republicanos, socialistas, comunistas, ácratas, federales, andaluces, gallegos, catalanes, aragoneses, valencianos, montañeses o lo que fuera. En una cosa estaban de acuerdo: en hablar solo del pasado, con un acento duro, hiriente, que trastornaba. (*Enero sin nombre* 414)

En las antípodas de estas actitudes, la forma que tuvo Ayala de hacer política consistió más bien, en un primer momento, en desactivar las emociones e idealizaciones que se hacen patentes en la sátira de Aub. Inmediatamente después de la guerra, su aproximación al régimen republicano y al pasado bélico puso en marcha

---

171. Sobre las divisiones y luchas entre los representantes políticos de la Segunda República, véase Caudet, *Hipótesis sobre el exilio republicano de 1939*, pp. 207-292 y Faber, *Exile and Cultural Hegemony*, pp. 155-159.

este proceso de desactivación afectiva e ideal, lo que propició una visión despolitizada de la guerra y, por lo tanto, una relación menos melancólica con ella. Frente a los refugiados del cuento de Aub, cuya vida seguía dominada por el fantasma de la guerra porque seguían manteniendo una relación ambivalente con ese pasado conflictivo, Ayala pudo hacer el duelo por las innumerables pérdidas, reales y simbólicas, sufridas durante la guerra. Estas fueron, como para los millones de ciudadanos que padecieron la guerra, absolutamente ordinarias y comunes y, a la vez, extraordinarias y singulares: poco antes de iniciarse el conflicto, en 1935, perdió a su madre, Luz García-Duarte, una figura decisiva tanto en su formación afectiva como en su vocación de escritor;[172] en los primeros meses del conflicto, como ya apuntamos en el capítulo anterior, perdió a su padre, Francisco Ayala Arroyo, y a su hermano Rafael Ayala García-Duarte, que fueron fusilados por los rebeldes; sin duda, perdió también a incontables amigos y conocidos, gentes que alguna vez fueron importantes en su vida. Encima de todas estas pérdidas de orden personal, se acumularon otras, de carácter más abstracto –los ideales de libertad, igualdad, dignidad y democracia encarnados en la República– o radicalmente concreto –los paisajes, los sonidos, los olores, los sabores e incluso las sensaciones corporales, es decir, todas las prácticas y convenciones, compartidas y comunes, que habían tejido su vida cotidiana hasta el momento de partir hacia el exilio–.

Aunque resulta difícil acotar en el tiempo en qué momento preciso Ayala comenzó a hacer el duelo por todas estas pérdidas,

---

172. Ayala rememora la muerte de la madre en *Recuerdos y olvidos* (*Obras* II: 220-21) y recrea su relación con ella en textos como «A las puertas del Edén» y «Nuestro jardín», que luego pasarían a formar parte de *El jardín de las delicias* (*Obras* I: 1209-1213; 1220-1224).

sabemos que el proceso arrancó muy poco después del final de la guerra y que lo plasmó en dos conmovedores poemas en prosa prácticamente coetáneos, «Diálogo de los muertos. Elegía española» (1939) y «Día de duelo» (1942). En el primero, Ayala hace el duelo por las muertes, innumerables y anónimas, de la guerra; en el segundo, enfrenta la pérdida de la madre. En ambos textos, las pérdidas colectivas y personales se juntan hasta un extremo en que se hace difícil distinguirlas porque Ayala, tanto en 1939 como en 1942, escribe como un hijo y un hermano en duelo, como un ciudadano leal a la República que se ha visto privado de los ideales de libertad y democracia, y como un exiliado que ha perdido su patria.

Redactado en París inmediatamente después de la guerra y aparecido en el número 63 de la revista *Sur* de diciembre de 1939, «Diálogo de los muertos» es, según nos refiere Carolyn Richmond, «un texto que dentro del conjunto de su obra narrativa resulta seminal» («Hacia un *ars poetica*» 81). Para Richmond, este texto marca un punto de inflexión en la producción literaria de Ayala porque, por un lado, deja atrás el tono lúdico, despreocupado y juvenil de las ficciones vanguardistas y, por otro, anticipa algunos de los procedimientos estéticos que caracterizarán las ficciones de *Los usurpadores*.[173] También observa que

> Constituye el «Diálogo de los muertos» un hito, no solo estético, sino también existencial, entre el *antes* y el *después* en la vida de

---

173. A lo largo del capítulo aludiré a algunas ficciones de esa época recogidas en *Los usurpadores* y, sobre todo, *La cabeza del cordero*, pero no podré hacer justicia a esos textos, que son sumamente ricos y complejos. Cuando los cite, mis comentarios serán selectivos y se limitarán a aquellos aspectos de los textos que apoyen mi particular interpretación de este periodo tan fértil de la producción ayaliana.

Francisco Ayala, quien, al *escindirse* enseguida de nuevo, en *narrador* y *ensayista*, lo hará de un modo distinto, sumamente personal, incorporando ahora en sus obras de invención, así como en sus escritos teóricos y ensayísticos en general, reflexiones y experiencias que no dejan de recordar a algunas de las antes referidas dualidades y elecciones de sus años juveniles. En efecto, con el paso de los años, irá asomándose cada vez más en su literatura una voz en primera persona que acaba fundiendo al autor y al narrador (piénsese, por ejemplo, en el poema en prosa «Día de duelo» [1942], donde recrea el autor la muerte de su madre). (82; énfasis original)

Al entrar en relación con las pérdidas ocasionadas por la guerra, y al tratar de elaborarlas en «Diálogo de los muertos», la voz en primera persona que acabaría «fundiendo al autor y al narrador» todavía no hace acto de presencia. De hecho, la voz narrativa solo aparece en los tres primeros párrafos y en la última línea del texto. En ambos casos, se trata de una voz en tercera persona que se expresa por medio de una serie de giros impersonales. Las palabras que abren el poema en prosa dicen: «Sin descanso, hora tras hora durante muchos días, había estado lloviendo sobre la tierra» (*Obras* I: 544). El objetivo inicial de esta voz impersonal no es otro que describir un pedazo de tierra devastado por el horror y la violencia en el que «no había nada por ninguna parte. Nada, sino silencio; un silencio húmedo que rezumaba, calaba hasta lo más hondo; un silencio que era la ausencia y el vacío de la atronadora refriega, ya pasada» (545). Lo fundamental –y lo que constituye el núcleo de esta sorprendente elegía– no es lo que hay sobre la tierra sino bajo ella: los muertos amontonados e indistintos a los que el narrador cede la palabra para que entablen un diálogo (o, como precisa el texto, tejan «una red de monólogos» [545] en la que dominan el dolor y la resignación). Aunque estos muertos son anónimos y carecen de afiliación política, son claramente víctimas de la guerra de 1936. Dejando de lado el subtítulo de la composición –donde se explica que se trata de una elegía específicamente española–, hay otras referencias que los identifican como tales. Lejos de ser el resultado de una crueldad arbitraria o de una fatalidad absurda, como ocurría en «Erika ante el invierno», aquí la muerte es claramente el producto de un conflicto fratricida: en vida, se nos dice, los muertos participaron en una lucha que dejó «encogida la pobre piel de toro» (550); en la que los combatientes, como hermanos, reconocen haberse «odiado por amor y [...] amado por odio» (545); y en la que también se hallaron «gentes que vinieron de otras tierras a profanar la nuestra con su codicia logrera» (545), en clara alusión a las tropas alemanas e italianas. Se trata, para estos muertos anónimos, de indagar en qué les ha llevado a la muerte, en qué consiste esa condición, en qué tipo de relación mantienen con los vivos y, finalmente, en si hay algo que perdure más allá de la muerte. En la tercera y última parte del texto, regresa la voz narrativa para dar remate a la reflexión de los muertos, otra vez con una descripción impersonal de un paisaje en el que el silencio ha dado paso a la sutil voz del agua: «En la oscurecida tierra solo se oía un rumor de oculta acequia» (551). Así termina este breve y enigmático texto subtitulado «Elegía española», que no ocupa más de siete páginas en la edición de las obras completas.

En contraste con el género elegíaco, en el cual el yo del hablante poético –su personalidad y sentimientos– cobran una gran importancia, en «Diálogo de los muertos» abundan los giros impersonales de la voz narrativa. Aunque exterior al mundo representado de los muertos, el narrador no ocupa un plano preeminente, ni se dirige a ellos por medio de apóstrofes, tan comunes en las elegías tradicionales, ni, sobre todo, lamenta o llora su muerte. Como la de los muertos, la suya es «una voz apagada y blanda» (545) que se limita, como si estuviera realizando una acotación teatral, a dar una serie de indicaciones acerca de una escena apocalíptica. Esta falta de trascendencia –y de afecto– en la voz narrativa se ve duplicada en el texto, donde es imposible encontrar alusión alguna a una entidad transcendente –Dios, la religión o el arte poético mismo– en la que encontrar una franca consolación. Todo esto revela un horizonte de sentido inmanente que nos ayuda a entender que «Diálogo de los muertos» ofrece un duelo precario, en el que no hay una consolación clara.

Tradicionalmente, uno de los objetivos de la elegía ha sido proporcionar consolación a los autores que la han cultivado. De forma más específica, Tammy Clewell ha argumentado que la elegía «básicamente refleja una economía freudiana [del duelo], en la cual la sustitución consolatoria se convierte en el objetivo central» (48).[174] Recordemos que para el Freud de «Duelo y melancolía» (1917), el duelo es «la reacción a la pérdida de un ser amado, o a la pérdida de una abstracción equivalente: la patria, la libertad, un ideal, etc.» (243).[175] Según esta concepción, el duelo es un paulatino y doloroso proceso de desprendimiento, que empieza cuando el sujeto rememora obsesivamente el objeto perdido, se prosigue cuando acepta que el objeto amado ya no existe, y se termina cuando la libido abandona todas sus ligaduras con dicho objeto y puede desplazarse hacia un nuevo objeto en el cual, finalmente, se encuentra la consolación. Esta estructura de la elegía como espacio de duelo es discernible en las principales obras del género, entre las cuales destacaré «A un poeta muerto (F.G.L.)» de Luis Cernuda, una elegía que forma parte de la colección *Las nubes* (1937-1940) y

---

174. «Basically reflects a Freudian economy, where consoling substitution becomes the central aim».

175. «The reaction to the loss of a loved person, or to the loss of some abstraction that has taken the place of one, such as one's country, liberty, and ideal, and so on».

que es un texto cercano a «Diálogo de los muertos», tanto temática como cronológicamente.

En tanto texto de duelo, la elegía de Cernuda a la muerte de Federico García Lorca cumple todos los requisitos del género: el anuncio de la muerte, la lamentación del superviviente, el panegírico del difunto y, lo que nos interesa más aquí, la consolación directa (Camacho Guizado 21), que se hace evidente en las tres últimas estrofas de este hermoso poema. Transcribo únicamente la última:

> Halle tu gran afán enajenado
> El puro amor de un dios adolescente
> Entre el verdor de las rosas eternas;
> Porque este ansia divina, perdida aquí en la tierra,
> Tras de tanto dolor y dejamiento,
> Con su propia grandeza nos advierte
> De alguna mente creadora inmensa,
> Que concibe al poeta cual lengua de su gloria
> Y luego le consuela a través de la muerte.

Al convertir al poeta asesinado en lengua de la gloria divina, Cernuda espiritualiza la muerte de Lorca, que a partir de ese momento parece habitar un mundo ultraterreno, lleno de resonancias religiosas. A la vez Cernuda mismo, al componer la elegía, encuentra una consolación porque el valor de Lorca como poeta adquiere un aura de inmortalidad y de eternidad. Esta transfiguración ennoblecedora de la muerte está completamente ausente de «Diálogo de los muertos», donde siempre aparece en su dimensión más escabrosa. Al principio del texto, el narrador indica que, bajo la tierra,

> [...] muertos infinitos yacían en confusión, ahora casi tierra también ellos, y todavía lastimada humanidad, sin embargo; muertos preñados con el plomo de su muerte; muertos retorcidos en el horror de

su martirio; muertos consumidos en la perfección absoluta de su hambre, muertos. Sepultados de cualquier modo, entre las raíces de los vegetales –entregados a esas garras ávidas, insaciables, vivificadas por la lluvia que había escurrido tan largamente por entre piedras y huesos– (*Obras* I: 545).

Un poco más adelante, y mediante la voz de los muertos, la muerte se (auto)presenta en sus detalles fisiológicos y materiales: «–Esta mano –dijo uno–, este puñado de huesos que se quiere hundir en la caja vacía de mi pecho, ¿perteneció a un amigo o a un enemigo? Siempre ahí, oprimiendo mi esternón con cruel ensañamiento de guitarrista, ¿no podré saber cuál fue su gesto de aquella hora para conmigo?» (545). La descripción nos hace pensar en una muerte violenta, que aparece aquí en su materialidad más cruda, encarnándose en las partes de unos cuerpos mutilados: en los huesos, las manos y el esternón. Todavía más adelante, otro muerto admite que están todos «convertidos ya en suelo patrio, en jugo nutricio de la Historia» (546). Y otro, al final, se ve como parte de «la legión innumerable de los sacrificados, de los que estamos comiendo tierra» (549). Exiguo es el espacio que queda para una consolación de naturaleza espiritual en esta sorprendente elegía, en la cual el narrador no lamenta la muerte de los difuntos, ni hace su alabanza, ni encuentra una consolación directa porque la muerte se despliega en un horizonte de sentido absolutamente inmanente.

Además de la elegía, el otro modelo genérico relevante para entender el texto es el diálogo de los muertos, un género literario que perfeccionó Luciano de Samosata (c. 120-180) y sobre cuya importancia Rosario Hiriart alertó hace tiempo (36). En un valioso artículo, Noël Valis llevó un paso más allá la observación de Hiriart y mostró que Ayala también se apartó de las convenciones de este género. Valis cifró la originalidad de «Diálogo de los muertos» en dos aspectos: la anonimidad de los muertos (en Luciano son personajes ilustres, históricos o míticos) y la ausencia de intención satírica (aunque Valis apunta que aparecen la ironía y el sarcasmo) (711). Las variaciones introducidas por Ayala en estos dos modelos –la elegía funeral y el diálogo de los muertos– son de tal calibre que resuenan poderosamente con las reflexiones de Derek Attridge en *The Singularity of Literature.*

Attridge entiende la singularidad de la obra literaria no solo como originalidad sino, sobre todo, como irrupción de la alteridad en el campo cultural. De esta manera, la singularidad de una obra literaria no sería reducible a una propiedad o un rasgo –por muy esencial que fuera– de una obra. Se trataría más bien de un acontecimiento: algo que ocurre en el encuentro entre un lector y una obra, cuando el primero registra o da testimonio de aquellos aspectos del texto literario que resisten las normas culturales establecidas. En el esquema argumental de Attridge, la reflexión sobre la singularidad estética deriva en una fenomenología de la lectura, pues el acto de lectura ha de ser tan creativo como el de escritura para discernir la singularidad de la obra literaria. A partir de estos parámetros, en lo que sigue registraré la singularidad de «Diálogo de los muertos» en su articulación de un espacio de duelo que, además de desafiar a la tradición literaria –algo que ya hemos visto–, amenaza también a los esquemas culturales del duelo impuestos por la Guerra Civil. Es en este punto que podremos afirmar que Ayala aporta una visión despolitizada de la guerra.

La comparecencia de los muertos, no como personajes individuales, caracterizables y caracterizados por el autor, sino como una masa anónima e indistinta en la que no es posible distinguir al amigo del enemigo, constituye un primer desafío a los esquemas culturales del duelo impuestos por la guerra. A partir del tópico de la muerte igualadora, que hace entroncar el «Diálogo de los muertos» con el poema del siglo XV *La danza de la muerte,* un pasaje del cual es utilizado como epígrafe del texto de Ayala, constatamos un primer desafío al imperativo cultural de restringir el duelo a los muertos del propio bando. En «Diálogo de los muertos», la muerte no solo invita al baile a todos los estamentos sociales –como ya ocurría en *La danza de la muerte*– sino que es incapaz de distinguir entre republicanos y nacionales, sobre la base del agotamiento del mito de la muerte heroica en la guerra. Los muertos convocados por el texto de Ayala no son héroes, ni de un bando ni del otro, sino que revelan el horror de la muerte anónima en masa. En este sentido, representan una experiencia de la muerte que empezó a fraguarse en las trincheras de la Primera Guerra Mundial. Como señala Traverso, este fue un conflicto «en el cual el acto de matar se transforma en una operación mecánica y donde la muerte toma el carácter de una experiencia colectiva, anónima, y trivial» (*A sangre* 143). La muerte que aparece en «Diálogo de los muertos» es una muerte desprovista de todo heroísmo y que rompe «con la visión romántica de la muerte cultivada por el nacionalismo del siglo XIX» (143). Retomando los términos de la dualidad propuesta por Traverso, podríamos decir que el paisaje apocalíptico de la elegía ayaliana está muy lejos de representar «un campo de honor» y, en cambio, está muy cerca de simbolizar «un matadero» (141-146). Como afirma uno de los muertos, actualizando las reflexiones de Larra en «El día de Difuntos de 1836», «toda la geografía es cementerio: cementerio las marismas, los valles, las llanuras, las montañas violentas y las dulces rías, los huertos y jardines; cementerio las lagunas y pantanos; cementerio los suburbios de las ciudades, el borde de las carreteras, las playas, el lecho de los ríos» (*Obras* I: 549).[176]

---

176. Aquí Ayala recupera el tratamiento de la muerte que encontramos en Larra y, a la vez, lo vacía de contenido espiritual. Mientras que en Larra la percepción de Madrid como cementerio tiene una dimensión simbólica (Madrid como fin

Esta visión desencantada de la guerra, donde las idealizaciones dejaban paso al asco y a la repugnancia, es lo que permitió a Ayala desarmar los criterios del duelo que habían estado vigentes durante el conflicto. Si la afiliación política había sido, durante la guerra, el principal criterio para determinar qué muertes eran dignas de ser lloradas y qué muertes no lo eran, Ayala rompió radicalmente con esta actitud al poner en boca de los muertos las siguientes palabras:

> —Ya todo acabó; ya todos somos uno. Nos une la tierra; nos iguala la tiniebla de la tierra; nos liga, tanto como nuestro amor, nuestro odio; nos hermana la comunidad de nuestro destino.
>
> —Impío, burlón destino, si de todo hace tabla rasa y hueso mondo para hermanar en estratos de nuestro suelo a los enemigos, hasta el punto de no poderse distinguir ya el abrazo de la agresión. Y no solo a los que nos hemos odiado por amor y nos hemos amado por odio, sino también a gentes que vinieron de otras tierras a profanar la nuestra con su codicia logrera, para caer sobre espinos y abrojos cuya fiereza no sospechaban. (*Obras* I: 545)

En lugar de comparecer como nacionales o republicanos, los muertos aparecen como parte de una masa anónima que se funde con la naturaleza. Desde esta perspectiva, resulta imposible distinguir

---

de las esperanzas y los ideales), la percepción del paisaje como cementerio en Ayala ostenta únicamente una dimensión literal. Escribía Larra: «Vamos claros, dije yo para mí, ¿dónde está el cementerio? ¿Fuera o dentro? Un vértigo espantoso se apoderó de mí, y comencé a ver claro. El cementerio está dentro de Madrid. Madrid es el cementerio. Pero vasto cementerio donde cada casa es el nicho de una familia, cada calle el sepulcro de un acontecimiento, cada corazón la urna cineraria de una esperanza o de un deseo» (396). Cuando Ayala afirma que «toda la geografía es cementerio», esta afirmación debe leerse en un sentido estrictamente literal. De esta manera, presenta una imagen de la guerra ante la cual el lector solo puede sentir una profunda náusea.

«el abrazo de la agresión», es decir, al amigo del enemigo. Unidas y hermanadas en la tierra y en «la comunidad de nuestro destino», todas las muertes son dignas de conmemoración. Sin embargo, no se trata aquí de sacralizar estas muertes ni de fundar en torno del ritual del duelo una comunidad nacional porque, si todos los muertos son iguales, esa igualdad consiste ante todo en un vacío insondable y una desolación infinita: «todos iguales. Y todos igual a nada», se lamenta otro muerto (*Obras* I: 546). Esta consideración descreída y desasosegada de la muerte no solo frustraba de antemano cualquier intento de idealizarla sino que empezaba a forjar una imagen de la guerra como desastre colectivo. Motivo presente en varios de los relatos de *Los usurpadores* y *La cabeza del cordero*, esta imagen de la guerra como una catástrofe sin vencedores ni vencidos hacía posible la idea de que todas las muertes, sin distinción, eran dignas de ser lloradas.

Se podría ilustrar la distancia que separa el espacio de duelo configurado por «Diálogo de los muertos» de los esquemas culturales del duelo vigentes durante la Guerra Civil con la ayuda de dos fragmentos de poemas escritos durante el conflicto, uno del bando nacional y otro del bando republicano. El primero de ellos son unas estrofas de una de las composiciones más representativas del bando nacional, *El poema de la Bestia y el Ángel* (1938), del propagandista e ideólogo franquista José María Pemán.[177] Estas estrofas diseñan un espacio de duelo excluyente que permite llorar en público las muertes de los nacionales a la vez que condena las muertes de los republicanos al olvido. El segundo fragmento,

---

177. Para un examen de la trayectoria de Pemán antes, durante y después de la Guerra Civil, véase el capítulo que le dedica Alberto Reig Tapia titulado «Propaganda e ideología: el intelectual orgánico», pp. 235-272.

unas estrofas de un romance anónimo titulado «Uno menos», nos entrega la imagen especular del primero al celebrar con espontaneidad la muerte del enemigo. En ninguno de los dos se vislumbra la posibilidad de crear un espacio que permita llorar la muertes del otro. Los versos de Pemán cierran el «Romance de los muertos en el campo» y retoman el tópico de la muerte igualadora, creando inicialmente la ilusión de una simetría entre las muertes de los dos bandos, para enseguida reintroducir una diferencia –y una desigualdad– entre ellas:

> Y aquellos héroes caídos –¡qué humildes entre las yerbas
> y entre las flores, qué dulces!
> ¡Cómo la anchura del campo –y el cielo, los disminuye!
> ¡Y cómo iguala la muerte –los rojos y los azules!
> ¡Qué amor de sol los acerca! –¡Qué paz de tierra los une!
>
> Nadie es nada. Todos son –sílabas que se resumen
> en un romance sin nombre –y en un olvido sin cruces.
> ¡Cómo se achica aquel bravo –y aquel capitán se pudre!
> Y la miliciana aquella –de entreabiertos ojos dulces
> con su fusil y su «mono» –muerta, en la yerba, de bruces...
> ¡qué montoncillo tan leve –de campanillas azules!
>
> Pero Dios sabe los nombres –y los separa en las nubes. (324)

Dejando de lado la carga idealizadora implícita en la estructura métrica del poema, que remite a la épica de los cantares de gesta, el último verso destruye de forma absoluta cualquier simetría que pudiera concebirse entre la muerte de «los rojos y los azules». En apariencia, la muerte iguala a los «héroes caídos» –repárese en el lenguaje mitificador– de cada bando y los fusiona con la naturaleza. Pero en realidad, Dios sabe el nombre de cada uno y separa a los amigos de los enemigos: a los ángeles de las bestias. En este combate entre dos mundos irreconciliables, entre los soldados de Dios y los partidarios del Diablo, la muerte de la bestia solo puede celebrarse: «¡Ha muerto el Enemigo sin luz que os perseguía! / ¡Abrid alas y plumas, que, otra vez, en el aire, / tiene libres sus puertas la Poesía!» (330).

Durante la guerra, esta retórica de confrontación entre los muertos de uno y otro bando también fue impulsada desde el bando republicano. A diferencia de los versos engolados y pretenciosos de Pemán, los versos elementales de «Uno menos», escritos con ocasión de la muerte en un accidente aéreo del general sublevado Emilio Mola el 3 de junio de 1937, destacan por su despiadada franqueza. Recogido por Maryse Betrand de Muñoz, «Uno menos» fue publicado en el número 19 de *Al Ataque. Órgano de la 45 División «Campesino»* pocas semanas después del suceso, el 21 de julio de 1937. Las dos primeras estrofas dicen:

> Nubes oscuras se ciernen
> sobre nuestros enemigos
> por la pérdida tremenda
> de su querido caudillo,
> un hombre vil y cobarde,
> que era Mola su apellido,
> tan cobarde como vil
> y tan vil como asesino.
> De tan tremenda desgracia
> nosotros nos alegramos,
> y si es que algo sentimos
> es que en el avión no fueran
> Franco, Queipo y sus amigos. (99)

Si Pemán, después de dar algún rodeo, acababa celebrando la muerte del enemigo, el autor anónimo de «Uno menos», la celebraba antes incluso de arrancar el poema: desde el título mismo. Representada como un triunfo, la muerte del enemigo ofrecía una última ocasión para desprestigiarlo y escarnecerlo. Más que una pérdida, significaba el fin de una abyección, lo cual no solo era digno de celebrarse, sino que redundaba en beneficio de la causa propia, único instrumento efectivo para erradicar el mal de la tierra de España. Aunque no aparecía de forma tan clara en «Uno menos», la idealización que estructuraba los versos de Pemán sin duda tuvo su correspondencia en otros romances dedicados a las víctimas del bando republicano.[178]

En el fondo, que ni rebeldes ni republicanos conmemoraran la muerte del enemigo durante la guerra resultaba comprensible, pues era una actitud que hacía pie en lo único que importaba a los actores del conflicto: ganarlo. Lo que resultó un escándalo moral y político fue la actitud adoptada por el franquismo con los vencidos una vez terminada la guerra. Prolongando la lógica de la guerra, el estado de terror franquista inició una represión despiadada en la que siguió exterminando, encarcelando y humillando a los vencidos (Preston 471-517). También les negó la posibilidad de conmemorar públicamente a sus muertos, lo que aumentó el sufrimiento y perfeccionó la exclusión social de los republicanos. «La intención», como señala Helen Graham, «no era tanto destruir su memoria

---

178. Claro está, la idealización aparece cuando el poema lamenta la muerte de los combatientes del propio bando. Como muestra se podría citar el romance «A mi hijo caído en el frente», firmado por «La madre de Salvador Zurro Giralda» y recogido por Jorge Urrutia en *Poesía de la Guerra Civil española*. En este ejemplo de poesía popular, la muerte del hijo en combate da lugar a la idealización de los valores comunistas y patrióticos: «Eras sano y eras fuerte, / ¡era muy grande tu alma! / Eras, como comunista, / alma desinteresada. / Cuando ya te repusiste / saliste a Santa Olalla, / luchaste como se lucha, / con entereza, con saña, / sacrificándolo todo / por defender a tu PATRIA» (215).

como dirigir la memoria colectiva a otro lugar, al ámbito personal y privado de la familia, donde los miedos y las pesadillas podían seguir haciendo su trabajo, suprimiendo de esta manera cualquier oposición política al régimen» (30).[179]

Frente al ansia de venganza del Estado franquista, la posición de Ayala en «Diálogo de los muertos» no dejaba lugar a dudas: el duelo era universal porque todas las muertes eran dignas de ser lloradas.[180] Ayala llevaría esta postura hasta sus últimas consecuencias en «El tajo» (1948), un relato que narra las dudas y los remordimientos que afligen a Pedro Santolalla, un soldado que lucha en el ejército nacional, después de haber disparado sin motivo aparente, casi por la espalda y a sangre fría, a un paisano suyo llamado Anastasio López Rubielos, un miliciano republicano con el que se topa por casualidad paseando por una viña, en un sector tranquilo del frente de Aragón en el otoño de 1938. Torturado por la culpa, Santolalla decide en 1941 visitar a la familia de su víctima para ofrecerles sus respetos y su ayuda. Lleva consigo el carnet sindical con la foto de López Rubielos, del que no había logrado desprenderse desde el día del asesinato. Con la intención de entregar ese carnet a la madre y al abuelo de su víctima, los únicos supervivientes de una familia abatida que vive en la miseria, Santolalla se persona en su humilde casa y se hace pasar por un compañero de López Rubielos, ocultándoles su papel en la muerte del miliciano. Después de decirles que López

---

179. «The intention was not so much to destroy their memory as to relocate collective memory elsewhere, to the personal and private family sphere where the fears and nightmares could go on doing their work, thus stifling any opposition».

180. En este punto entramos en un asunto, el de la memoria de la Guerra Civil, que ha sido objeto de numerosos estudios en los últimos años. Además del ensayo pionero de Paloma Aguilar Fernández, me limitaré a señalar las contribuciones de Faber (*Memory Battles*), Gómez López-Quiñones y Ribeiro de Menezes.

Rubielos murió por el impacto de «una bala perdida» (*Obras* I: 618), intenta ofrecerles ayuda económica. También intenta entregarles el carnet sindical del hijo. Su objetivo no es otro que lavar, material y simbólicamente, su culpa. De algún modo, Ayala nos sugiere que Santolalla, con esta visita, también está oscuramente intentando hacer el duelo por su víctima. Pero la madre de Anastasio, que desconfía de los aires de señorito burgués de López Rubielos, rechaza con firmeza y dignidad tanto la oferta de ayuda como el carnet del hijo, exclamando: «¿Y qué quiere usted que haga yo con eso [el carnet sindical]? ¿Que lo guarde? ¿Para qué, señor? ¡Tener escondido en casa un carnet socialista, verdad? ¡No! ¡Muchas gracias!» (*Obras* I: 621).

Como muestran las escenas finales de este relato, la actitud de Ayala ante el duelo ponía sobre la mesa dos cuestiones que pocos trataron de forma tan aguda y matizada en los años cuarenta. De un lado, Ayala hacía visibles tanto las muertes de los vencidos, que el franquismo prohibía proclamar y llorar en público, como el sufrimiento y el dolor que se daban cita en el corazón de sus familiares, los cuales, cuando podían llegar a hacer el luto por los desaparecidos en la guerra, se veían obligados a hacerlo de forma estrictamente privada. Pero, de otro lado, Ayala, en una actitud poco común entre los escritores exiliados, se ocupaba también de lo que ocurría en el corazón de los vencedores, desgranando con singular maestría el coste emocional que conllevaba para el protagonista no reconocer la muerte del otro. La reconciliación entre vencedores y vencidos, vivamente imaginada por Santolalla en varios pasajes del relato, nunca tuvo lugar. El final del relato nos deja un sabor amargo porque no hay redención posible: la familia de López Rubielos no puede siquiera hacer el luto por el hijo muerto, y Santolalla no puede lavar su culpa ni reconciliarse con la familia de su víctima (ni consigo mismo). Las palabras finales del narrador no dejan lugar a dudas. Turbado y confundido ante el rechazo de la madre de López

Rubielos, «Santolalla enrojeció hasta las orejas. Ya no había más que hablar. Se metió el carnet en el bolsillo, musitó un '¡buenos días!' y salió andando calle abajo» (*Obras* I: 621). El intento de obtener una consolación recíproca quedaba definitivamente bloqueado.

Todo esto ya estaba anunciado en «Diálogo de los muertos», donde encontramos un segundo desafío a los esquemas del duelo impuestos por la guerra en la medida en que Ayala concibe el trabajo del duelo como un proceso interminable sin una consolación directa. Lo decisivo de los esquemas culturales del duelo vigentes durante la guerra era su intensa politización. De esta se derivaba, de forma casi automática, una consolación clara y directa bajo la forma del aura de inmortalidad y de eternidad que adquiría el combatiente que había sacrificado su vida en el altar de la causa, ya fuera la causa de la nación católica o del proletariado. Cuanto más intensa la politización del duelo, más tangible la consolación obtenida en la muerte del combatiente. Cuanto más perfecta la transfiguración del combatiente en héroe y mártir, más evidente resultaba que no había muerto en vano.

Si recordamos el modelo de duelo compensatorio propuesto por el primer Freud, el de «Duelo y melancolía» (1917), comprendemos por qué los esquemas culturales del duelo vigentes durante la guerra reflejan este proceso. El objetivo final de Freud era poner un punto final al proceso de duelo, lo que ocurría cuando la libido abandonaba sus ligaduras con el objeto perdido y se desplazaba hacia un nuevo objeto, el cual, finalmente, proporcionaba una consolación (y una compensación). Esta era el proceso que el Freud de 1917 imaginaba como un duelo normal: la consolación era una forma de «matar al muerto» y de darle, por fin, sepultura. Como hemos visto, en el caso de los esquemas del duelo vigentes durante la guerra, se mataba definitivamente al muerto cuando la consolación (la gloria obtenida al morir por la patria o la revolución) restañaba las heridas causadas por la pérdida.

Frente a estos modelos de duelo compensatorio, la apuesta de Ayala en «Diálogo de los muertos» es en todo punto singular. Esto se ve claramente cuando los muertos, pudriéndose bajo la tierra, imaginan cómo será la vida de los vivos. Lejos de haber superado la muerte de sus seres queridos, los vivos llevan a los muertos clavados en el corazón. Son incapaces de encontrar una consolación porque, en realidad, nunca han llegado a desprenderse de los muertos ni han podido cerrar las heridas psíquicas que estos les infligieron. Como dice uno de los muertos: «Pues parecen seres vivientes, y quizá creen serlo; pero no son sino nuestras sombras, dobladas de dolor, silenciosas, errabundas, vacías, aterrorizadas. Muchos tienen miembros de su cuerpo pudriendo ya entre nosotros; el alma, todos la tienen muerta» (*Obras* I: 546). ¿Qué tipo de duelo es este, en el que los vivos no llegan a desprenderse de los muertos, ni a sustituirlos por una ficción consolatoria (la gloria nacional o revolucionaria), ni a consignarlos a un pasado que quedaría, de esta suerte, definitivamente clausurado?

Sin duda, no es el duelo que concibió Freud en 1917. Pero sí que se aproxima a la visión que propuso, unos años más tarde, en *El yo y el ello* (1923).[181] Después de la experiencia de la Primera Guerra Mundial, Freud abandonó su optimismo inicial acerca de la capacidad de las personas de encontrar una consolación que les permitiera cortar definitivamente los lazos afectivos con las pérdidas del pasado. Rectificando en parte sus postulados iniciales acerca del duelo, Freud concibió las pérdidas de nuestros seres queridos como una instancia constitutiva del yo. Si en parte somos lo que hemos perdido, entonces la identificación melancólica con el objeto perdido

---

181. Mis fuentes para describir la evolución del pensamiento Freud acerca del duelo y la melancolía son Clewell y Butler, *The Psychic Life of Power* (167-198).

se convierte en una dimensión inherente al trabajo del duelo. Este proceso es el que Ayala puso en boca de uno de sus muertos: «Y los hombres mismos son cementerios de sus muertos –encierran dentro, pudriendo, sus muertos: padres, hermanos, hijos, amigos. Y enemigos–. Enemigos, sí; que también los enemigos se llevan sobre el corazón, y hacen hediondo el aliento de quienes los han matado con sus manos o con el deseo» (*Obras* I: 549). Investido de energía libidinal, el objeto queda introyectado en el yo, donde los lazos de amor persisten más allá de la muerte. No hay, pues, un término definido a la práctica de duelo, que adopta más bien la forma de un trabajo interminable.

Judith Butler, en su ensayo *Vida precaria,* que es una consideración de la pérdida y la vulnerabilidad como constitutivas de nuestra subjetividad, nos explica que este tipo de duelo implica una transformación del sujeto cuyo resultado final es incierto. Cito extensamente a Butler porque su concepción del duelo como un proceso que nos permite aprehender la común vulnerabilidad y dependencia humana resuena poderosamente con el tipo de duelo que se despliega en la literatura ayaliana:

> Cuando perdemos a ciertas personas o cuando hemos sido despojados de un lugar o de una comunidad podemos simplemente sentir que estamos pasando por algo temporario, que el duelo va a terminar y que vamos a recuperar cierto equilibrio previo. Pero quizás, mientras pasamos por eso, algo acerca de lo que somos se nos revela, algo que dibuja los lazos que nos ligan a otro, que nos enseña que estos lazos constituyen lo que somos, los lazos o nudos que nos componen. No es como si un «yo» existiera independientemente por aquí y que simplemente perdiera a un «tú» por allá, especialmente si el vínculo con ese «tú» forma parte de lo que constituye mi «yo». Si bajo estas condiciones llegara a perderte, lo que me duele no es solo la pérdida, sino volverme inescrutable para

mí. ¿Qué «soy», sin ti? Cuando perdemos algunos de estos lazos que nos constituyen, no sabemos quiénes somos ni qué hacer. En un nivel, descubro que te he perdido a «ti» solo para descubrir que «yo» también desaparezco. En otro nivel, tal vez lo que he perdido «en» ti, eso para lo que no tengo palabras, sea una relación no constituida exclusivamente ni por mí ni por ti, pero que va a ser concebida como *el lazo* por el que estos términos se diferencian y se relacionan. (48; énfasis original)

Los muertos de Ayala no pueden distinguir al amigo del enemigo, ni discernir el abrazo de la agresión, porque se saben constituidos por el otro. De una manera análoga, los vivos de «Diálogo de los muertos» se ven a sí mismos como «cementerios de sus muertos» (*Obras* I: 549) porque no son sino el producto de sus pérdidas y de «una vulnerabilidad humana en común que surge junto con la vida misma» (Butler 57). Para Butler, esta vulnerabilidad primaria y común a todos es una condición ontológica que precede a la formación del yo. Al concebir los personajes de los relatos de *Los usurpadores* y *La cabeza del cordero* como seres escindidos, que dependen de un otro que les falta y que hace que todos sean «inocentes culpables o culpables inocentes» (*Obras* I: 564), Ayala nos ofrece la traducción narrativa de esta condición ontológica. Hemos intentado explicar cómo se manifiesta estéticamente este proceso en «El tajo», pero podríamos aducir muchos otros ejemplos, desde «San Juan de Dios» (1947) y «El inquisidor» (1950) hasta «El regreso» (1948) o «La cabeza del cordero» (1948), por citar solo algunos de los ejemplos donde se puede apreciar con mayor nitidez esta escisión originaria y dependencia del otro en los personajes.

Pero tal vez es en «Día de duelo», el relato donde Ayala recrea la muerte de su madre, donde encontramos la mejor versión narrativa de este tipo de duelo. En ese texto, la exposición al dolor causado por la pérdida de un ser querido desgarra y transforma por completo al narrador, sin que los lectores podamos vislumbrar el fin del proceso de duelo. De la simple lectura de «Día de duelo» es difícil deducir que se produce en él una fusión de narrador y autor, pero el reciente comentario de Richmond no deja lugar a dudas: «Redactada pocos años después del suceso [la muerte de la madre], la pieza se caracteriza por una intensidad emotiva única en todo el libro» (*Días felices* 148). El libro no es otro que *El jardín de las delicias*, del que «Día de duelo» pasó a formar parte desde su primera edición de 1971.

En tanto parte del ciclo narrativo de los años cuarenta, «Día de duelo» nos entrega la vertiente íntima y personal de duelo colectivo que aparece en los otros textos. Mucho más próximo a la elegía que «Diálogo de los muertos», «Día de duelo» es un texto estructurado como un largo y sostenido apóstrofe mediante el cual el narrador de primera persona del plural, erigido en representante o portavoz de la familia, se dirige a la madre ausente. Como en «Diálogo de los muertos» la percepción inicial es la de la muerte en su facticidad, en su realidad fisiológica: «te escapaste por el filo de la noche y el día, y nos has dejado tu cuerpo muerto. Esto es lo que está ahí: tu cuerpo, tirado, raro, increíble como una careta olvidada en el diván de un palco» (*Obras* I: 1225). A partir de esta primera impresión de la muerte, el narrador irá rememorando, con afligida prolijidad, todas las formas en que el vínculo con la madre forma parte de lo que constituye su «yo» –o mejor dicho, su «nosotros»–.

Retomando las palabras de Butler, «Día de duelo» se puede leer como una sincera y dolorosa respuesta a la pregunta «¿Qué "soy" –o qué "somos"– sin ti?». A lo largo del texto, que se abre con el anuncio de la muerte de la madre y se cierra con la sepultura del cuerpo y con una reunión familiar llena de tensión, el narrador irá ensayando diversas respuestas a esa pregunta decisiva, ninguna de ellas satisfactoria. Como ha observado Susana Cavallo, «para recrear el vía crucis del hablante, quien oscilará torturadamente entre el encono y el desconsuelo, el amor y la autocondenación, el escritor se valdrá de un amplio repertorio de procedimientos dualísticos: antítesis, paradoja, oxímoron, contraste» (725). Primero, el narrador constata hasta qué punto la desaparición de la madre, que tan importante había sido para todos ellos, los coloca en una situación imposible: «¿En dónde nos refugiaríamos para dominar la estupefacción, en qué rincón del pasado, si tú lo llenas todo?» (*Obras* I: 1225); luego, en un pasaje lleno de reproches y autorreproches, el narrador vacila y, para hacer justicia a la importancia que la madre tuvo en vida para todos ellos, se imagina ser corresponsable de su muerte: «Pues tu vida la hemos consumido entre todos, entre todos la hemos devorado, todos nos hemos nutrido de ella. Ha ardido hasta extinguirse en una misma hoguera con las nuestras propias, que aún siguen ardiendo…» (1227). Más adelante, con esa ambivalencia tan característica de la fase melancólica del duelo, admite: «nos abruma la necesidad de hacer desaparecer tus huellas. Y sabemos bien que eso no cabe eludirlo; que nos queda todavía por cumplir la tarea más miserable: la de olvidarte» (1227). Por último, y en un claro ejemplo de la amenaza que supone para la integridad del yo de los supervivientes la desaparición de la madre, el narrador se pregunta, angustiado, «¿Nosotros? ¿Somos nosotros todavía?» (1229).

La última escena del relato, que tiene lugar después del entierro de la madre, cuyo lenguaje recuerda al de «Diálogo de los muertos» («Tu corazón inmóvil, preso en la red de los cautelosos, aterrorizados, sutiles dedos vegetales, les cederá sus últimos jugos» [1228]), está envuelta en una extraña sensación de irrealidad. Durante la reunión posterior al entierro, cada familiar intenta leer en los demás las transformaciones sufridas a raíz de la pérdida. Cada uno intenta comprobar si los demás realmente han podido cumplir la miserable tarea del olvido. Aparentan compostura y serenidad, pero todos sospechan y desconfían de los otros, se vigilan y se espían. La tensión llega a su punto álgido cuando, muy a pesar suyo, sus gestos empiezan a mimetizarse con los de la madre ausente. Como observa el narrador, en este juego de miradas acechantes y de sospechas, los familiares perciben «en todas partes esa amarillez inverosímil que conocemos ya sin lugar a dudas» (1229). A pesar de todos los esfuerzos por olvidarla, la madre los sigue habitando.

Convertidos en «cementerios de sus muertos», los familiares son sujetos que han perdido el control y están fuera de sí. Incapaces de disimular el vértigo de la desapropiación, recurren a unas convenciones sociales que se revelan inútiles en esas circunstancias. Intentan sonreír y tranquilizarse, pero el dolor y el miedo son demasiado intensos: «también nuestras propias sonrisas son falsas; no son tales sonrisas, son muecas» (1229) admite, derrotado, el narrador. Y acto seguido pronuncia, de forma enigmática, las últimas palabras del texto: «Lo advertimos en seguida, y advertimos que los demás se dan buena cuenta; que confirman sus sospechas, que ya no creen tampoco en uno, y lo saben todo, ya sin remedio» (1229). Al término de este proceso, ¿qué es lo que todos saben? ¿Cuál es el secreto que se da por sabido pero que nunca se explica? Si atendemos al tipo de duelo desplegado en «Diálogo de los muertos» y en «El tajo», el secreto solo puede ser uno: que no hay una respuesta satisfactoria a la pregunta «¿Qué "soy" sin ti?», que la práctica de duelo es interminable, y que nos permite aprehender la común vulnerabilidad humana y la diferencia interna que nos constituye. «Tal vez pueda decirse que el duelo lleva inscripta la posibilidad de aprehender un modo de desposesión fundamental para lo que soy», propone Butler (*Vida precaria* 54). Tal vez ese sea el secreto compartido sin remedio, por el narrador y sus familiares, al final del duelo.

De algún modo, el conocimiento del secreto puede pensarse como un tipo de consolación –una consolación sin duda precaria y paradójica, pero que llega a hacer del lugar de la pérdida el lugar de una recuperación o, al menos, de una leve esperanza–. En «Diálogo de los muertos», esta leve esperanza también se materializa en una serie de gestos, disposiciones y estados de ánimo cotidianos, frágiles y contingentes. Lo que sobrevive a la catástrofe de la muerte, lo que queda después de ella, es: «el inocente valor de los soldados»; «El odio conmovedor de los niños»; «El dolor orgulloso de las mujeres»; «La callada paciencia de los viejos»; «La fe sin esperanza»; «La obstinación sin salida»; «La virtud sin loa»; y, finalmente, «El deber sin reconocimiento y el sacrificio sin premio» (*Obras* I: 551). Más que ofrecer una consolación clara y directa, situada en un plano de sentido trascendente (la gloria eterna atribuida a los que mueren por la patria o la revolución), estos gestos y estados de ánimo nos remiten a un horizonte inmanente. Por eso, nos advierte uno de los muertos: «todo eso no es ni mausoleos, ni arcos, ni laurel, ni columnas, ni lápidas, ni himnos; no es mármol ni bronce; no es panteón» (551). Frente a la apropiación estatal y nacional de la memoria de la guerra –desde el horizonte actual, es imposible no pensar en el Valle de los Caídos–, Ayala reivindica unos símbolos que no son susceptibles de apropiación alguna, pues consisten en «algo leve, sin forma, como un brillo de lágrimas insinuado en una pupila, o una pinza de orgullo y desprecio en el silencio de unos labios» (551). Son, en definitiva, los símbolos y materiales que articulan un espacio de duelo singular, alternativo a la dualidad nacional/republicano, vencedor/vencido (dualidad que es función de un conflicto que, desde el punto de vista político, Ayala consideraba que pertenecía al pasado).

Muy sintéticamente, de estos textos de duelo se desprende la idea de la guerra como «culpa trágica», un concepto que José Luis Villacañas entiende en los siguientes términos:

> La consideración de la guerra civil como una tragedia, como un destino poético, abre el camino para bloquear la culpa forense, para eliminar toda referencia a los comportamientos responsables de los hombres. En el lugar de estos análisis objetivos, aparece la culpa trágica, que no conoce ni inocente ni culpable, pues allí quebró la razón integral, dejando a todos inocentes-culpables y culpables-inocentes, escindidos y sin vida espiritual plena. («Abandonando» 91)

Es en este preciso sentido que podemos decir que «Diálogo de los muertos» ofrece una visión despolitizada de la guerra. Lo que sorprende de ella es que empezara a forjarse tan temprano, a lo largo del año 1939, y que surgiera de la pluma de un escritor que, por su cerrada defensa de la legalidad republicana y por las pérdidas personales sufridas durante el conflicto, ostentaba una indiscutible autoridad moral para hablar de la guerra.

El propio Ayala insistiría en esta idea en «Sobre la Restauración», un ensayo de 1943 que pasó a integrarse en el volumen *Los políticos* (1944) y que es una refutación de los exiliados que soñaban con una restauración de la República. Al final del ensayo, Ayala lanza una advertencia en la que queda muy clara su desvinculación afectiva con el pasado bélico: «No; con lo que he llamado por analogía la Restauración de la República no se está camino de quebrar el círculo de hierro en que ha encerrado a España la guerra civil; es reincidir en un estado de ánimo correspondiente al pasado. La guerra civil pertenece a la historia, es un episodio clausurado irrevocablemente» (*Obras* V: 729).

A luz de las páginas anteriores, podríamos decir que, para Ayala, en los primeros años cuarenta, la guerra era ya «un episodio clausurado irrevocablemente» desde el punto de vista político, esto es, en tanto espacio sobre el que proyectar y legitimar las confrontaciones políticas de la época. Su visión descarnada del conflicto y su articulación de un espacio singular de duelo, en el cual todas las muertes eran dignas de ser lloradas, impedían cualquier actitud políticamente continuista con la guerra. Sin embargo, y creo que esto es importante, la clausura política de la guerra no implicaba la clausura de sus heridas morales. Lo que nos enseñan sus ficciones es que, en un sentido ético, el pasado bélico nunca llegó a estar clausurado del todo porque, de alguna manera, siguió desplegando sus efectos en el paisaje psíquico de los que sobrevivieron a la catástrofe. Como ocurre en «Diálogo de los muertos, en «Día de duelo» y en «El tajo», los muertos, con sus demandas, siguen interpelando a los vivos y les siguen recordando su común y primaria vulnerabilidad humana. Si los hombres son cementerios de sus muertos y los enemigos se llevan sobre el corazón (*Obras* I: 549) es porque todas las muertes, tanto las que nos afligen como las que negamos o rechazamos, nos constituyen como sujetos. Este es el sentido último del duelo efectuado por Ayala por las pérdidas de la guerra a principios de los años cuarenta.

La experiencia de la Segunda República: un primer examen de conciencia

Inmediatamente después del final de la guerra, Ayala extendió su desvinculación política del conflicto bélico al periodo de la Segunda República, el régimen por el que había luchado durante tanto tiempo. Este proceso arrancó en «Diálogo de los muertos», donde una de las voces dirigía amargos reproches tanto a los nacionales, «los que perpetraron la traición, cegados por la soberbia y poseídos por la furia del mando», como a todos «los que con su frivolidad propiciaron la traición; los flojos, los inhibidos, los débiles de voluntad, los pasivos, omisos y remisos» (*Obras* I: 547). En la singular elegía de 1939, la alusión a las propias culpas se producía en un lenguaje poético y relativamente abstracto, en el que solo aparecían los vicios y flaquezas morales de los actores y no sus ideas o comportamientos políticos. Pero en poco tiempo, con la publicación de *Una doble experiencia política: España e Italia* (1944), el libro escrito a cuatro manos con el exiliado italiano y filósofo del derecho Renato Treves (1907-1992), esas culpas empezarían a adquirir un peso y una consistencia marcadamente políticas.

Publicado como un cuaderno de la colección *Jornadas* del Colegio de México, dirigida por el exiliado español y filósofo del derecho José Medina Echavarría, *Una doble experiencia política* es un diálogo llevado a cabo por dos intelectuales antifascistas europeos con el fin de esclarecer dos cosas: la crisis que sufrió el liberalismo durante el periodo de entreguerras y la necesidad de reformarlo para mejor definir los marcos de convivencia de posguerra. Sus autores, prácticamente de la misma edad, compartían la condición de exiliados políticos en Argentina, la formación en el campo de la filosofía del derecho y el enfoque sociológico (donde destacaban las enseñanzas de Karl Mannheim). Además, como ha mostrado Giulia Quaggio, ambos se integraron en los círculos liberales y antifascistas argentinos: se convirtieron en profesores universitarios de sociología (Treves en la Universidad de Tucumán, Ayala en la Nacional del Litoral) en un momento en que esta disciplina se estaba institucionalizando como una forma de promover un liberalismo reformista; se vincularon al Colegio Libre de Estudios Superiores, centro de difusión de la cultura liberal, y al Instituto de Filosofía Jurídica y Social de la Universidad de Buenos Aires; participaron en la tertulia de Victoria Ocampo y de la revista *Sur*; y, finalmente, cooperaron con el movimiento antifascista local (36-65). Treves, que simpatizaba con el movimiento de resistencia antifascista Giustizia e Libertà (1929-1945), empezó a colaborar adhiriéndose a la asociación Italia Libre y publicando en la revista homónima, *Italia Libre*, que propugnaba una línea anticomunista y próxima a la Mazzini Society creada en 1939 en Nueva York por inmigrantes italoamericanos (72-79). Ayala, por su parte, colaboró con *Argentina Libre*, «una revista que pretendía de forma explícita acceder al espectro del antifascismo cultural en el contexto de la pluralidad ideológica liberal-socialista argentina durante los años de la guerra» (69-70).

De estas redes de sociabilidad intelectual y afinidad política, surgió *Una doble experiencia política*, un ensayo cuyo origen inmediato fue la reseña que Treves hizo de un libro de Ayala publicado unos años antes, *El problema del liberalismo* (1941). A la imputación de que la crítica al liberalismo desarrollada por Ayala en ese ensayo denotaba «una sombra de negro pesimismo y de profunda desconfianza en el porvenir» (170), el escritor granadino respondió haciendo un balance de los acontecimientos políticos vividos durante su juventud y primera madurez.[182] Erigido en representante de su generación, Ayala argumentaba que su crítica al liberalismo, más que ser consecuencia de la desilusión y el pesimismo, procedía de

---

182. Cito *Una doble experiencia política* por la reciente edición de Giulia Quaggio. Creo que no iba desencaminado Treves al detectar en *El problema del liberalismo* (1941) la influencia de la teoría política alemana, en la línea de «Schmitt, Heller y otros que, si bien seguían tendencias políticas diversas, coincidían todos en la crítica del liberalismo y la democracia» (170). Creo que esa influencia, en especial la de Schmitt, se ve sobre todo en el diagnóstico que Ayala hace de la crisis del Estado liberal-burgués. Como ya mencioné en un capítulo anterior, en «Los derechos individuales como garantía de libertad» (1935) Ayala suscribió el diagnóstico schmittiano acerca del agotamiento histórico del Estado liberal-burgués, pero no sus posibles soluciones o alternativas a esa crisis. Ese texto de 1935 pasó a integrarse en *El problema del liberalismo*, suscitando la observación de Treves. Cerezo Galán, en su estudio introductorio a la edición de Biblioteca Nueva de *Los políticos*, ofrece una interesante aproximación a las posiciones de Ayala acerca de la crisis del Estado liberal-burgués.

dos vivencias concretas: la neutralidad forzada del Estado español en el ámbito de las relaciones internacionales a partir de 1898 y la endémica inestabilidad la Segunda República entre 1931 y 1936.

En el tránsito de la primera a la segunda experiencia, Ayala formuló una crítica a la República que, en el año 1944, resultaba insólita entre los exiliados. El ensimismamiento y la estrechez de miras derivadas de la vivencia en «una entidad política *neutralizada*» (176), proseguía Ayala, llevó a los sucesivos gobernantes a ignorar la «nueva compulsación mundial de potencias» (183) que se estaba fraguando en el periodo de entreguerras. Esta dejadez de funciones culminó con la guerra de 1936, cuando el gobierno de la República no tuvo «la agilidad necesaria para hacerse cargo de la situación de conjunto y maniobrar en el momento oportuno» (185). Sin duda, concedía Ayala, «la conducta seguida para con la democracia española por parte de Francia e Inglaterra fue abominable» (185), y sin duda esta conducta constituyó para muchos un desengaño acerca de las instituciones liberales, pero lo que resultaba fundamental para él en ese momento era asumir los propios errores y así evitar cualquier tipo de idealización.[183] Esta primera crítica a la República no solo indicaba una clara toma de distancia respecto del régimen por el que Ayala había luchado sino también el reconocimiento de que los errores del mismo gobierno republicano contribuyeron, de

---

183. Según Ayala, cuando España se vio forzada a jugar un papel en el escenario internacional en 1936 estaba completamente desprevenida: «Tan ciego estaba el Estado español frente a las circunstancias en perspectiva que, al borde de la catástrofe, aquel mismo gobierno que rechazaba las insinuaciones de las potencias totalitarias, se mantenía también desvinculado de la Unión Soviética; cuando comenzó la guerra civil, no había reconocido la República Española al gobierno ruso: era tal vez el único Estado europeo que no mantenía relaciones diplomáticas con ese régimen soviético, que Mussolini había sido el primero en reconocer...» (184).

alguna manera, a su caída. «La conciencia de nuestras propias culpas», escribía Ayala, «puede ayudarnos a desechar el resentimiento que ha dejado en las almas españolas la tremenda injusticia padecida [por obra de Francia e Inglaterra]» (185).

A esta primera crítica a la falta de perspectiva internacional de la República, Ayala sumó otras más: primero, deslizó la idea de que «la República no fue, en sentido positivo, lo que se dice un régimen constituido [...] sino más bien un proceso constituyente, difícil, laboriosísimo» (180); luego, observó que las elecciones generales de 1933, al llevar al poder «a los enemigos de la política republicana» (180), significó la destrucción de «la labor social recién cumplida por el anterior gobierno republicano» (182). La provisionalidad del régimen, seguía explicando Ayala, se vio agravada por las deficiencias inherentes a la Constitución de 1931, «un código político que privaba de recursos a las autoridades, y ello cuando justamente el gobierno iba a tener que manejar y controlar grandes fuerzas sociales desencadenadas» (181). Por último, Ayala no se olvidaba de las responsabilidades de unos gobernantes, ya fueran republicanos o antirrepublicanos, que «carecían de toda experiencia política y de toda visión de conjunto» (181). El mensaje era claro: ya antes del fin de la Segunda Guerra Mundial, la única forma que Ayala tenía de contemplar el pasado republicano era a través de una mirada distanciada, llena de desencanto y con un punto de amargura.

Frente a los exiliados que eran incapaces de imaginar un futuro político porque seguían obsesionados con la idealización de lo perdido, Ayala procuraba por todos los medios evitar «la persistencia en una ceguera mortal que sigue contando con situaciones y posibilidades ya desaparecidas» (175). Sin mencionar a los exiliados que soñaban con la restauración de la República, Ayala les indicaba que la experiencia política de 1931-1936, marcada como estuvo por la impotencia de las instituciones liberales y por una serie de prácticas no-democráticas, clausuraba por completo esa posibilidad.[184] Su independencia respecto de las actitudes mayoritarias entre el exilio queda todavía más clara si tenemos en cuenta que, como nos lo recuerda Francisco Caudet, a mediados de los años cuarenta todavía era común «hacer culpables de todos los males del exilio al comportamiento de las potencias extranjeras» (Caudet, *Hipótesis* 217). Ayala se situaba más bien en la posición de quien hace un examen de conciencia y asume las propias culpas.

Es este lugar de enunciación el que le permitió vislumbrar un futuro político. Aunque no llegó a concretar una serie de nuevos principios o instituciones políticas, sí que tenía claro que la democracia futura de posguerra pasaba, en primer lugar, por «la tarea de edificar de nuevo la convivencia civil sobre postulados humanos decorosos» (186). Y, en segundo término, por la misión que Ayala reservaba en esa coyuntura histórica a los «pueblos latinos», esto es, a los países de mentalidad católica que, como España, Italia y los de Hispanoamérica, habían quedado al margen del proceso de modernización y del desarrollo de la razón instrumental. Estos pueblos, proseguía Ayala, debían poner en juego sus «reservas espirituales» para poner fin «al espíritu activista cuya expresión extrema ha sido el dinamismo totalitario» (218). Dejando de lado las evidentes dosis de esencialismo cultural –raro, por otra parte, en Ayala– y de voluntarismo optimista, esta misión de los pueblos latinos evidenciaba que para Ayala la política del futuro ya no se jugaba en el espacio definido por el Estado-nación sino en unidades geográficas mucho más amplias. Como enseguida veremos, estas dos ideas –la

---

184. Como hemos expuesto al principio del capítulo, Ayala ya había desechado esa posibilidad de manera explícita en el capítulo de *Los políticos* (1944) titulado «Discurso sobre la Restauración».

misión de los pueblos latinos y la superación del marco nacional– resultarán fundamentales para otro escrito mayor de esta época, el ensayo *Razón del mundo* (1944).

Pero antes de examinar ese escrito, conviene destacar que la desvinculación política del pasado republicano no procedía de un estado de duelo sino de las vivencias de Ayala, de su experiencia política vivida. Numerosas son las referencias, a lo largo de *Una doble experiencia política*, a la noción de experiencia, una forma de conocimiento que no pasa únicamente por la razón, sino que también incluye a las emociones.[185] Sin duda, el objetivo manifiesto de Ayala por aquellos años era construir una nueva racionalidad liberal y democrática, «una nueva forma de organización de la libertad acomodada a las condiciones del presente» (*Obras* V: 138). Sin embargo, al apelar a la noción de experiencia en su recapitulación de lo que significó la Segunda República y la lucha contra el franquismo, también estaba poniendo en juego las emociones. En tanto categoría de análisis, la experiencia puede consistir en dos cosas: el saber adquirido por las situaciones vividas y una forma especial de conciencia que activa las emociones. Según Raymond Williams, el término «experiencia» puede remitir al «conocimiento obtenido de los acontecimientos pasados, ya sea por medio de observaciones conscientes o reflexiones y consideraciones» (*Keywords* 126) o a un «tipo de conciencia más plena, más abierta y más activa, que además de los pensamientos incluye también sentimientos» (127).[186]

---

185. He reflexionado sobre la centralidad de la noción de experiencia en la articulación del liberalismo de posguerra de Ayala en «Francisco Ayala's Postwar Liberalism: Ideology and Experience».

186. «Knowledge gathered from past events, whether by conscious observation or by consideration and reflection»; «the fullest, most open, most active kind of consciousness, and it includes feeling as well as thought».

En *Una doble experiencia política* hay muchísimas referencias a ambas acepciones del término. Un ejemplo de la primera nos lo proporciona Ayala cuando alude al «balance de las terribles experiencias de los años pasados» (185); Treves nos ofrece un ejemplo de la segunda acepción cuando observa que los jóvenes intelectuales liberal-socialistas «experimentaban hacia ella [la doctrina fascista] un instintivo y natural sentimiento de desprecio y rebeldía» (189). En este segundo sentido, queda claro que la posición de los intelectuales liberal-socialistas no puede reducirse a una serie de razones: además de ellas, dicha posición integraba también sentimientos como el desprecio y la rebeldía. Es también en este segundo sentido que Ayala argumentaba que «como fruto directo de la experiencia política viva [de la etapa radical-cedista de 1933-1936] se precipitó en los espíritus de mi generación [...] la crítica de las instituciones liberales, que ya se había hecho en Europa, y de la que teníamos un conocimiento intelectual» (183). En el contraste que Ayala hace entre «la experiencia política viva» y «el conocimiento intelectual de la crítica de las instituciones liberales», queda claro que en la experiencia política de 1933-1936 no solo estaban en juego una serie de razones y argumentos intelectuales. Más bien, nos sugiere Ayala, la crítica de las instituciones liberales brotó, tras el llamado bienio negro, de una forma de conciencia más amplia que, además de razones y argumentos, esgrimía también la frustración, la rabia y la indignación que debieron de sentir todos los que –como el mismo Ayala– se habían comprometido con las reformas sociales del periodo anterior y que por aquellos años asistían impotentes a su destrucción.

De forma más general, en este y otros escritos de aquellos años, Ayala mostró una particular sensibilidad hacia la dimensión emocional de la vida política. Así, en *Una doble experiencia política*, consideró que la libertad política sobrevivía durante el primer franquismo bajo la forma de un sentimiento:

El sentimiento de la libertad es tan profundo en el pueblo español, se encuentra tan arraigado en sus entrañas, le es tan esencial y lo vive con tal independencia de cualquier sistema de instituciones, que es capaz de afirmarse en contra de aquellos ordenamientos jurídico-políticos que, dentro y fuera del país, se han mostrado ineficaces, falaces y vacíos, en busca de otros más efectivos. (185)

En este esquema, las emociones surgen al límite de la experiencia y se convierten, a la vez, en el suelo donde hará pie toda experiencia futura: el «sentimiento de la libertad» es el residuo irreducible y permanente de las instituciones liberales fallidas y, simultáneamente, representa la promesa de su transformación. Esta doble estructura recuerda las reflexiones que Ayala había hecho un año antes acerca del filósofo y político liberal Benjamin Constant. Ejemplo de lo que Ayala llama «mentalidad fronteriza», una noción muy parecida a la «perspectiva exiliada» de Said, Constant, nacido en Suiza de una familia de tradición protestante, siempre vivió al margen, en una situación precaria e inestable. Pero lejos de significar una desventaja, esta «conciencia llena de repliegues, reticencias y reservas» (*Obras* V: 696), tan afín a la del propio Ayala, le llevó a proponer una teoría sobre la monarquía constitucional que arrancaba de «[una] emoción liberal» (699), de «ese delicado sentimiento de la libertad individual» (698), y que aspiraba a «un orden de paz y libertad» (697). De ahí que Ayala dejara escrito que «el liberalismo consiste más en un temperamento que en una construcción mental, más en una sensibilidad que en una ideología» (695). A principios del siglo XIX, en el periodo del liberalismo burgués clásico, este sentimiento de la libertad individual empezaba a objetivarse en las instituciones políticas diseñadas por gentes como Constant; a la altura de 1944, parece decirnos Ayala, era imposible encontrar ese sentimiento objetivado en las instituciones de la España franquista: el franquismo lo había extirpado y había hecho que se refugiara en el corazón de la gente, donde sobrevivía agazapado.

Al volver su mirada hacia su pasado reciente, hacia el periodo de la guerra y de la Segunda República, Ayala activó tanto su pensamiento como sus emociones. Para desvincularse políticamente de ese pasado conflictivo, puso en juego sus conocimientos intelectuales y sus afectos: inició el proceso de duelo por las pérdidas de la guerra e hizo balance de las experiencias políticas de la Segunda República, dos actividades que movilizaron un amplio rango de emociones –desde la ira, el encono y la tristeza hasta la desolación, la indignación y la desilusión–. Este tipo de trabajo emocional tenía una inequívoca dimensión personal: era el propio Ayala que se aplicaba a elaborar y dar forma a sus emociones. Su resultado inmediato fue una capacidad inusitada para poder aceptar y superar ese pasado. A largo plazo, la toma de distancia respecto del pasado le permitió también ensayar una nueva manera de situarse en el mundo de posguerra. Y también le ayudó a cristalizar una nueva definición del intelectual en su ensayo *Razón del mundo* (1944), una definición en la cual las emociones, esta vez vinculadas con grupos sociales –las masas– y no con un individuo, representarán lo negativo, todo lo que se opone a la cultura, el espíritu y la razón. En esta búsqueda de una nueva racionalidad democrática en el penúltimo año de la Segunda Guerra Mundial, la única tarea que había que cumplir respecto de las violentas pasiones que agitaban la vida social de la época era combatirlas, dominarlas y reconducirlas.

Ante la plenitud pasional de la guerra civil europea

Para entender la posición que Ayala adoptó ante esas emociones colectivas, hay que hacer referencia a los múltiples antagonismos sociales, políticos y culturales que caracterizaron lo que Enzo Traverso ha dado en llamar «la guerra civil europea» de 1914-1945, «un ciclo en el cual una cadena de acontecimientos catastróficos –crisis, conflictos, guerras, revoluciones– condensa una mutación histórica» (*A sangre* 44) que fue vivida y recordada como un inmenso colapso civilizatorio. En este sentido, son numerosos los intelectuales –desde Stephen Spender hasta Albert Camus, pasando por el mismo Renato Treves– que vivieron la Guerra Civil española como parte del mismo conflicto que desembocó en la Segunda Guerra Mundial. Muchos ciudadanos anónimos que tuvieron que sobrellevar esos tiempos oscuros también detectaron la persistencia de unas mismas características entre las dos contiendas. Desde luego, Ayala coincidió en su diagnóstico con todos ellos: en las primeras páginas de *Razón del mundo* dejó escrito que la Guerra Civil española y la Segunda Guerra Mundial eran parte de una crisis más amplia que cuestionaba radicalmente «los principios mismos de nuestra civilización, la esencia de nuestra cultura» (*Obras* V: 299).

Si todos ellos percibieron una continuidad esencial entre los dos conflictos bélicos es porque ambos presentaban ciertos rasgos comunes. Llena de horrores y atrocidades, la guerra civil es un tipo de conflicto particularmente monstruoso porque los que participan en ella acaban consumidos por unas pasiones destructivas. No solo transforma la psicología de los actores sociales y bélicos, sino que los convierte en sujetos arrebatados, en individuos dominados por el terror, movidos por «la inseguridad, el odio y la voluntad de eliminar al enemigo» (*A sangre* 67). Así, Traverso observa que la guerra civil

> [...] es siempre una mezcla de anomia jurídica y de plenitud pasional llevadas al extremo, como si el vacío creado por la caída de las normas se llenara con un contenido emocional nuevo. El combate ya no es legitimado, y mucho menos regulado, por la ley, sino por convicciones éticas y políticas superiores que hace falta defender hasta el fin, de la manera más intransigente posible, al precio de la vida del enemigo –un enemigo cercano, conocido– y, si es necesario, al precio del sacrificio de la propia vida. (*A sangre* 67-68)

Otra forma de pensar la plenitud pasional característica de la guerra civil consiste en observar que este tipo de conflicto hizo de la experiencia del martirio algo rutinario, cotidiano. El término *mártir*, que procede de la palabra griega que significa «testigo», tenía en su origen un significado estrictamente religioso: mártir es aquel que «da testimonio de la verdad divina hasta la muerte» (Smith 435).[187] Durante la guerra civil europea, el término retuvo sus connotaciones religiosas pero se llenó de sentido político. Los mártires que proliferaron en la Europa de 1914-1945 fueron mártires de una causa política. En el caso de la España de los años treinta, los mártires empezaron a engrosar las filas tanto de la derecha reaccionaria como de la izquierda revolucionaria –sobre todo a partir de la revolución de octubre de 1934–. Como ha señalado Brian Bunk, «las conmemoraciones de los mártires [católicos] asesinados en octubre de 1934 contribuyeron a dividir a los españoles entre 'buenos' y 'malos', donde los primeros eran personas que encarnaban los rasgos apreciados por la sociedad conservadora y los segundos aparecían como criaturas deshumanizadas y poseídas por una sed de destrucción» (36).[188] A esta narración conservadora del martirio, la izquierda revolucionaria opuso la suya. Así, «en los ojos de muchos radicales, el sufrimiento de los prisioneros y sus familias sería recompensando con la victoria final de la revolución, una idea que resonaba con la literatura tradicional del martirio, que atribuye la gloria eterna a aquellos que han muerto por sus

---

187. «The witnessing unto death of divine truth».

188. «The commemorations of the [Catholic] martyrs killed during October 1934 helped divide Spaniards into 'good' and 'evil' beings, with the former presented as individuals who embodied the traits most prized by conservative society while the latter appeared as dehumanized creatures bent on destruction».

creencias» (62).[189] Con la guerra de 1936, el número de mártires se desarrolló exponencialmente, convirtiendo lo que en tiempos de paz era un caso extremo y excepcional en un hecho habitual.

Tanto es así que Ayala creía que la experiencia del martirio se había convertido en la experiencia fundamental de su generación. En las primeras páginas del ensayo *Libertad y liberalismo*, escritas en 1963, hay una anécdota que es muy reveladora de su actitud sobre el martirio (y el irracionalismo que lo hacía posible). Ayala nos cuenta que, a principios de los años 1950, había acompañado a un buen amigo suyo a ver la obra de George Bernard Shaw *Androcles and the Lion* (1912), una comedia filosófica sobre el cristianismo primitivo que ofrece un tratamiento humorístico del martirio. Antes de la guerra, prosigue Ayala, la obra le había causado a su amigo «una impresión agradable»; pero después de la guerra «le produjo [...] el efecto de un revulsivo. Salió sublevado, literalmente» (*Obras* V: 67). Intentando averiguar la causa de un cambio de apreciación tan radical, y procurando esclarecer «el resorte oculto de tanta y tan inesperada indignación» (67), Ayala concluye lo siguiente:

> Lo que sin duda había cambiado entre tanto eran los tiempos; éramos nosotros los que habíamos cambiado, hasta el punto de que ya no podían resultarnos divertidas las facecias del autor victoriano-fabiano acerca de los mártires [...] Pues para nosotros el martirio había dejado de pertenecer a las páginas lejanas de la leyenda áurea. Con los años terribles, había irrumpido en la esfera inmediata de nuestra vida como una experiencia real. El Crucificado, al que

---

189. «In the eyes of many radicals, the suffering of many prisoners and their families would be rewarded in the end with the final victory of the revolution, an idea that echoed traditional martyr literature where eternal glory is bestowed on those killed for their beliefs».

solíamos dedicar apenas distraídas miradas, resultó ser nuestro padre y nuestro hermano. Y su sangre, al salpicarnos los ojos, los hirió con las sales y los ácidos de una libertad que no era ya mera palabra o gastado concepto; de una libertad –si así puede expresarse– en estado de pureza química. (67-68)

Además de dedicar un conmovedor (y contenido) recuerdo a su padre y a su hermano asesinados durante la Guerra Civil, Ayala dejó claro que el cambio de actitud ante el martirio surgió de una experiencia estética (ir a ver la obra de teatro de Shaw) y de una emoción concreta (la indignación). Al asistir a la comedia de Shaw, Ayala y su amigo fueron incapaces de reír no por sus convicciones racionales acerca del martirio, sino porque durante la guerra lo habían vivido como «una experiencia real» (nótese otra vez las resonancias afectivas del término experiencia) que les ocasionó dolor y sufrimiento (y que más tarde suscitó su reprobación moral). Marcado por esa experiencia, la voluntad de Ayala fue construir una sociedad sin mártires, donde la libertad –retomando otra vez los términos de *Una doble experiencia política*– no tuviera que refugiarse «en estado de pureza química» en el corazón de los mártires, sino que estuviera objetivada en instituciones políticas. Convencido de que «la política no es sino la técnica para una distribución sensata de la libertad disponible, dentro de un orden social razonablemente justo» (69), Ayala aspiró a vivir en un mundo en el cual el martirio –y toda la irracionalidad que comportaba– fuera visto «como caso extremo, excepcional y casi increíble, teórico, según corresponde a las pautas de una sociedad sana y normal» (72). Para satisfacer esta voluntad de normalidad, como ha puesto de manifiesto Sebastián Martín, en los primeros años cuarenta Ayala se apoyó en las virtudes de la razón, «detectando y atribuyendo un sentido humano y racional al desenvolvimiento histórico, evitando con ella la caída en el relativismo nihilista que celebraba el culto a la violencia» («Historicismo» 59). La definición del intelectual ofrecida en *Razón del mundo* apuntaba en esa dirección, pues la misión que le atribuía Ayala en ese escrito no era otra que cumplir «el esfuerzo por domeñar la rebelde sinrazón de nuestro tiempo, insertándola dentro de esquemas racionales y dando así razón de ella» (*Obras* V: 372).

Racionalidad y universalidad en *Razón del mundo*

Considerada «una de las obras mayores del temprano exilio» (Gracia, *A la intemperie* 94), *Razón del mundo* constituye la primera reflexión sistemática de Ayala sobre la figura del intelectual y su función social. Sin duda, y como hemos venido viendo, Ayala había hecho incursiones ocasionales en el tema de la responsabilidad y función del intelectual: en 1928, en las páginas de *La Gaceta Literaria* (en su respuesta a la famosa encuesta sobre «Política y literatura» dirigida a la «juventud española») o en 1929, en las páginas de la revista *Atlántico* (en el comentario a la carta de Ortega y Gasset dirigida a los jóvenes intelectuales). También es cierto que, en la práctica, ejerció de intelectual desde los inicios de su carrera, interviniendo en varios de los asuntos que pautaron el debate público del país durante los años treinta. Entre 1931 y 1933, además, terció en las luchas políticas del bienio reformista y, durante la guerra, luchó en el bando republicano. Pero no es hasta los primeros años de su exilio político en Buenos Aires que empezó a reflexionar sistemáticamente sobre su actividad como intelectual.

Razón del mundo, publicado por la editorial Losada en 1944, se compone de dos partes: una reflexión de orden teórico sobre la responsabilidad, la definición y la función del intelectual y otra, de carácter histórico, titulada «La perspectiva hispánica».[190] La reflexión teórica nos explica que a partir del siglo XIX la intelectualidad adquiere el carácter de una profesión liberal que actúa ante el público y, a la vez, ocupa la posición de una élite directiva (*Obras* V: 348-365). El de Ayala es un concepto pedagógico de intelectual, que trata primero de persuadir y orientar a las élites de poder mediante la autoridad de sus opiniones para, en un segundo momento, incorporar a las masas a los valores ganados por la civilización.[191] La parte histórica nos entrega una exposición de los principios culturales que configuran el lugar de enunciación de Ayala y, por extensión, de los intelectuales exiliados de expresión castellana. Derivada del carácter excéntrico del mundo hispánico respecto de la autonomización moderna de lo político, la particularidad de la tradición hispánica reside para Ayala en ser una fuente de principios éticos que configurarían una autoridad espiritual desnuda de poder (371-406). Si los argumentos de la parte histórica del ensayo son los que más han envejecido a la fecha —muchas de sus interpretaciones acerca de los principios espirituales de la monarquía católica resultan hoy

---

190. Luis Emilio Soto hizo una temprana y elogiosa reseña de *Razón del mundo* en el número 120 de *Sur*. Según observa Carolina Castillo Ferrer, la primera articulación de la conciencia hispánica de Ayala, que se remonta a sus años de estudiante en Madrid, tuvo lugar en la ya citada conferencia «Sobre el punto de vista español ante la propuesta de una Unión federal europea» (1931); en cuanto a «La perspectiva hispánica», Castillo Ferrer apunta que se publicó originalmente con el título de «La coyuntura hispánica» en la que fue la primera publicación de Ayala en *Cuadernos Americanos*, en el número correspondiente a julio-agosto de 1943 (166-167).

191. Aunque Ayala, en *Razón del mundo*, enfatiza el papel de la intelectualidad como grupo orientador de las élites de poder, a mediados de los años cincuenta también irá perfilando la importancia del intelectual como guía de las masas —véase, por ejemplo, un texto de 1953 como «El escritor y la sociedad de masas» (*Obras* III: 313-336)–.

en día cuestionables, especialmente a la luz de la contemporánea teoría decolonial–, a la altura de 1944 no solo demostraban una innegable actualidad sino que tuvieron la virtud de favorecer los contactos que, unos años después, Ayala empezaría a establecer con un reducido número de intelectuales del interior de España.[192]

Los estímulos que cristalizaron en las reflexiones de *Razón del mundo* fueron diversos. Destacan, primero, las reflexiones que sobre la figura del intelectual el propio Ayala había avanzado unos años antes en *El problema del liberalismo* (1941), reflexiones que Treves juzgó como índice «del más irremediable pesimismo» (*Una doble experiencia* 172). Allí, Ayala daba cuenta del fracaso de los intelectuales durante la crisis social de la época, esbozando una teoría sociológica de la intelectualidad moderna como un grupo de profesionales liberales, dotado de una autoridad inerme e indirecta, que se revelaba incapaz de guiar al público, fragmentado y polarizado, ante el que actuaba. Ayala concluía esas páginas confesando una

---

192. Las reflexiones de Ayala acerca de las contribuciones del mundo hispánico o latino al nuevo orden mundial que iba a surgir de la guerra formaban parte de un universo discursivo en el que destacan las contribuciones de otros intelectuales exiliados como las del filósofo catalán Joaquim Xirau en «Humanismo español» (1942) o las del sociólogo José Medida Echavarría en el capítulo «Cuerpo de destino» en *Responsabilidad de la inteligencia* (245-253), un libro de 1943 cuyos argumentos sobre el intelectual están muy próximos a los de Ayala. Que estas reflexiones sobre la cultura hispánica ayudaron unos años más tarde a tender puentes con el interior lo demuestra el hecho de que fueran recogidas favorablemente (y selectivamente) por José Luis López Aranguren en «La evolución espiritual de los intelectuales españoles en la emigración» (148, 156). Claro está, hoy en día sospechamos de esa pretendida excentricidad moderna de España porque disponemos de otras narrativas de la modernidad, diferentes a las producidas por el historicismo alemán. Así, como ha puesto de manifiesto, entre otros, Enrique Dussel, la cultura hispánica, más que estar al margen de la modernidad, propició el primer despliegue del yo moderno en la conquista de México (471-472).

impotencia y constatando que «el fracaso de los intelectuales [...] ofrece al mundo uno de los más penosos y deprimentes espectáculos» (*Obras* V: 999). Esta constatación suscitó las protestas de Treves, más militante y optimista. Unos años más tarde, en *Razón del mundo*, Ayala retomaría esas ideas y entonces ofrecería, si no un programa de actuación determinado para los intelectuales, al menos un claro sentido de la función que debían cumplir en la sociedad.

En segundo término, *Razón del mundo* también puede leerse como una rectificación de los ensayos que, en el primer exilio, exploraron obsesivamente el llamado «problema de España». Frente a los ensayos animados por lo que Francisco Caudet denominó «la pasión por España» (52) –un sentimiento detectable en las páginas de *Pensamiento y poesía en la vida española* (1939), de María Zambrano; *Rendición de espíritu* (1943), de Juan Larrea; *Una pregunta sobre España* (1945), de Antonio Sánchez Barbudo; o en la obra histórica de Américo Castro y Claudio Sánchez Albornoz–, la apuesta de Ayala fue otra. Si en *Razón del mundo* se aproximó al pasado y la tradición, en ocasiones con algún resabio esencialista y no pocas dosis de optimismo, lo hizo sobre todo para mirar al futuro y así mejor definir la misión del intelectual en una situación radicalmente nueva e incierta, en que «la fase histórica de las nacionalidades estaba concluyendo» (*Obras* V: 286).[193] Como ha observado certeramente

---

193. Caudet incluye a *Razón del mundo* entre los ensayos que se ocupan de la «pasión por España», pero en el fondo el ensayo de Ayala aborda el llamado «problema de España» de forma muy diferente a los otros ensayos referidos más arriba. Ni por el carácter internacional de sus referencias intelectuales, ni por el tono, que carece absolutamente de emociones patrióticas, ni, sobre todo, por la intención de superar el Estado-nación como horizonte de pensamiento, *Razón del mundo* es simplemente un ensayo más animado por la «pasión por España». De hecho, es en parte por una supuesta falta de entusiasmo patriótico que el

José-Carlos Mainer: «*Razón del mundo* [...] es un primer, sólido y necesario libro de autodefinición: Ayala se proclama allí intelectual universal, consciente de la insuficiencia de las categorías interpretativas del nacionalismo liberal burgués y, a la vez, de los nuevos retos que impone una sociedad masificada y cuyos valores generales se homogeneizan» («Una reflexión» 44).

El tercer y último estímulo en el origen de *Razón del mundo* hay que buscarlo en las redes de sociabilidad intelectual vinculadas al periódico *La Nación* y la revista *Sur*, muy particularmente los «debates sobre temas sociológicos» inspirados por Roger Caillois y auspiciados por Victoria Ocampo y su revista. Con el establecimiento de los «debates sobre temas sociológicos», Ocampo quería reeditar en Buenos Aires las actividades del Colegio de Sociología fundado por Roger Caillois, Georges Bataille y Michel Leiris en París en 1937.[194] Ayala participó en los que tuvieron lugar en julio de 1941 acerca de la responsabilidad de los intelectuales, junto con el propio Caillois y un selecto grupo de intelectuales argentinos y extranjeros, entre los que destacaban Patricio Canto, Victoria Ocampo, Angélica Mendoza, Lorenzo Luzuriaga, Denis de Rougemont, Margherita Sarfatti o Pedro Henríquez Ureña. De esa pluralidad cosmopolita de voces surgió *Razón del mundo*, un ensayo que es producto de la

---

historiador medievalista Claudio Sánchez Albornoz impugnó algunas tesis de *Razón del mundo*, lo que dio lugar a la polémica que Ayala sostuvo con él en las páginas de *Realidad* (*Obras* V: 411-419). El prólogo de Ayala a la segunda edición de *Razón del mundo* es muy útil para esclarecer los presupuestos metodológicos del ensayo (*Obras* V: 281-298). Para una lectura de la polémica entre Sánchez Albornoz y Ayala, véase mi artículo «El problema de España en el exilio».

194. Sobre el Collège de Sociologie, véase el libro homónimo de Denis Hollier. Marina Galletti estudia los cambios que se produjeron en el discurso de Caillois con el traslado de los debates sobre temas sociológicos de París a Buenos Aires.

confrontación de la teoría y la práctica intelectual del propio Ayala con los textos e ideas que circularon en esas tertulias. Tres voces destacaron por sobre las demás: la del intelectual estadounidense Archibald MacLeish (1892-1982); la del sociólogo alemán de origen húngaro Karl Mannheim (1893-1947); y la del escritor y pensador francés Roger Caillois (1913-1978).

El resultado del contraste con las ideas de MacLeish, Mannheim y Caillois fue doble: por un lado, MacLeish y Mannheim contribuyeron a perfilar el compromiso de Ayala con un historicismo de índole humanista; por otro, las diferencias que Ayala mantuvo con Caillois reforzaron su convencimiento de que la razón todavía podía (y debía) constituirse en freno del poder del Estado y en guía de las masas, especialmente cuando venía corregida por los principios éticos y espirituales de la cultura hispánica. Del panfleto de MacLeish titulado *The Irresponsibles*, dado a la imprenta en 1940 y discutido en los «debates sobre temas sociológicos» del 14 de julio y 17 de agosto de 1941, Ayala retomó la cuestión de la responsabilidad del intelectual.[195] MacLeish, que como Ayala renunció a una prometedora carrera de abogado para dedicarse a la escritura, pasó de defender la autonomía literaria en los años veinte a comprometerse con el antifascismo y a expresar simpatías marxistas en la década del treinta. Esta evolución ideológica de MacLeish llegó a su fin en 1939, cuando Franklin D. Roosevelt lo nombró Bibliotecario del Congreso de Estados Unidos. Atento a la guerra española, publicó en junio de 1937 un artículo en el que saludaba la resistencia del

---

195. Ayala asistió al primer debate, «Comentario a *Los irresponsables*, de Archibald MacLeish», disponible en el número 83 de la revista *Sur*, de agosto de 1941, pero no al segundo, «Nuevas perspectivas en torno a *Los irresponsables*, de Archibald MacLeish», publicado en el siguiente número de *Sur*, correspondiente a septiembre de 1941.

pueblo de Madrid como «una de las grandes victorias contra el fascismo»[196] (103); y en octubre de 1938 estrenó su obra de teatro radiofónico *Air Raid*, inspirada en el bombardeo de Guernica.

En *The Irresponsibles* MacLeish, con tono profético e indignado, acusaba a los escritores e intelectuales de su generación de no haber estado a la altura de su cometido y de no haber sabido defender los valores básicos de la cultura occidental como la ley moral, la autoridad espiritual y la verdad intelectual (111). Para MacLeish, los intelectuales de su época, incapaces de detener el avance del nazismo y su metódica destrucción de la cultura occidental, ya no podían ser considerados como hombres de letras comprometidos con los valores de su tiempo –como sí lo fueron, lamentaba con nostalgia, figuras como Las Casas, Milton y Voltaire–. Ahora, proseguía, los hombres de letras se habían escindido en dos grupos, el de los eruditos y el de los escritores, y ambos habían acabado naufragando en la apatía más catastrófica al empeñarse en cultivar la objetividad, el desinterés y el desapego. Quizá en alusión a Benda, también lamentaba el hecho de que «tanto escritores como eruditos se hubieran liberado de las pasiones subjetivas, las preconcepciones emocionales que colorean las convicciones y los juicios» (120).[197]

Esta posición no era compartida por Ayala, quien entendía que la premisa sobre la que se fundamentaba era falsa. En el primer debate que tuvo lugar en casa de Victoria Ocampo sobre el panfleto de MacLeish el 14 de julio de 1941, Ayala lo dejó muy claro: el reproche de MacLeish tenía como supuesto tácito «una posición idealista, una posición según la cual lo que mueve la historia es el

---

196. «One of the great victories against fascism».

197. «Both writers and scholars freed themselves of the subjective passions, the emotional preconceptions which color conviction and judgment».

pensamiento humano, son los valores del espíritu» («Comentario» 105). Ayala reiteró esta idea en el artículo titulado «Examen de conciencia» que aparecería unas semanas más tarde, el 7 de septiembre de 1941, en las páginas del suplemento literario de *La Nación*: en la acusación de MacLeish contra los intelectuales hay «un eco vivo de la filosofía idealista de la historia, según la cual todo el desarrollo del acontecer humano estaría dirigido por la idea y tendería a la realización del espíritu» (*Obras* VII: 772). Y tres años más tarde, el mismo concepto apareció en *Razón del mundo* con apenas variaciones: «La creencia de que la historia se mueve a impulso de las ideas es una de esas convicciones generales, no expresas» (*Obras* V: 329). La filosofía idealista de la historia, a su modo de ver, hacía que los intelectuales sobrevaloraran la eficacia real de sus ideas. Si en realidad las ideas por sí solas no movían la historia, razonaba Ayala, entonces los intelectuales no podían ser unos irresponsables porque su incidencia en el proceso histórico siempre era indirecta, se producía a largo plazo, y estaba mediada por numerosas instancias. Ahora bien, Ayala tampoco quería suscribir una filosofía materialista de la historia porque, en su opinión, esta consistía en una inversión de los términos de la discusión que relegaba a la cultura y al conocimiento a estatuto de mero reflejo de la superestructura económica.

La clave del asunto residía en apelar a lo que Ayala llamaba «la convicción consciente y científica de nuestros días» (*Obras* V: 329), que el escritor granadino identificaba con la sociología de Franz Oppenheimer (1864-1943) y Karl Mannheim, dos pensadores que defendían que el conocimiento siempre estaba mediado por intereses sociales, políticos y económicos. El problema, en los años treinta, era que esos intereses alcanzaron tal grado de polarización y enfrentamiento que resultó del todo imposible llegar a un consenso en la percepción misma de la realidad política. Como apuntó Ayala con un punto de amargura, «cuando se agrieta el suelo común y surge una radical contraposición de intereses, y con ella disensiones intelectuales que calan hasta las raíces del pensamiento, entonces se injiere en la pugna la denuncia de las ideas del contrario como mero disfraz de sus intereses» (370). Si nuestra posición social no solo condiciona, sino que constituye nuestro pensamiento, ¿cómo llegar a una descripción compartida de la realidad que haga posible la creación de un marco de convivencia común? ¿Cómo superar el proceso de desenmascaramiento ideológico y llegar a un mínimo de acuerdo que garantice la paz y el orden? Estas son las preguntas que, en forma más general, abordó Karl Mannheim en *Ideología y utopía* (1929), cuya traducción al español, publicada por el Fondo de Cultura Económica, prologó Medina Echavarría en 1941 y reseñó Ayala al cabo de unos meses.[198]

En el clima de tensión y violencia de la Alemania de Weimar, donde los movimientos políticos revolucionarios y antiparlamentarios agitaban los afectos de sus partidarios, Mannheim se dedicó a una tarea titánica: reconciliar su relativismo epistemológico con la producción de un conocimiento sobre la política que trascendiera los intereses de clase y de partido. Lo que estaba en juego era la posibilidad de una verdad sobre la política que generara un marco común de convivencia, desterrando las formas irracionales

---

198. El prólogo de Medina Echavarría está recogido en *Responsabilidad de la inteligencia*, pp. 15-25. Ayala conocía bien el pensamiento de Mannheim pues había traducido *El hombre y la sociedad en la época de crisis* en 1936 y, en 1942, reseñó la traducción al español de *Ideología y utopía* para *Argentina Libre* (disponible en *Una doble experiencia política*, pp. 230-232). Antes de la guerra, Fernando Vela también se había ocupado de Mannheim, al que en 1935 comparaba desfavorablemente con Ortega, en «Sociología de la crisis». Sobre Oppenheimer, Ayala escribió una monografía titulada *Oppenheimer* que vio la luz en el Fondo de Cultura Económica en 1942 en México (*Obras* V: 501-630).

del conocer propias del fascismo que ensalzaba los mitos porque «estimulan sentimientos de entusiasmo y desencadenan 'residuos' irracionales en los hombres, y son las únicas fuerzas que conducen a la actividad política» (138).[199] Solo hace falta recordar aquí las observaciones de Ayala acerca del auge del nazismo en Weimar y la importancia que tuvieron los mitos políticos para un teórico como Carl Schmitt. Frente al ascenso del fascismo y la radicalización de los enfrentamientos, Mannheim reconocía que el conocimiento era relativo a la posición social del sujeto cognoscente, pero, a la vez, se preguntaba qué posición social permitiría alcanzar una visión óptima de la totalidad política. La pregunta, que era moneda corriente en los círculos intelectuales de Budapest de principios de los años 1920, fue contestada por Georg Lukács de manera rotunda en *Historia y conciencia de clase* (1923) al atribuir al proletariado la capacidad de alcanzar una visión total de la política (Jay 66-67). La respuesta de Mannheim en *Ideología y utopía* fue muy diferente: el privilegio epistemológico y axiológico correspondía a los intelectuales. Y ello, principalmente, porque estos derivaban su posición social de su educación y no de su inserción en el proceso productivo, configurando así una capa social flotante sin una atadura de clase precisa (153-164). Esto no quiere decir que la intelectualidad fuera inmune a los intereses sociales y las pasiones políticas, sino que subsumía dentro de sí los diferentes posicionamientos para producir una visión sintética, y por ello óptima, de la totalidad política:

> Es gracias a la presencia de un estrato social relativamente desligado [el de los intelectuales], que está abierto al influjo de individuos pertenecientes a diferentes clases y grupos sociales y sus diversos

---

199. «Stimulate enthusiastic feelings and set in motion irrational 'residues' in men, and are the only force that lead to political activity».

modos de pensar, que las corrientes de pensamiento existentes pueden llegar a penetrarse y comprenderse recíprocamente. (161)[200]

Otra manera de entender el papel que Mannheim atribuía a las élites intelectuales de la época consiste en decir que era un intento de superar la división marxista del mundo social en clases antagónicas básicamente definidas por su función económica. Por un lado, Mannheim admitía que las élites intelectuales no eran inmunes a las pasiones, los intereses y los antagonismos del mundo social. En este aspecto, su diagnóstico no era muy distinto al de Gramsci o incluso al de Schmitt. Pero, por otro lado, Mannheim no se limitaba a lamentar ese estado de cosas (liberalismo burgués a lo Benda), ni lo aceptaba como un dato social inevitable ni, mucho menos, lo veía como algo deseable (Gramsci, Schmitt). Muy por el contrario, realizaba un ingente esfuerzo teórico para atribuir a los intelectuales un lugar de enunciación privilegiado que subsumía, integraba y mediaba entre puntos de vista antagónicos. Por eso los intelectuales podían seguir aspirando a cumplir las promesas de la tradición liberal: producir un conocimiento objetivo e imparcial, hablar en nombre de la razón y defender los intereses de la sociedad en su conjunto y, al hacer todo esto, producir utopías que trascendieran la realidad y el orden social existentes. En suma: era la de Mannheim una sociología de los intelectuales que podríamos llamar posracionalista, pues aceptaba que las pasiones, los intereses y los antagonismos mediaban el conocimiento producido por las élites intelectuales y, a la vez, intentaba salvar la objetividad, la razón y

---

200. «We owe the possibility of mutual interpenetration and understanding of currents of thought to the presence of such a relatively unattached middle stratum which is open to the constant influx of individuals from the most diverse social classes and groups with all possible points of view».

la universalidad. En definitiva, Mannheim rompió una última lanza por la tradición del intelectual liberal.

En *Razón del mundo*, Ayala siguió de cerca la obra de Mannheim en su orientación general, pero desplazó alguna de sus categorías porque, en su esquema, el conocimiento ya no dependía de los intereses y pasiones de grupos sociales sino de una comunidad de cultura. Como Mannheim, Ayala luchó contra las ideologías irracionalistas de la época. Sintetizándolas en la conocida fanfarronada nazi –«Cuando oigo hablar de cultura saco la pistola»–, Ayala combatió estas «bravatas con las que los actuales totalitarios rechazan en nombre de un fácil voluntarismo e irracionalismo la complicación de la moderna cultura intelectualista» (*Obras* V: 315).[201] Además de combatirlas, también trató de superarlas. Y como Mannheim, consideró que la mejor forma de hacerlo consistía en aducir el privilegio epistemológico de los intelectuales: «La perspectiva de un observatorio social independiente es la única que permite descubrir la conexión que siempre existe y no puede dejar de existir, entre convicciones intelectuales e intereses prácticos» (370). Sin embargo, en este punto crítico de su exposición, Ayala hizo radicar las ideas no ya en la noción marxista de interés de clase, como proponía Mannheim en diálogo con su colega Lukács, sino en el concepto de vida, más afín al pensamiento de Ortega:

> [el auténtico intelectual] sabe hasta qué punto [las ideas] son función de la vida, y cómo [...] reciben de la vida su vigencia e imperio; y así, se guardará de desorbitarlas. A desorbitarlas equivale, entre otras cosas, el concederles libre curso sin previo examen de la conexión vital a que pertenecen. (370-371)

---

201. Ayala atribuye la declaración «a un jefe nazi», pero en realidad la cita proviene de la obra *Schalegeter* (1933) del dramaturgo dilecto del régimen nazi, Hannhs Johst (1890-1978).

Para Ayala esta radicación de las ideas en la vida, esta «conexión vital» de las ideas, tenía un carácter histórico y colectivo. Las ideas quedaban entonces fundamentadas en una comunidad de cultura que Ayala identifica con el mundo hispánico. Como si estuviera ampliando el ámbito de la circunstancia orteguiana –ya no se trataba de una circunstancia española, sino hispánica–, Ayala afirmaba que «la verdadera conexión vital no deberá esperarse sino del examen de sus circunstancias históricas; es decir, de su condición de miembro de una determinada comunidad de cultura, de un determinado cuerpo histórico» (371). Llegado a este punto, Ayala se adentraba en la descripción de esta tradición hispánica, cuya potencialidad –derivada de su supuesto carácter excéntrico respecto de la autonomización moderna de lo político– consistía en ser fuente de «una autoridad desnuda de poder» (399) derivada «de los principios universalistas que, inoperantes desde el Renacimiento, se han conservado en el carácter básico de la cultura hispánica» (405). En suma, la cultura hispánica era concebida como una reserva de principios éticos, de raíz cristiana, que podían llegar a contener el culto a la fuerza y a la violencia desplegado durante la Segunda Guerra Mundial.

Al expresar su escepticismo ante el convencional reproche que MacLeish dirigió a los intelectuales, y al apropiarse de forma selectiva de la sociología del conocimiento de Mannheim, Ayala se movía en un universo de referencias que formaba parte del ambiente intelectual en el que se había formado. Se trataba de un cosmos esencialmente burgués y liberal, en el cual la herencia orteguiana coexistía con un enfoque sociológico de raigambre germánica (pienso en las influencias de Hermann Heller, Alfred y Max Weber, Georg Simmel y el propio Karl Mannheim estudiadas por Sebastián Martín y Alberto Ribes Leiva). Cuando Ayala confrontó sus ideas sobre el intelectual con las de Roger Caillois, el encuentro no hizo más que reforzar las posiciones racionalistas de Ayala. Caillois era un pensador cuya experiencia en el Colegio de Sociología dejó en él una atracción duradera por lo sagrado, esto es, por los aspectos irracionales y afectivos de la sociedad que fueron reprimidos por el racionalismo ilustrado (Frank 14). La tentación del vértigo, entendida como la atracción irresistible y oscura del aniquilamiento y del abismo, nunca dejó de acompañarle. En el capítulo titulado «Vertiges» de *La Communion des forts*, publicado por Quetzal en México en 1943, nos dice que el vértigo puede incluso apoderarse de una sociedad entera y, entonces, «no es inconcebible que gracias a una sorpresa de esta índole la guerra sea glorificada, deseada, e incluso, a veces, saludada con fervor» (56).[202] Frente a esta consideración de la guerra, Ayala, que la había vivido en sus propias carnes, no pudo mirarla sino con un asco que encontraría su traducción conceptual en los términos de «crisis», «catástrofe» o «sinrazón», que son los conceptos medulares de *Razón del mundo*.

Aunque el Caillois que intentó reeditar el Colegio de Sociología en Buenos Aires era un pensador que se situaba en posiciones más conservadoras y próximas al liberalismo, Ayala mantuvo dos desacuerdos de calado con él.[203] El primero tenía que ver con la

---

202. «Il n'est pas inconcevable que la guerre doive à une surprise de cette espèce de se voir glorifiée, desirée et parfois peût-être reçue avec ferveur».

203. En realidad, las discrepancias con Caillois venían ya del primer curso impartido en Buenos Aires sobre «Naturaleza y estructura de los regímenes totalitarios», que Ayala reseñó en *Sur* («El curso de Roger Caillois»). La aproximación efectuada por Caillois entre la Revolución francesa y el totalitarismo moderno suscitó las reservas de Ayala. En la línea del Mannheim de *Ideología y utopía*, Ayala consideraba que no se podía equiparar comunismo y nazismo porque «el comunismo aparece más bien como un intento de prolongación de los criterios burgueses [...] sobre la base de unas nuevas relaciones sociales, frente a la destrucción radical de la cultura burguesa [por parte del fascismo]» (*Obras* VII: 927). Por otra parte, Ayala valoró positivamente «el fino análisis de los nuevos mitos: la tierra y la sangre, y de toda la mística que constituye el telón de fondo de la ideología nazi» (928) llevado a cabo por Caillois.

definición del intelectual como un profesional liberal que actúa ante un público. En el primer «debate sobre temas sociológicos» dedicado al panfleto de MacLeish, Caillois intervino justo después de Ayala para disentir enérgicamente de su posición:

> Me opongo vivamente a la idea de que la actividad del intelectual sea considerada como una profesión. El intelectual es intelectual además de su profesión [...] Por eso me parece una opinión absolutamente falsa, superficial, perezosa y sometida a los prejuicios más determinados, la de asimilar sin precaución ni análisis la posición del intelectual a la de aquel cuya producción está sometida a necesidades económicas o depende de ellas. («Comentarios» 106)

Ayala no se arrugó, y en la réplica dejó caer que Francia era tal vez el único país donde había existido «la carrera intelectual [...] la carrera de escritor considerada como profesión liberal» («Comentarios» 113). Más allá de la polémica, la posición de Caillois ha de entenderse como parte de su esfuerzo por pensar el intelectual como un clérigo que cultivaría las virtudes patriarcales de la severidad y la aridez y, de esta manera, se constituiría en una élite, en una comunión de los fuertes, que elaboraría a espaldas de la sociedad las estrategias necesarias para dominar las leyes que la regían, para gobernar sus energías aparentemente indomables. El intelectual de Caillois operaba por medio de una comunidad absolutamente insolidaria de la sociedad. Por lo tanto, no había en este esquema ni profesionalización del intelectual ni mediación alguna de su conocimiento, que debía contagiarse a las masas por medio de la fascinación, del prestigio de la gracia o de la magia (Frank 11). Esto estaba en las antípodas del pensamiento de Ayala, que todavía consideraba la razón como la única forma de buscar y persuadir al público y de preservar la eficacia histórica del debate.

La segunda discrepancia de Ayala con Caillois se relacionaba con la forma de pensar el poder.[204] No fue esta una discrepancia planteada explícitamente en el debate acerca de la responsabilidad de los intelectuales animado por el grupo de *Sur*, pero nos ayuda a entender mejor el compromiso de Ayala con la razón. Como ha observado Raúl Antelo, Caillois era un pensador de la ambivalencia del poder y de su inscripción en el ámbito de lo sagrado. Mientras que Caillois concebía el poder como una fuerza sagrada «indivisible, equívoca, fugitiva, eficaz» (Antelo 30), Ayala se esforzaba por reducir las áreas de irracionalidad que, a la altura de 1944, seguían impregnando la vida política. En cambio, Caillois, empeñado en pensar la parte de la vida social que el racionalismo individualista burgués consideraba anacrónica o regresiva, destacaba en *La Communion des forts* el carácter sagrado del poder al vincular, por ejemplo, la figura del verdugo con la del soberano, frente a las cuales el hombre de la masa «tiende a identificarse con ellos y a alejarse, en un movimiento simultáneo de avidez y retroceso» (27).[205] Esta idea del poder como fuerza de atracción y repulsión resultaba por completo ajena al universo mental de Ayala, un intelectual formado en las disciplinas del Estado para el cual el poder debía asentarse en la legalidad, pro-

204. La relación de Ayala con Caillois, inexplorada hasta ahora, ofrece dos caminos de reflexión que nos sitúan en los debates contemporáneos. El primero, que es el que transitó Ayala, nos lleva a través de la centralidad del público como instancia privilegiada de mediación (entre el conocimiento del intelectual, la sociedad y el estado) a las reflexiones de Jürgen Habermas en *La transformación estructural de la esfera pública* (1962). El segundo, que es el que Ayala decidió no transitar, sigue la dirección marcada por Caillois, aquella que inscribe el poder en el ámbito de lo sagrado y nos conduce hasta el *Homo Sacer* (1997) de Giorgio Agamben.

205. «Il tend à s'identifier à eux et à s'en éloigner, d'un égal mouvement d'avidité et de recul».

ducto del racionalismo individualista moderno. De ahí que Ayala, concluyera *Razón del mundo* atribuyendo al intelectual la misión de «preservar, apartadas e intactas, sus facultades, como un islote de razón vigilante en una hora en que, desbordada la sinrazón, anega terrenos antes firmes –es decir, racionalizados ya– de la existencia humana» (*Obras* V: 409).

Como he procurado destacar a lo largo del capítulo, Ayala logró articular, en los primeros años del exilio, un horizonte intelectual que aspiraba a renovar la tradición liberal del individualismo humanista en el nuevo contexto abierto por el final de la Segunda Guerra Mundial. Se trataba de un horizonte intelectual sumamente dúctil: desvinculado políticamente de la guerra de 1936 y de la Segunda República, pero leal a las ideas de libertad, igualdad y democracia que habían estado encarnadas en las instituciones políticas republicanas; con autoridad sobre las élites de poder y las masas, pero despolitizado (porque disponía de una autoridad inerme, vacía de poder); en sintonía con la comunidad de cultura hispánica y, por lo tanto, ajeno a la melancolía patriótica a la que tantos otros exiliados sucumbieron. Se trataba de un horizonte, en pocas palabras, distanciado de las radicalizaciones y abierto al diálogo.

Mediante la transformación y adaptación de su carácter intelectual a las nuevas condiciones que imponía el exilio, Ayala estuvo en disposición de acometer una etapa sensacional de su vasta trayectoria intelectual y creativa. Algunas obras y empresas mayores de estos años fueron las celebradas ficciones de *Los usurpadores* (1949) y *La cabeza del cordero* (1949); la fundación, junto con Francisco Romero y Lorenzo Luzuriaga, de una revista tan valiosa como *Realidad. Revista de ideas* (1947); o la publicación en tres volúmenes de su *Tratado de sociología* (1947). También cabe destacar de esta etapa el ensayo «Para quién escribimos nosotros», aparecido en 1949 en *Cuadernos Americanos*. De alguna manera, y visto desde la perspectiva actual, este ensayo puede ser considerado como una obra bisagra: conclusión de la etapa argentina del exilio y apertura de un incipiente diálogo con los intelectuales del interior de España, del que enseguida me ocuparé brevemente en las conclusiones.

Este nuevo carácter intelectual, que era una nueva forma de comprenderse a sí mismo y de comprender a sus pares, se articulaba sobre una capacidad fundamental: la razón. El sentido último de su confrontación con MacLeish, Mannheim y Caillois era salvar las aspiraciones de la razón ilustrada en un mundo que parecía haber enloquecido –unas aspiraciones que, retomando los términos del propio Ayala, podríamos condensar en la voluntad de vivir en una sociedad normal, desprovista de mártires (y de la irracionalidad que comportaba el martirio)–. De ahí la metáfora del intelectual como un «islote de razón» en un mar de irracionalidad, que aparece en las últimas páginas de *Razón del mundo* y que hemos mencionado más arriba. Para Ayala, no había lugar a dudas: el intelectual seguía siendo el guardián de la razón, sobre todo cuando sus excesos resultaban corregidos por los principios espirituales de concordia y las limitaciones éticas del poder inherentes al ecumenismo cristiano y a la tradición cultural hispánica. El tipo de razón privilegiado por Ayala se insertaba entonces dentro del marco de la cultura humanística, que figuraba como un conjunto de principios que rectificaban las tendencias destructoras del proceso de modernización como el desarrollo de la razón instrumental, el auge del *homo oeconomicus* y la autonomización de la política.

Con todo, el recorrido textual de este capítulo nos ha indicado que los afectos y las emociones también tuvieron un papel importante –aunque pocas veces reconocido– en la construcción de este nuevo horizonte intelectual, que por lo demás era poco frecuente entre los intelectuales exiliados. Así, «Diálogo de los muertos» y «Día de duelo» nos han enseñado que fueron textos fundamentales para elaborar las pérdidas de la guerra y, de esta manera, producir la imagen del conflicto como una tragedia sin culpables ni inocentes, del todo incapaz de interpelarnos políticamente (pero muy capaz, desde luego, de interpelarnos éticamente). Por otra parte, *Una doble experiencia política* nos ha mostrado que las emociones resultaron fundamentales al hacer balance de las experiencias políticas de la Segunda República. En conjunto, y gracias a estos (y otros) textos, Ayala pudo distanciarse del pasado conflictivo, aceptarlo y superarlo, movilizando para ello tanto la razón como las emociones.

Conclusión.
Hacia un intelectual postsoberano

Al proponer en *Razón del mundo* la imagen del intelectual como un «islote de razón» en un mar de irracionalidad o –para retomar los términos con los que arrancaba este libro– la imagen del intelectual como la conciencia racional de un cuerpo social dominado por intereses y pasiones, Ayala, como hemos visto, estaba haciendo un ejercicio de autodefinición intelectual en el contexto de la lucha antifascista (de ahí la insistencia en las virtudes de la razón y la identificación de la irracionalidad con el sujeto político del totalitarismo). Este ejercicio de autodefinición cumplió dos importantes funciones: la de dar cuenta de la propia trayectoria intelectual anterior a 1944 y, simultáneamente, la de condicionar la imagen de esa misma trayectoria en su desarrollo posterior a esa fecha. O sea, que Ayala no solo forjó las herramientas conceptuales con las que él mismo se explicaba su trayectoria intelectual hasta ese momento, sino que también fijó las categorías que ulteriores generaciones de lectores emplearían para dar cuenta de su larga y fructífera ejecutoria intelectual (recuérdese aquí la dimensión prospectiva del ensayo y su discusión acerca de la misión del intelectual).

Sus mejores críticos así lo supieron ver y, de forma consecuente, otorgaron una poderosa capacidad explicativa a las categorías, conceptos y metáforas desarrollados en *Razón del mundo.* Joan Oleza, por ejemplo, observó que Ayala mantuvo «una trayectoria de cooperación progresista y crítica [frente a la sociedad democrática occidental], basada en los presupuestos de una racionalidad limitada por la ética y vertebrada por la idea de libertad (2). José-Carlos Mainer, por su parte, consideró que Ayala era «un intelectual de conciencia», fórmula que resumía «la compleja y fascinante tradición de una profesión de nuestro tiempo y, a la vez, el arriesgado ejercicio de la independencia y la razón en las fechas de hoy» («Una reflexión» 41). José Luis Villacañas desarrolló esta voluntad de independencia del escritor granadino al decir que «era afín con su vocación de sociólogo y, anclando en una voluntad de objetividad sorprendente, le aseguró la perspectiva más lúcida y nueva de las que produjo el destierro» («Abandonando» 88). Y, por último, Luis García Montero entendió que «la libertad entendida como energía individual y razón de la dignidad humana» estaba muy presente en toda la trayectoria intelectual de Ayala («Decir ciertas cosas» 18). Podrían aducirse otros ejemplos. Pero lo importante es observar cómo todos estos críticos apelan a una red de conceptos interconectados –*racionalidad, ética, conciencia, razón, independencia, objetividad, libertad* y *dignidad*–, que son los términos vertebradores de *Razón del mundo*, con el fin de entender mejor dos cosas: el modelo de intelectual encarnado por Francisco Ayala y la actitud que adoptó el escritor granadino ante los diferentes acontecimientos políticos que le tocó vivir.

No hay duda de que todas estas categorías –*racionalidad, ética, conciencia, razón, independencia, objetividad, libertad* y *dignidad*– son conceptos ineludibles para comprender los textos y las actuaciones de Ayala. Yo mismo los he utilizado a lo largo de estas páginas. Sin ir más lejos, y por poner un último ejemplo, resultan fundamentales para entender la posición de Ayala en una cuestión polémica de esta época, la del diálogo entre los escritores exiliados y los que vivían en la España franquista.[206] En los primeros compases de la Guerra

---

206. Para reconstruir la cuestión del diálogo entre los escritores exiliados y los que se quedaron en España pero expresaron algún tipo de disconformidad con

Fría entre los Estados Unidos y la Unión Soviética, Ayala intervino en esa cuestión mediante un texto crucial de la última etapa de su exilio porteño, que vio la luz justo cuando estaba a punto de dejar Buenos Aires para trasladarse a Puerto Rico. Me refiero al ensayo «Para quién escribimos nosotros», que cierra el ciclo de textos aquí examinados. Redactado en 1948 y publicado en 1949 en *Cuadernos Americanos*, este ensayo constituye una importante reflexión acerca de las condiciones culturales y materiales en que los escritores exiliados –académicos, ensayistas y periodistas, y autores de ficciones poéticas– habían desarrollado su actividad hasta ese momento (el final de la década del cuarenta) y podían (o debían) desarrollarla en el futuro.[207] En el inicio del ensayo, se preguntaba Ayala: «Yo, español en América, ¿para quién escribo?» (*Obras* VII: 205). Y en la compleja respuesta que ofrecía a esta pregunta, aportaba un diagnóstico desapasionado de la Guerra Civil como una cesura en la continuidad de la cultura

---

el régimen, he encontrado útiles los siguientes textos: la introducción y la antología de textos incluida en el dosier firmado por Aznar Soler para *Guaraguao*; el ensayo de José Luis Villacañas «Abandonando toda apariencia de equipo»; el libro de Caudet *Hipótesis sobre el exilio republicano de 1939*, pp. 409-478; y, sobre todo, el libro de Jordi Gracia *A la intemperie*, donde el diálogo queda prácticamente elevado a ideal normativo.

207. Vinculada a la Universidad Nacional Autónoma de México (UNAM) desde su primer número, aparecido en 1942, *Cuadernos Americanos* es un testimonio de la colaboración entre los intelectuales mexicanos y los españoles exiliados en México. Dirigida desde sus inicios por el historiador mexicano Jesús Silva Herzog, y con el poeta español Juan Larrea oficiando de secretario, *Cuadernos Americanos* supo aglutinar a un nutrido grupo de personalidades mexicanas y españolas. Formaban parte de su Junta de Gobierno, entre otros, el arqueólogo y prehistoriador catalán Pere Bosch i Gimpera, exrector de la Universidad de Barcelona; el director general del Fondo de Cultura Económica, Daniel Cossío Villegas; el rector de la UNAM, Mario de la Cueva; el filósofo y traductor español Eugenio Ímaz; o el escritor y Presidente del Colegio de México, Alfonso Reyes.

nacional, analizaba con frialdad las limitaciones y fragilidades a que estaba sujeta la actividad de todos los intelectuales españoles (los exiliados y los del interior de España), y aventuraba que «nuestra misión actual consiste en rendir testimonio del presente, procurar orientarnos en su caos, señalar sus tendencias profundas y tratar de restablecer dentro de ellas el sentido de la existencia humana, una restaurada dignidad del hombre» (218). De paso, arremetía simultáneamente contra «la vigencia de los sentimientos nacionalistas en los lugares donde vivimos y [...] en nuestro corazón de españoles» (214) y contra ese «absurdo vivir entre paréntesis» (221) en el que tantos exiliados parecían haber caído. Y, en las últimas líneas del ensayo, Ayala adoptaba una posición que, entre los escritores exiliados, era muy poco común a finales de los años cuarenta: la de sugerir sin ambigüedades la conveniencia de iniciar un diálogo con los escritores de la España franquista. Seguramente, reconocía el escritor granadino, se tratará de un diálogo «espinoso y quizás, a ratos, amargo» (226), pero apostaba sin reservas por él porque estaba convencido de que las fricciones y las tensiones acabarían por crear un espacio de intercambio cultural compartido. A estas alturas, resulta claro que esta incipiente toma de contacto y propuesta de diálogo con algunos sectores intelectuales del interior, en una fecha tan temprana como 1948, solo podía ser fruto de un análisis frío y racional de la situación. Vale decir, un análisis producido por un individuo con una manifiesta voluntad de independencia y objetividad, y con ciertas cualidades como «la disposición de principio a ceder e inclinarse ante la razón, el acatamiento de los valores de la inteligencia, la concepción progresista del mundo que exige consagración, esfuerzo y sacrificio en honor de la humanidad» (*Obras* V: 316). En pocas palabras: las categorías medulares de *Razón del mundo* aplicadas a la situación de los escritores exiliados desembocarían en la llamada al diálogo con los intelectuales del interior.

Y, sin embargo, por muy valioso que resulte este modelo raciona-lista del intelectual para dar cuenta de la postura de Ayala ante esta cuestión, quizá no sea suficiente. En efecto, hay un momento clave del ensayo que no puede entenderse únicamente como producto de un análisis frío y racional de la situación de los escritores exiliados. En él, Ayala subrayaba la necesidad de considerar la guerra como un pasado clausurado para que los escritores exiliados pudieran construir una perspectiva de futuro:

> Menester fue que se pudrieran aun las más obstinadas esperanzas [de que el desenlace de la Segunda Guerra Mundial propiciara una restauración de la República] para que, desprendidos del punto de nuestra fijación al pasado (*pasado* era, irremisiblemente, con resti-tución o sin ella, la España por la que se suspiraba, aun cuando el anhelo se transfiriese hacia el futuro; *pasado* sus motivos, sus temas, su tono, su tiempo), para que desprendidos de ese pasado, digo, se nos hiciera presente ahora la urgencia de recobrarnos, y de que, volviendo cada cual en sí, sean dilucidadas con entera claridad, a partir de la verdadera situación, las perspectivas de cumplimiento que restan a nuestra vida de escritores. (221; énfasis original)

Este pasaje resulta crucial para la posición de Ayala porque toda la dimensión prospectiva del ensayo depende de él. Sin una previa desvinculación política del pasado de la guerra, sin una toma de distancia respecto de él, no había posibilidad de futuro. Y, como hemos visto, cuando Ayala conquistó esta posición distanciada res-pecto del pasado conflictivo no puso en juego únicamente su razón; al contrario, dialogó también de forma intensa con sus emociones. Ahora sabemos que si Ayala pudo alcanzar una visión descarnada de la guerra, sin idealizaciones y llena de desencanto, es en parte gracias al espacio de duelo radicalmente singular que diseñaron textos tan cruciales, y con un registro afectivo tan intenso, como

«Diálogo de los muertos» y «Día de duelo». La desvinculación afectiva del pasado figura entonces como condición necesaria de la desvinculación política y de las argumentaciones racionales, frías y objetivas de «Para quién escribimos nosotros». Dicho de otra manera, la posición de Ayala ante la polémica cuestión del diálogo con el interior no era una postura puramente racional porque las emociones formaban parte de su fundamento, aunque la crítica no haya reparado en ellas. Expulsadas por la puerta, las emociones se colaban por la ventana.

Es en este punto concreto donde la metáfora del intelectual como un islote de razón resulta insuficiente para dar cuenta de una experiencia tan múltiple y compleja como la de Ayala en los años treinta y cuarenta. En esa época marcada por profundos conflictos políticos e ideológicos, y por una serie de guerras y revoluciones que hicieron peligrar «los principios mismos de nuestra civilización, la esencia de nuestra cultura» (*Obras* V: 299), ¿resulta plausible afirmar que la razón fue el único eje de la conducta intelectual de Ayala? Si la metáfora del intelectual como un islote de razón implica que el intelectual es un individuo dotado de una autonomía absoluta y que ejerce un control pleno de su actividad, sin interferencia de las pasiones ni de los intereses, ¿realmente puede iluminar, por sí sola, los textos que salieron de la pluma de Ayala durante esa época? A luz de lo que se ha sostenido en estas páginas, la respuesta ha de ser negativa. La metáfora del intelectual como un islote de razón es sin duda válida como aspiración, pero en tanto categoría explicativa de la ejecutoria intelectual de Ayala resulta insuficiente. Con esto no se quiere decir que la racionalidad y la objetividad no tuvieran un papel fundamental: lo tuvieron. Pero por muy cruciales que resultaran estas capacidades, fiarlo todo al poder de la razón parece una estrategia simplificadora –sobre todo en el caso de un escritor como Ayala, que no dejó de cultivar su faceta creadora–.

De ahí la estrategia que hemos desarrollado en este libro: matizar el modelo del intelectual racionalista y autónomo entrando también en el terreno de las emociones –las de Ayala y las de su público, en un sentido amplio–. Como resultado hemos obtenido, creo, una imagen más completa, y tal vez más realista, de la trayectoria intelectual de Ayala en los años treinta y cuarenta. Gracias a esta nueva mirada sobre la obra ayaliana, también hemos podido poner de manifiesto la complejidad y la potencialidad significativa de su obra literaria. Como hemos visto, han sido a menudo –pero no siempre– los textos literarios los que han propiciado un diálogo de Ayala con sus emociones: desde «Erika ante el invierno» y «¡Alemania, despierta!» hasta «Día de duelo» y «El tajo», pasando por el «Diálogo de los muertos». En este sentido, resulta particularmente significativo el hermoso epílogo con el que Ayala concluía *El jardín de las delicias* en 1971. Allí, afirmaba dos cosas importantes que confirman las líneas principales del argumento defendido en estas páginas. Primero, sostenía que si la escritura era de alguna manera capaz de trascender la fugacidad del tiempo, lo era en virtud de su capacidad para despertar ciertos sentimientos en los lectores. Y segundo, defendía la fundamental unidad subyacente a toda su obra (*Obras* I: 1322). Entonces, si las emociones juegan un papel fundamental en la literatura ayaliana, y esta forma parte, junto con sus ensayos, de una unidad más amplia, esta obra unitaria tiene que reflejar, de alguna manera, ese fondo emocional. De ahí que tenga sentido integrar las emociones en el análisis de la subjetividad intelectual, literaria y política de Ayala.

Más ampliamente, esta integración de las emociones en el análisis de la subjetividad intelectual de Ayala apunta a que nos encontramos ante un nuevo tipo de sujeto que el politólogo Manuel Arias Maldonado ha llamado «postsoberano». Frente al sujeto constituido por el mito del racionalismo moderno, Arias Maldonado reivindica las virtudes del sujeto postsoberano, es decir, «un individuo cuya agencia posee una potencia limitada debido a factores diversos: sensibilidad afectiva, sesgos racionales, influencias miméticas, susceptibilidad a marcos y narraciones, impactos sensacionales y materiales, reactividad semántica» (*La democracia* 304). Paradójicamente, este sujeto consciente de sus emociones y sus limitaciones no pierde, sino que gana, en soberanía, porque sabe que esta es limitada; y también dispone de una razón reforzada porque ha aprendido a «interactuar con sus emociones, combinando *desde el uso de la razón misma* sus distintas lógicas» (320; énfasis original).

Al mencionar esta concepción del individuo, no quisiera sugerir que la subjetividad intelectual que se desprende de los textos de Ayala sea exactamente una subjetividad postsoberana. No puede serlo porque, como muestra Arias Maldonado, la emergencia de este tipo de subjetividad es un fenómeno reciente, que puede explicarse en parte a partir del giro afectivo en las humanidades y las ciencias sociales, y en parte a partir del desarrollo de las neurociencias. Es gracias a este nuevo saber sobre la vida emocional, que hoy podemos comprender, por un lado, que la jerarquía y la oposición entre razón y emoción no es del todo válida porque las emociones tienen también una dimensión cognitiva; y, por otro, que puede haber otros usos de la vida emocional –incluso en política– que no pasen por su represión y neutralización. Desde luego, esta actitud respecto de las emociones no era la de Ayala, que insistía en su neutralización y represión porque en gran medida las veía como una amenaza para la razón.

Dicho esto, lo que sí quisiera sugerir aquí es que en algunas de las ficciones ayalianas se anuncia un tipo de sujeto que pone en crisis la concepción liberal del individuo plenamente autónomo y soberano. Por ejemplo, es el caso de «Diálogo de los muertos» y «Día de duelo», dos textos que, como hemos visto, ponían de manifiesto lo que Judith Butler ha dado en llamar la común y primaria vulnerabilidad humana que nos constituye. Si a Butler le interesan la vulnerabilidad y la desposesión inherentes al estado de duelo es porque en ellas puede percibir una concepción del individuo que reconoce el papel formativo de las influencias externas (desde la influencia de los afectos y el cuerpo a la de los otros seres humanos). En esta «concepción de mí mismo como parte de una comunidad, afectado por otros, actuando sobre otros en formas que no controlo del todo ni puedo predecir con claridad» (53), el presupuesto liberal de la autonomía individual queda puesto en entredicho. Estamos cerca, entonces, del sujeto postsoberano. En todo caso, ya se ha sugerido que Ayala se autodefinió como un heredero del racionalismo individualista moderno, el cual, como argumentó en *Razón del mundo*, atribuía a la intelectualidad «una función racionalizadora [...] profesionalmente asumida por un grupo de *élite*» (*Obras* V: 348). Lo que he procurado argumentar en este libro es que el giro afectivo ha creado unas circunstancias propicias a la revisión de dicho legado y que la misma obra de Ayala nos puede ayudar en esa tarea.

Desde el inicio del argumento, que evocaba la infancia granadina del escritor por la vía de una reflexión acerca de sus «Sentimientos y emociones» en sus memorias, se ha puesto de manifiesto que la formación de su subjetividad literaria y política era producto de un proceso de reflexión sobre un fondo afectivo particularmente intenso. A partir de ese momento, se ha analizado cómo estos dos fenómenos –la intensidad de las pasiones y la capacidad para neutralizarlas o canalizarlas mediante un proceso reflexivo– se desarrollaron en cuatro coyunturas que resultaron cruciales en la ejecutoria intelectual de Ayala. Todas ellas representaron, además, sendas ocasiones para que Ayala tomara una posición ante los acontecimientos políticos que le tocó vivir. En la primera coyuntura –la estancia en Berlín durante el curso 1929-1930, con el fugaz regreso en el invierno de 1931– se mostró cómo su mirada sociológica, anclada en la racionalidad y la objetividad, estuvo sin embargo acompañada por una aguda conciencia afectiva que le permitió comprender la creciente fuerza de los afectos en la movilización social y política de los años treinta.

La segunda coyuntura, marcada por la proclamación de la Segunda República, reveló otra faceta desconocida del quehacer intelectual de Ayala: su defensa de las reformas impulsadas entre 1931 y 1933 por el gobierno de Azaña le llevó a atemperar el entusiasmo de sus conciudadanos, creando una cultura de la templanza emocional cuyo propósito no era otro que reforzar la legitimidad racional-legal de la República. Las limitaciones de esta empresa de índole liberal (amén de burguesa y masculina) quedaron claras con el clima de enfrentamiento civil y con la violencia callejera que se instalaron en la sociedad española a partir de 1934, ominoso presagio del conflicto que se desencadenaría dos años más tarde.

La guerra de 1936 ha constituido la tercera coyuntura. En esa dramática situación, la lealtad que Ayala expresó y mantuvo hacia la República consistía en una mezcla de razones y emociones: al sentido del deber derivado de su condición de funcionario de la República se superponían los vínculos afectivos que había desarrollado con el proyecto republicano entre 1931 y 1933. De ahí que durante la guerra Ayala no se comportara únicamente como un sujeto puramente liberal, racional y autónomo, sino que actuara también como un sujeto ideal de la lealtad, cuya agencia venía conformada por los vínculos afectivos y éticos que había desarrollado con el régimen republicano.

Por último, se ha defendido que Ayala, en el exilio –la cuarta coyuntura–, se comprendió a sí mismo como un intelectual racional que, en el contexto del antifascismo, luchaba contra las ideologías irracionalistas de la época con el fin de mantener viva la promesa emancipadora de la modernidad ilustrada. Pero también se ha insistido en que lo que hizo posible este modelo racionalista del intelectual fue un trabajo afectivo previo: el trabajo de duelo, que hizo posible que Ayala se desprendiera del pasado conflictivo de la Segunda República y de la guerra.

Estas cuatro coyunturas, y las reflexiones acerca de una subjetividad intelectual postsoberana, nos llevan a matizar la autodefinición de Ayala (y del intelectual) como un islote de razón en un mar de irracionalidad. Desde luego, no hace falta mucha imaginación histórica para entender por qué Ayala, por vía de Mannheim, actualizó el concepto racionalista del intelectual heredado de la Ilustración en las postrimerías de la Segunda Guerra Mundial. En un mundo donde las pasiones políticas eran explotadas por fascistas y comunistas, la imagen del intelectual como custodio de la razón tenía cuando menos la virtud de ofrecer un ideal y de hacer un llamamiento al resto de intelectuales a actuar de forma racional. Como otros intelectuales liberales, Ayala comprendió muy rápido que la vida política y las instituciones en las que le tocó desenvolverse estaban marcadas por un exceso de sentimentalidad y por un déficit de racionalidad. Consciente de que la razón era un bien escaso, se aplicó a cultivarla y a ejercerla de una manera que combinaba la reflexividad con el escepticismo. Simultáneamente, y a diferencia de otros intelectuales liberales, Ayala también desarrolló una aguda conciencia afectiva, sintonizando su sensibilidad con el amplio rango de emociones que tuvo ocasión de observar –y de experimentar– durante la desintegración de la República de Weimar, la Segunda República, la Guerra Civil y el exilio. La metáfora del intelectual como un islote de razón puede tener validez como ideal regulativo, pero de la trayectoria intelectual de Ayala se desprende que siempre tuvo en cuenta y dialogó con las emociones (las suyas y las de los otros). Conocedor de su importancia, actuó como si supiera que detrás de cada construcción racional latía con fuerza una emoción. Las perspectivas abiertas por el giro afectivo nos han enseñado que no podía ser de otra manera: en la medida en que las emociones poseen una dimensión cognitiva, ya no podemos considerarlas como totalmente opuestas a la razón.

Tal como este libro ha tratado de mostrar, el hecho de que Ayala contemplara –como la mayoría de sus contemporáneos– las emociones con desconfianza y recelo no fue un obstáculo para que desarrollara una aguda sensibilidad hacia el papel que jugaban en la vida creativa, social y política de la época. Quizá algo tuviera que ver en el desarrollo de esa sensibilidad su personal manera de ser y su fondo emocional arrebatado; quizá también tuviera que ver su faceta creativa, su dimensión de autor de ficciones literarias. Sea como fuere, el caso de Ayala apunta a que la construcción moderna del intelectual como un sujeto depurado de emociones, cuyas opiniones y posicionamientos siguen únicamente los designios de la razón, no es del todo adecuada. De esta manera, su desempeño intelectual entre 1929 y 1949 nos ofrece un testimonio y un aliciente: un testimonio de cómo un intelectual liberal, masculino y burgués, afrontó las violentas pasiones que agitaron la vida social y política de la época, y un aliciente a seguir pensando la figura de un intelectual postsoberano, dotado de una autonomía relativa pero no absoluta. Ambas tareas parecen relevantes para nosotros y para nuestra vida pública, crecientemente digitalizada y sentimentalizada, donde la explotación de las emociones políticas parece ganar un palmo más de terreno cada día.

Bibliografía

Abellán, Joaquín. «Estudio preliminar». *La política como profesión*, de Mar Weber, edición de Joaquín Abellán, Biblioteca Nueva, 2007, pp. 11-51.

Abu-Lughod, Lila, y Catherine A. Lutz. «Emotion, Discourse, and the Politics of Everyday Life». *Emotions: A Cultural Studies Reader*, edición de Jennifer Harding y E. Deirdre Pribram, Routledge, 2009, pp. 100-112.

Agamben, Giorgio. *Homo Sacer: Sovereign Power and Bare Life.* Traducción de Daniel Heller-Roazen, Stanford University Press, 1998.

Aguilar Fernández, Paloma. *Memoria y olvido de la Guerra Civil española.* Alianza, 1996.

Ahmed, Sara. «The Organisation of Hate». *Emotions: A Cultural Studies Reader*, edición de Jennifer Harding y E. Deirdre Pribram, Routledge, 2009, pp. 251-266.

Alonso, Amado. *Materia y forma en poesía.* Gredos, 1960.

Albert, Mechtild, editora. *Vencer no es convencer. Literatura e ideología del fascismo español.* Vervuert / Iberoamericana, 1998.

Álvarez Junco, José. «Mitos de la nación en guerra». *República y Guerra Civil*, coordinación de Santos Juliá, *Historia de España Menéndez Pidal*, dirigida por José María Jover Zamora, vol. XL, Espasa Calpe, 2004, pp. 635-682.

Antelo, Raúl. «Roger Caillois: magia, metáfora y mimetismo». *Boletín de estética*, núm. 10, 2009, pp. 5-33.

Arconada, César M. «Política y Literatura. Una encuesta a la juventud española». *La Gaceta Literaria*, núm. 25, 1928, p. 3.

Arconada, César M. «Quince años de literatura española». *Los novelistas sociales españoles (1928-1936)*, edición de José Esteban y Gonzalo Santonja, Anthropos, 1988, pp. 114-122.

Arendt, Hannah. *The Human Condition*. University of Chicago Press, 1958.

Arias Maldonado, Manuel. *La democracia sentimental. Política y emociones en el siglo XXI*. Página Indómita, 2016.

—, «Las bases afectivas del populismo». *Revista Internacional de Pensamiento Político*, núm. 12, 2017, pp. 151-167.

Aristóteles. *On Rhetoric: A Theory of Civic Discourse*. Traducción y prólogo de George A. Kennedy, Oxford University Press, 2007.

—, *Retórica*. Introducción y traducción de Quintín Racionero, Gredos, 1990.

Aróstegui, Julio. «De lealtades y defecciones. La República y la memoria de la utopía». *Al servicio de la República. Diplomáticos y guerra civil*, editado por Ángel Viñas, Ministerio de Asuntos Exteriores y de Cooperación / Marcial Pons Historia, 2010, pp. 23-53.

Attridge, Derek. *The Singularity of Literature*. Routledge, 2004.

Aub, Max. *Enero sin nombre. Los relatos completos del laberinto mágico*. Alba, 1994.

—, *La gallina ciega*. Alba, 1995.

Aubert, Paul. «La historia de los intelectuales en España». *Cercles. Revista d'Història Cultural*, núm. 22, pp. 81-109, doi: 10.1344/cercles2019.22.1003. Último acceso: 10 de diciembre de 2020.

—, «Los intelectuales y la II República». *Ayer*, núm. 40, 2000, pp. 105-133.

Ayala, Francisco. «Azaña, un destino trágico». *Azaña*, edición de Vicente Alberto Serrano y José María San Luciano, Fundación Colegio del Rey, 1991, pp. 77-90.

Ayala, Francisco. «Carta de Francisco Ayala a Ilsa Barea (03/10/1959)». *Epistolario de Francisco Ayala*, Fundación Francisco Ayala, http:// www.ffayala.es/epistolario/carta/942/. Última consulta: 12 de noviembre de 2020.

—, *Los partidos políticos como órganos de gobierno*. 1931, Universidad Complutense.

—, *Obras completas*. Edición de Carolyn Richmond, Galaxia Gutenberg / Círculo de Lectores, 2007-2014. 7 vols.

—, «Presentación del libro *Teoría de la constitución* de Carl Schmitt (1934)». *Los políticos*, edición de Pedro Cerezo Galán, Biblioteca Nueva, 2008, pp. 41-48.

Ayala, Francisco, y Renato Treves. *Una doble experiencia política: España e Italia (1944)*, edición, introducción y notas de Giulia Quaggio, Universidad de Granada / Fundación Francisco Ayala, 2017.

Azaña, Manuel. *Obras completas*. Vol. 2 (junio de 1920-abril 1931), edición de Santos Juliá, Ministerio de la Presidencia / Centro de Estudios Políticos y Constitucionales, 2007.

Aznar Soler, Manuel. *República literaria y revolución (1920-1939)*. Vol. 1, prólogo de José-Carlos Mainer, Renacimiento, 2010.

—, «Un puente de diálogo». *Guaraguao: revista de cultura latinoamericana*, vol. 2, n.º 5, pp. 80-123.

Balibrea, Mari Paz. *Tiempo de exilio. Una mirada crítica a la modernidad española desde el pensamiento republicano en el exilio*. Montesinos, 2007.

Balibrea, Mari Paz, y Sebastiaan Faber. «Hacia otra historiografía cultural del exilio republicano español. Introducción a modo de manifiesto». *Líneas de fuga. Hacia otra historiografía cultural del exilio republicano español*, coordinación de Mari Paz Balibrea, Siglo XXI de España, 2017, pp. 13-24.

Balfour, Sebastian. *Deadly Embrace: Morocco and the Road to the Spanish Civil War.* New York: Oxford University Press, 2002.

Baltanás, Enrique. *Los Machado: una familia, dos siglos de cultura en España.* Fundación José Manuel Lara, 2006.

Barbalet, J. M. «*Beruf,* Rationality and Emotion in Max Weber's Sociology». *Archives Européennes de Sociologie,* núm. 41, 2000, pp. 329-350.

Barea, Arturo. *La llama,* vol. III de *La forja de un rebelde,* Losada, 1953.

Barea, Ilsa. «Carta de Ilsa Barea a Francisco Ayala (27/09/1959)». *Epistolario de Francisco Ayala,* Fundación Francisco Ayala, http://www.ffayala.es/epistolario/carta/941/. Última consulta: 12 de noviembre de 2020.

Bauman, Zygmunt. *Legisladores e intérpretes. Sobre la modernidad, la posmodernidad y los intelectuales.* Traducción de Horacio Pons, Universidad de Quilmes, 1997.

Bautista Boned, Luis. *Disenso y melancolía. Breve historia intelectual de España.* 2021.

Bazán, Armando. «Unamuno, junto a la reacción». *El Mono Azul,* núm. 1, agosto de 1936, p. 7.

Bažant, Jan, Nina Bažantova, y Frances Starn. *The Czech Reader: History, Culture, Politics.* Duke University Press, 2010.

Bécarud, Jean, y Evelyne López Campillo. *Los intelectuales españoles durante la II República.* Siglo XXI de España, 1978.

Benda, Julien. *La trahison des clercs.* Grasset, 1927.

Benjamin, Walter. *Selected Writings. Volume II: 1927-1934.* Edición de Michael W. Jennings, Howard Eiland y Gary Smith, traducción de Rodney Livingstone et al., Harvard University Press, 1999.

Bergamín, José. «Contestando a don José Ortega y Gasset. Un caso concreto.» *España peregrina,* núm. 1, 1940, p. 32.

Bergamín, José. «El traidor Franco». *El Mono Azul,* núm. 4, 17 de septiembre de 1936, p. 4.

Berlant, Lauren. *The Queen of America Goes to Washington City: Essays on Sex and Citizenship.* Duke University Press, 1997.

Bolze, Waldemar. «Where Are the Real Saboteurs?». *Revolutionary History,* vol. 4, núms. 1 y 2, 1992, https://www.marxists.org/history/etol/revhist/backiss/vol4/no1-2/bolze.htm. *Marxists Internet Archive,* 1998. Última consulta: 23 de septiembre de 2020.

Bundgård, Ana. «El liberalismo espiritual de María Zambrano: *Horizonte del liberalismo*». *Journal of Spanish Cultural Studies,* vol. 6, núm. 1, 2005, pp. 25-41.

Bunk, Brian D. *Ghosts of Passion: Martyrdom, Gender, and the Origins of the Spanish Civil War.* Duke University Press, 2007.

Burrin, Philippe. *La France à l'heure allemande: 1940-1944.* Seuil, 1995.

Butler, Judith. *Vida precaria. El poder del duelo y la violencia.* Traducción de Fermín Rodríguez, Paidós, 2006.

—, *The Psychic Life of Power. Theories in Subjection.* Stanford University Press, 1997.

Caillois, Roger. *La Communion des forts: études de sociologie contemporaine.* Quetzal, 1943.

Calvet, Agustí. «Los intelectuales españoles: el silencio es traición». *La Nación,* 21 de febrero de 1937, p. 3.

Camacho Guizado, Eduardo. *La elegía funeral en la poesía española.* Gredos, 1969.

Campoamor, Clara. *Mi pecado mortal. El voto femenino y yo.* Instituto Andaluz de la Mujer, 2001.

Campomar, Marta. «Los viajes de Ortega a la Argentina y la Institución Cultural Española». *Ortega y la Argentina,* coordinado por J. L. Molinuevo, Fondo de Cultura Económica, 1997, pp. 119-149.

Cano Ballesta, Juan. *Literatura y tecnología. Las letras españolas ante la revolución industrial (1900-1933)*. Orígenes, 1981.

Casanova, Julián. *Anarchism, the Republic and Civil War in Spain, 1931-1939*. Traducción de Andrew Dowling y Graham Pollok, Routledge, 2005. [Edición española: *De la calle al frente. El anarcosindicalismo en españa*. Crítica, 1997.]

—, *The Spanish Republic and Civil War*. Traducción de Martin Douch, Cambridge University Press, 2010. [Edición española: *Historia de España (vol. VIII). República y Guerra Civil*. Marcial Pons, 2007.]

Castillo Ferrer, Carolina. «La conciencia hispánica de Francisco Ayala». *De este mundo y los otros. Estudios sobre Francisco Ayala*, editado por Luis García Montero y Milena Rodríguez Gutiérrez, Visor Libros, 2011, pp. 155-176.

Caudet, Francisco. *Hipótesis sobre el exilio republicano de 1939*. Fundación Universitaria Española, 1997.

Caudet, Francisco, editor. *Hora de España. Antología*. Madrid: Turner, 1975.

Cavallo, Susana. «El tema de la muerte en tres relatos de Francisco Ayala». *Ayala Centennial*, número especial de *Hispania*, vol. 89, núm. 4, 2006, pp. 718-728.

Cercas, Javier. *Soldados de Salamina*. Tusquets, 2001.

Cernuda, Luis. *La Realidad y el Deseo (1924-1962)*. Alianza, 2002.

Cerezo Galán, Pedro. *El mal del siglo. El conflicto entre Ilustración y Romanticismo en la crisis finisecular del siglo XIX*. Biblioteca Nueva, 2003.

—, «Estudio introductorio». *Los políticos*, de Francisco Ayala, edición de Pedro Cerezo Galán, Biblioteca Nueva, 2008, pp. 9-33.

«César M. Arconada». *El Mono Azul*, núm. 8, 15 de octubre de 1936, p. 5.

Chabás, Juan. «Política y Literatura. Una encuesta a la juventud española». *La Gaceta Literaria*, núm. 24, 1927, p. 3.

Chabás, Juan. *Italia fascista (política y literatura)*. Edición de José Luis Villacañas Berlanga, Biblioteca Valenciana, 2002.

Chaves Nogales, Manuel. *Bajo el signo de la esvástica. Cómo se vive en los países del régimen fascista*. Edición de María Isabel Cintas Guillén, Almuzara, 2012.

—, *La República y sus enemigos*. Edición de María Isabel Cintas Guillén, Almuzara, 2013

—, *Obra periodística*. Edición de María Isabel Cintas Guillén, Diputación de Sevilla, 2013. 3 vols.

Cicerón, Marco Tulio. *Disputaciones tusculanas*. Traducción de Alberto Medina González, Gredos, 2005.

Cintas Guillén, María Isabel. *Chaves Nogales. El oficio de contar*, Fundación José Manuel Lara, 2011.

Clausewitz, Carl Von. *On War*. Edición de Peter Paret, Princeton University Press, 1984.

Clewell, Tammy. «Mourning Beyond Melancholia: Freud's Psychoanalysis of Loss». *Journal of the American Psychoanalytic Association*, vol. 52, núm. 1, 2004, pp. 43-67.

«Comentario a *Los irresponsables* de Archibald MscLeish. Debates sobre temas sociológicos». *Sur*, núm. 83, 1941, pp. 99-126.

«Cómo va el mundo». *El Socialista*, núm. 6693, 22 de julio de 1930, p. 1.

«Conferencia en la Facultad de Derecho del Dr. F. Ayala». *La Nación*, 22 de julio de 1936.

Delgado, Luisa Elena, Pura Fernández y Jo Labanyi, editoras. *La cultura de las emociones y las emociones en la cultura española contemporánea (siglos XVIII-XXI)*. Cátedra, 2018.

Díaz Fernández, José. *Prosas*, introducción y selección de Nigel Dennis, Fundación Santander Central Hispano, 2006.

Dixon, Thomas. «'Emotion:' History of a Keyword in Crisis». *Emotion Review*, núm. 4, 2012, pp. 338-344.

Documento Praga. Fundación Francisco Ayala, Granada.

Dotti, Jorge Eugenio. «Francisco Ayala: El traductor arrepentido». *Carl Schmitt en Argentina*, Homo Sapiens, 2000, pp. 219-257.

Durkheim, Émile. «L'individualisme et les intellectuels». *Les Classiques des sciences sociales*, Université du Québec à Chicoutimi, 21 de junio de 2010, pp. 3-17, doi:10.1522/cla.due.ind. Último acceso: 10 de enero de 2021.

Dussel, Enrique. «Europe, Modernity, and Eurocentrism». Traducción de Javier Krauel y Virginia C. Tuma, *Nepantla: Views from South*, vol. 1, núm. 2, 2000, pp. 465-478.

Eiroa, Matilde. «La embajada en Praga y el servicio de información de Jiménez de Asúa». *Al servicio de la República. Diplomáticos y guerra civil*, editado por Ángel Viñas, Ministerio de Asuntos Exteriores y de Cooperación / Marcial Pons Historia, 2010, pp. 207-240.

«El Gobierno de la República ha hecho público el siguiente manifiesto». *Fragua Social*, 22 de noviembre de 1936, p. 8.

«El teniente coronel Sarabia, que se encuentra en el frente de Montoro, sigue engañando a los jefes y oficiales que le rodean». *ABC*, Sevilla, 13 de octubre de 1936, p. 16.

Ellis, Keith. *El arte narrativo de Francisco Ayala*. Gredos, 1964.

Elorza, Antonio. *La razón y la sombra. Una lectura política de Ortega y Gasset*. Anagrama, 1984.

Emiliozzi, Irma, editora. *Francisco Ayala en La Nación de Buenos Aires*. Pre-Textos, 2012.

Escobar, Luis A. *Francisco Ayala y la Universidad Nacional del Litoral*. Universidad de Granada / Fundación Francisco Ayala, 2011.

Esenwein, George R. *The Spanish Civil War: A Modern Tragedy*. Routledge, 2005.

Esteban, José, y Gonzalo Santonja, editores. *Los novelistas sociales españoles (1928-1936). Antología*. Anthropos, 1988.

Faber, Sebastiaan. *Exile and Cultural Hegemony: Spanish Intellectuals in Mexico, 1939-1975*. Vanderbilt University Press, 2002.

—, *Memory Battles of the Spanish Civil War: History, Fiction, Photography*. Vanderbilt University Press, 2018.

Febvre, Lucien. «La sensibilité et l'histoire. Comment reconstituer la vie affective d'autrefois?». *Annales d'histoire sociale*, vol. 3, núms. 1-2 (1941), pp. 5-20.

«Federal Health Minister Greg Hunt has ordered his department to stop paying social media influencers». *ABC News*, 21 de julio de 2018, www.abc.net.au/news/2018-07-21/stop-payment-to-influencers/10021134. Último acceso: 10 de enero de 2021.

Fernández Armesto, Felipe. «Crónica de Berlín. Ofensiva contra el extremismo». *La Vanguardia*, 1 noviembre 1930, p. 1.

Flatley, Jonathan. *Affective Mapping: Melancholia and the Politics of Modernism*. Harvard University Press, 2008.

Fletcher, George P. *Loyalty: An Essay on the Morality of Relationships*. Oxford University Press, 1993.

Foucault, Michel. «Entretien avec Michel Foucault». *Dits et écrits, 1954-1988. Tome IV 1980-1988*, edición de Daniel Defert y François Ewald, Gallimard, 1994, pp. 41-95.

Fox, Inman. *La crisis intelectual del 98*. Cuadernos para el Diálogo, 1976.

«Francisco Ayala». *La Gaceta Literaria*, núm. 70, 1929, p. 1.

Frank, Claudine. «Introduction». *The Edge of Surrealism: a Roger Caillois Reader*, edición de Claudine Frank, Duke University Press, 2003, pp. 1-53.

Freud, Sigmund. «On Mourning and Melancholia.» *The Standard Edition of the Complete Psychological Works of Sigmund Freud*, traducción de James Strachey et. al., Hogarth, 1957, pp. 237-258.

Frijda, Nico. «Mood». *The Oxford Companion to Emotion and the Affective Sciences*, edición de David Sander y Klaus R. Scherer, Oxford University Press, 2009, pp. 258-259.

Frosh, Stephen. *Feelings*. Routledge, 2011.

Galletti, Marina. «Du Collège de Sociologie aux *Debates sobre temas sociológicos*: Roger Caillois en Argentine». *Roger Caillois: la pensé aventurée*, Belin, 1992, pp. 139-174.

Garcés, Marina. *Filosofía inacabada*. Galaxia Gutenberg / Círculo de lectores, 2015.

García Montero, Luis. «Antes, durante y después (Francisco Ayala y la guerra civil)». *De este mundo y los otros. Estudios sobre Francisco Ayala*, edición de Luis García Montero y Milena Rodríguez Gutiérrez, Visor Libros, 2011, pp. 93-111.

—, «Decir ciertas cosas que no suelen decirse: la vocación del intelectual». *Diez ensayos sobre Realidad. Revista de Ideas (Buenos Aires, 1947-1949)*, edición de Carolina Castillo Ferrer y Milena Rodríguez Gutiérrez, Fundación Francisco Ayala / Universidad de Granada, 2013, pp. 11-20.

—, *Francisco Ayala. El escritor en su siglo*. Publicaciones Diputación de Granada, 2009.

—, «Prólogo. Memoria, realidad, ficción». *Obras completas II. Autobiografía(s)*, de Francisco Ayala, Galaxia Gutenberg / Círculo de lectores, 2009, pp. 21-43.

García Santos, Juan Felipe. *Léxico y política de la Segunda República*. Ediciones Universidad de Salamanca, 1980.

Gil Cremades, Juan José. «Francisco Ayala, el intelectual en la crisis». *Siglo XXI. Literatura y cultura españolas*, núm. 4, 2006, pp. 17-46.

Giménez Caballero, Ernesto. «'La Gaceta Literaria' y la República». *La Gaceta Literaria*, núm. 105, 1 de mayo de 1931, p. 1.

Giustiniani, Eve. «El exilio de 1936 y la Tercera España. Ortega y Gasset y los 'blancos' de París, entre franquismo y liberalismo».

Circunstancia, núm. 19, 2009, https://hal-amu.archives-ouver-tes.fr/hal-01475092. Última consulta: 8 de octubre de 2020.

Gomá Lanzón, Javier. *Todo a mil: 33 microensayos de filosofía mundana*. Galaxia Gutenberg / Círculo de Lectores, 2012.

Gómez López-Quiñones, Antonio. «A Secret Agreement: The Historical Memory Debate and the Limits of Recognition». *Hispanic Issues On Line*, vol. 11, 2012, pp. 87-116, https://cla.stg.umn.edu/sites/cla.umn.edu/files/hiol_11_05_lopezqui-nones_a_secret_agreement.pdf. Último acceso: 17 de enero de 2021.

Gómez Ros, Manuel. «Francisco Ayala, editor». *De este mundo y los otros. Estudios sobre Francisco Ayala*, editado por Luis García Montero y Milena Rodríguez Gutiérrez, Visor Libros, 2011, pp. 249-261.

González Calleja, Eduardo. «La politización de la vida universitaria madrileña durante los años veinte y treinta». *La Universidad Central durante la Segunda República. Las Ciencias Humanas y Sociales y la vida universitaria*, edición de Eduardo González Calleja y Álvaro Ribagorda, Universidad Carlos III de Madrid, 2013, pp. 271-300.

González Prada, Charo. «Introducción». *Crónicas desde Berlín (1930-1936)*, de Eugenio Xammar, edición de González Prada, Acantilado, 2005, pp. 13-39.

Gracia, Jordi. *A la intemperie. Exilio y cultura en España*. Anagrama, 2010.

—, *José Ortega y Gasset*. Edición Kindle, Taurus, 2014.

Graham, Helen. «Coming to Terms with the Past: Spain's Memory Wars». *History Today*, vol. 54, núm. 5, 2004, pp. 29-31.

—, *The Spanish Civil War: A Very Short Introduction*. Oxford University Press, 2005.

Gramsci, Antonio. *La formación de los intelectuales*. Traducción de Ángel González Vega, Grijalbo, 1967.

Greco, Monica, y Paul Stenner. «Introduction: Emotion and Social Science». *Emotions: A Social Science Reader*, Routledge, 2008, pp. 1-21.

Gross, Daniel M. *The Secret History of Emotion: From Aristotle's «Rhetoric» to Modern Brain Science*. University of Chicago Press, 2006.

Guillén, Claudio. *Múltiples moradas. Ensayo de Literatura Comparada*. Tusquets, 1998.

Guillén Kalle, Gabriel. *Carl Schmitt en la segunda República española*. Editorial Reus, 2018.

Guillén Kalle, Gabriel y Joaquín Almoguera Carreres. *Hacia una nueva profesión de fe*. Congreso de los Diputados, 2006.

Habermas, Jürgen. *Historia y crítica de la opinión pública. La transformación estructural de la vida pública*. Traducción de Antoni Domènech, Gustavo Gili, 1981.

Haffner, Sebastian. *Historia de un alemán. Memorias 1914-1933*. Traducción de Belén Santana, Destino, 2000.

Hall, Cheryl. *The Trouble with Passion: Political Theory Beyond the Reign of Reason*. Routledge, 2005.

Hernández Cano, Eduardo. «¿De quién es la democracia cultural?» *Artes del ensayo. Revista internacional sobre el ensayo hispánico*, núm. 2, 2018, pp. 362-386.

Herrero Senés, Juan. *Mensajeros de un tiempo nuevo. Modernidad y nihilismo en la literatura de vanguardia (1918-1936)*. Anthropos, 2014.

Hiriart, Rosario. *Las alusiones literarias en la obra narrativa de Francisco Ayala*. Eliseo Torres, 1972.

Hogan, Patrick Colm. «Affect Studies and Literary Criticism». *Oxford Research Encyclopedia of Literature*, 31 de agosto de 2016, pp. 1-31, doi: 10.1093/acrefore/9780190201098.013.10.

Hollier, Denis, editor. *The College of Sociology (1937-39)*. Traducción de Betsy Wing, University of Minnesota Press, 1988.

Hutcheon, Linda. *Irony's Edge: The Theory and Politics of Irony.* Routledge, 1994.

Ibáñez Fanés, Jordi, editor. *En la era de la posverdad. 14 ensayos.* Edición Kindle, Calambur, 2017.

Illouz, Eva. *Cold Intimacies: The Making of Emotional Capitalism.* Polity Press, 2007.

Iribarren, Manuel. «Letras». *Jerarquía*, núm. 1, 1936, pp. 122-126.

Irizarry, Estelle. *Teoría y creación literaria en Francisco Ayala.* Gredos, 1971.

Jaggar, Alison M. «Love and Knowledge». *Emotions: A Cultural Studies Reader*, edición de Jennifer Harding y E. Deirdre Pribram, Routledge, 2009, pp. 50-68.

Jay, Martin. «The Frankfurt School's Critique of Karl Mannheim and the Sociology of Knowledge». *Permanent Exiles: Essays on the Intellectual Migration from Germany to America*, Columbia University Press, 1985, pp. 62-78.

Jiménez Heffernan, Julián. «La sociedad abierta: el registro internacional de *Realidad*». *Diez ensayos sobre* Realidad. Revista de Ideas (Buenos Aires, 1947-1949), edición de Carolina Castillo Ferrer y Milena Rodríguez Gutiérrez, Fundación Francisco Ayala / Universidad de Granada, 2013, pp. 103-124.

José Luis. «Unos minutos de charla con el eximio poeta Antonio Machado». *Fragua Social,* 19 de diciembre de 1936, p. 8.

Juliá, Santos. «Francisco Ayala, escritor público». *Obras completas VI. De vuelta en casa*, de Francisco Ayala, Galaxia Gutenberg / Círculo de lectores, 2013, pp. 17-44.

—, *Historias de las dos Españas.* Taurus, 2004.

—, *Nosotros, los abajo firmantes. Una historia de España a través de manifiestos y protestas (1896-2013).* Galaxia Gutenberg / Círculo de Lectores, 2014.

Juliá, Santos, editor. *Violencia política en la España del siglo XX.* Taurus, 2000.

Kaes, Anton, et. al. *The Weimar Republic Sourcebook.* University of California Press, 1994.

Kalyvas, Andreas. *Democracy and the Politics of the Extraordinary: Max Weber, Carl Schmitt, and Hannah Arendt.* Cambridge University Press, 2008.

Kalyvas, Stathis N. «The Ontology of 'Political Violence': Action and Identity in Civil Wars». *Perspectives on Politics,* vol. 1, núm. 3, 2003, pp. 475-494.

Keller, Simon. *The Limits of Loyalty.* Cambridge University Press, 2007.

Kleinig, John. «Loyalty». *The Stanford Encyclopedia of Philosophy* (Fall 2013 Edition), coordinado por Edward N. Zalta, https://plato.stanford.edu/archives/fall2013/entries/loyalty/. Última consulta: 14 de octubre de 2016.

Krauel, Javier. «América o la disolución de la autenticidad: intelectuales y exilio». *Crítica e ficção, ainda,* edición de Raúl Antelo, Universidade Federal de Santa Catarina, 2006, pp. 133-155.

—, «El problema de España en el exilio: Indagación de una polémica en las páginas de *Realidad* (1947-1949)». *Escritores, editoriales y revistas del exilio republicano de 1939,* edición de Manuel Aznar Soler, Renacimiento, 2006, pp. 931-938.

—, «Francisco Ayala's Postwar Liberalism: Ideology and Experience». *Anales de la Literatura Española Contemporánea,* vol. 41, núm. 4, 2016, pp. 219-243.

—, *Imperial Emotions: Cultural Responses to Myths of Empire in* Fin-de-Siècle *Spain.* Liverpool University Press, 2013.

Kritzmann, Lawrence D. «Interchapter: The Intellectual». *The Columbia History of Twentieth-Century French Thought,* edición de Lawrence Kritzman, Columbia University Press, 2006, pp. 363-374.

«La Conferencia Internacional de Ayuda a la Infancia Española que se celebra en París». *La Vanguardia*, 23 de julio de 1938, p. 7.

«La canalla dorada: Ramiro de Maeztu y Whitney». *Fragua Social*, 21 de noviembre de 1936, p. 8.

Landau, Katia. «Stalinism in Spain». *Revolutionary History*, vol. 1, núm. 2, 1988, https://www.marxists.org/history/etol/document/spain/spain09.htm. *Marxists Internet Archive*, 1998. Última consulta: 20 de septiembre de 2020.

Larra, Mariano José de. *Artículos*. Edición de Enrique Rubio, Cátedra, 1996.

López Aranguren, José Luis. «La evolución espiritual de los intelectuales españoles en la emigración». *Cuadernos Hispanoamericanos*, núm. 38, 1953, pp. 123-157.

López Sánchez, José María. «La Junta para Ampliación de Estudios y su proyección americanista: la Institución Cultural Española en Buenos Aires». *Revista de Indias*, núm. 239, pp. 81-102.

«Los explotadores de la guerra incurren en delito de traición a la Patria». *ABC*, Sevilla, 12 de diciembre de 1936, p. 10.

Loureiro, Ángel G. *The Ethics of Autobiography: Replacing the Subject in Modern Spain*. Vanderbilt University Press, 2000.

Machado, Antonio. *Juan de Mairena II (1936-1938)*. Edición de Antonio Fernández Ferrer, Cátedra, 1998.

MacLeish, Archibald. *A Time to Speak: The Selected Prose of Archibald MacLeish*. Houghton Mifflin, 1941.

Mainer, José-Carlos. *Años de vísperas. La vida de la cultura en España (1931-1939)*. Espasa Calpe, 2006.

—, «Ernesto Giménez Caballero o la inoportunidad». *Casticismo, nacionalismo, y vanguardia [Antología, 1927-1935]*, selección y prólogo de José-Carlos Mainer, Fundación Santander Central Hispano, 2005, pp. IX-LXVIII.

—, *Falange y literatura. Antología*. RBA, 2013.

Mainer, José-Carlos. «Una reflexión sobre los poderes del intelectual». *Francisco Ayala, teórico y crítico literario. Actas del Simposio celebrado en Granada, noviembre, 1991*, editado por Antonio Sánchez Trigueros y Antonio Chicharro Chamorro, Diputación Provincial de Granada, 1992, pp. 41-48.

Mannheim, Karl. *Ideology and Utopia: An Introduction to the Sociology of Knowledge*. Traducción de Louis Wirth y Edward Shils, Harcourt Brace, 1936.

Marañón, Gregorio. «No es eso». *El Sol*, 22 de junio de 1932, p. 1.

Márquez Padorno, Margarita. *La Agrupación al Servicio de la República. La acción de los intelectuales en la génesis del nuevo Estado*. Biblioteca Nueva / Fundación José Ortega y Gasset, 2003.

Martín, Sebastián. «Estudio preliminar». *El derecho político de la Segunda República. Francisco Ayala, Eduardo L. Llorens, Nicolás Pérez Serrano*, Universidad Carlos III, 2011, pp. IX-CLXXXIX.

—, «Historicismo, poder y justicia en 'La noche de Montiel'». *La noche de Montiel*, de Francisco Ayala, Fundación Francisco Ayala / Universidad de Granada, 2011, pp. 51-78.

Martínez-Garrido, Susana, coordinadora. *Francisco Ayala. El escritor en su siglo. Hospital Real, Granada, 20 de julio - 3 de septiembre 2006, Biblioteca Nacional, Madrid, 21 de septiembre - 12 de noviembre 2006*. Sociedad Estatal de Conmemoraciones Culturales, 2006.

McCormick, John P. «Identifying or Exploiting the Paradoxes of Constitutional Democracy? An Introduction to Carl Schmitt's *Legality and Legitimacy*». *Legality and Legitimacy*, de Carl Schmitt, edición y traducción de Jeffrey Seitzer, Duke University Press, 2004, pp. xiii-xliii.

McGowan, John. *Hannah Arendt: An Introduction*. University of Minnesota Press, 1998.

Medina Echavarría, José. *Responsabilidad de la inteligencia.* Fondo de Cultura Económica, 1943.

Mermall, Thomas. *Las alegorías del poder en Francisco Ayala.* Fundamentos, 1983.

Moreno-Caballud, Luis. *Culturas de cualquiera. Estudios sobre democratización cultural en la crisis del neoliberalismo español.* Acuarela Libros / Antonio Machado Libros, 2017.

Navajas, Gonzalo. *El intelectual público y las ideologías modernas. De los años 30 a la posmodernidad.* Renacimiento, 2019.

Nichols, Tom. *The Death of Expertise: The Campaign against Established Knowledge and Why It Matters.* Oxford University Press, 2017.

Nietzsche, Friedrich. *La genealogía de la moral. Un escrito polémico.* Introducción, traducción y notas de Andrés Sánchez Pascual, Alianza, 1998.

«Notas Universitarias. Un banquete a D. Miguel de Unamuno». *La Gaceta Literaria*, núm. 82, 1930, p. 12.

«Nuestra profesión de fe». *Política*, núm. 1, 1930, pp. 1-2.

Núñez Cubero, Luis. «Pedagogía emocional: una experiencia de formación en competencias emocionales en el contexto universitario». *Cuestiones pedagógicas*, núm. 18, 2006-2007, pp. 65-80.

Nussbaum, Martha. *Upheavals of Thought: The Intelligence of Emotions.* Cambridge University Press, 2001.

Ouimette, Victor. *Los intelectuales españoles y el naufragio del liberalismo (1923-1936).* Introducción de José Luis Abellán, Pre-Textos, 1998.

Oleza, Joan. «El siglo de Francisco Ayala». *Levante-El Mercantil Valenciano*, 17 de noviembre de 2016, pp. 1-2.

Ortega y Gasset, José. *Obras Completas.* Taurus / Fundación José Ortega y Gasset, 2004-2010. 10 vols.

Ortega y Gasset, José. «Parerga: reforma de la inteligencia.» *Revista de Occidente*, núm. 31, 1926, pp. 119-129.

Ortuño Martínez, Bárbara. *El exilio y la emigración española de posguerra en Buenos Aires, 1936-1956.* 2010. Universidad de Alicante, Tesis Doctoral.

Pampler, Jan. «Historia de las emociones». *Cuadernos de Historia Contemporánea*, núm. 36, 2014, pp. 17-29.

Payne, Stanley G. *Spain's First Democracy: The Second Republic, 1931-1936.* University of Wisconsin Press, 1993.

Pels, Dick. *The Intellectual as Stranger: Studies in Spokespersonship.* Routledge, 2000.

Pemán, José María. «Poema de la Bestia y el Ángel». *Poesía de la guerra civil española, 1936-1939*, edición de César Vicente Hernando, Akal, 1994, pp. 307-331.

Pérez Gutiérrez, Francisco, editor. «Marañón, Ortega y Pérez de Ayala. Cartas inéditas 1937-1939». *El Cultural*, suplemento de *El Mundo*, 4 de abril de 2001, pp. 3-14.

Permanyer, Lluís. *Sagarra, vist pels seus íntims.* La Campana, 1991.

—, «Xammar, Pla y Hitler». *Vivir en verano*, suplemento de *La Vanguardia*, 25 de agosto de 2000, p. 2.

Pino, José Manuel del. *Montajes y fragmentos: una aproximación a la narrativa española de vanguardia.* Rodopi, 1995.

Pollock, Sheldon. «Philology in Three Dimensions». *Postmedieval: A Journal of Medieval Cultural Studies*, vol. 5, núm. 4, 2014, pp. 398-413.

Prado, Ángeles. *Retratos y autorretratos en el ensayo literario de Francisco Ayala.* Novel, 2004.

Primo de Rivera, José Antonio. *Selected Writings.* Edición de Hugh Thomas, traducción de Gudie Lawaetz, Jonathan Cape, 1972.

Preston, Paul. *The Spanish Holocaust: Inquisition and Extermination in Twentieth-Century Spain.* Norton, 2012.

Puyol Montero, José María. *Enseñar derecho en la República. La Facultad de Madrid (1931-1939)*. Editorial Dykinson, 2019.

Quaggio, Giulia. «En la tierra del medio. El antifascismo transnacional de *Una doble experiencia política: España e Italia*». *Una doble experiencia política: España e Italia (1944)*, de Francisco Ayala y Renato Treves, Universidad de Granada / Fundación Francisco Ayala, 2017, pp. 19-160.

Ramos Oliveira, Antonio. «Cartas de Alemania. ¿Qué es el nacional-'socialismo'?». *El Socialista*, 6 de noviembre de 1930, p 1.

Reig Tapia, Alberto. *Memoria de la guerra civil. Los mitos de la tribu.* Alianza, 1999.

Ribeiro de Menezes, Alison. *Embodying Memory in Contemporary Spain.* Palgrave, 2014.

Ribes Leiva, Alberto. *Paisajes del siglo XX. Sociología y literatura en Francisco Ayala.* Biblioteca Nueva, 2007.

Richmond, Carolyn. *Días felices. Aproximaciones a* El jardín de las delicias *de Francisco Ayala.* Fundación José Manuel Lara, 2018.

—, «Hacia un *ars poética* particular: De 'La noche de Montiel' a *Los usurpadores*». *La noche de Montiel,* de Francisco Ayala, Fundación Francisco Ayala / Universidad de Granada, 2011, pp. 79-119.

Ródenas de Moya, Domingo. *Los espejos del novelista. Modernismo y autorreferencia en la novela modernista española.* Península, 1998.

Rodríguez-López, Carolina. «Historia de las Emociones. Introducción». *Cuadernos de Historia Contemporánea*, núm. 36, 2014, pp. 11-16.

Rosales, Juan Carlos. «Del sueño de la vanguardia al invierno de la realidad (dos relatos de Francisco Ayala: *Cazador en el alba* y *Erika ante el invierno*». *De este mundo y los otros. Estudios sobre Francisco Ayala*, edición de Luis García Montero y Milena Rodríguez Gutiérrez, Visor Libros, 2011, pp. 41-51.

Sagarra, Josep Maria de. *El perfum dels dies. Articles a Mirador (1929-1936)*. Edición de Narcís Garolera, Quaderns Crema, 2004.

Said, Edward W. *Representations of the Intellectual*. Pantheon, 1994.

Salazar Chapela, Esteban. *Reseñas, artículos y narraciones (Antología, 1926-1964)*, introducción y selección de Francisca Montiel Rayo, Fundación Santander Central Hispano, 2007.

Sánchez León, Pablo, y Jesús Izquierdo Martín. *La guerra que nos han contado y la que no. Memoria e historia de 1936 para el siglo XXI*. Postmetropolis, 2017.

Sánchez Ron, José Manuel. «La Junta para Ampliación de Estudios e Investigaciones Científicas 80 años después.» *1907-1987. La Junta para Ampliación de Estudios e Investigaciones Científicas 80 años después*, coordinador José Manuel Sánchez Ron, vol. 1, CSIC, 1988, pp. 1-61.

Santiáñez, Nil. *Topographies of Fascism: Habitus, Space, and Writing in Twentieth-Century Spain*. University of Toronto Press, 2013.

Santos, Félix. *Españoles en la Alemania nazi. Testimonios de visitantes del III Reich entre 1933 y 1945*. Endymion, 2012.

Schmitt, Carl. *Legalidad y legitimidad*. Traducción de José Díaz García, Struhart, 2002.

—, *Sobre el parlamentarismo*. Edición de Manuel Aragón, traducción de Thies Nelsson y Rosa Grueso, Tecnos, 1990.

Schroeder, Ralph. *Max Weber and the Sociology of Culture*. Sage, 1992.

Schwarzstein, Dora. *Entre Franco y Perón. Memoria e identidad del exilio republicano español en Argentina*. Crítica, 2001.

«Segunda Guerra de Independencia». *ABC*, Madrid, 25 de julio de 1936, p. 1.

Sender, Ramón J. *Casas Viejas*. Estudio preliminar de Ignacio Martínez de Pisón, edición de José Domingo Dueñas y Antonio Pérez Lasheras, notas de Julia Cifuentes, Prensas Universitarias de Zaragoza / Instituto de Estudios Altoaragoneses, 2004.

Sender, Ramón J. *Viaje a la aldea del crimen. Documental de Casas Viejas.* Prólogo de Antonio G. Maldonado, Libros del Asteroide, 2016.

Serrano, Carlos, editor. «Dossier: el nacimiento de los intelectuales en España». *Ayer*, núm. 40, 2000, pp. 11-133.

Servicio de Investigación Militar. «Certificado del Secretario del Servicio de Investigación Militar». Ministerio de Defensa, 5 de julio de 1938, Fundación Francisco Ayala, Granada.

Smith, Lacey Baldwin. «Can Martyrdom Survive Secularization?». *Social Research*, vol. 75, núm. 2, 2008, pp. 435-460.

Soldevila-Durante, Ignacio. *Max Aub-Francisco Ayala: epistolario 1952-1972.* Fundación Max Aub / Biblioteca Valenciana, 2001.

—, «Para una hermenéutica de la prosa vanguardista española (a propósito de Francisco Ayala)». *Cuadernos Hispanoamericanos*, n.º 329-330, 1977, pp. 356-365.

Soto, Luis Emilio. Reseña de *Razón del mundo*, de Francisco Ayala. *Sur*, núm. 120, 1944, pp. 71-79.

Suárez Cortina, Manuel. «El liberalismo democrático en España. De la Restauración a la República». *Historia y política*, núm. 17, 2007, pp. 121-150.

—, «Las tradiciones culturales del liberalismo español, 1808-1950». *Las máscaras de la libertad. El liberalismo español, 1808-1950*, edición de Manuel Suárez Cortina, Marcial Pons, 2003, pp. 13-48.

Trapiello, Andrés. *Las armas y las letras. Literatura y Guerra Civil (1936-1939).* Barcelona: Destino, 2019.

Traverso, Enzo. *A sangre y fuego. De la guerra civil europea (1914-1945).* Publicacions de la Universitat de València, 2009.

—, *¿Qué fue de los intelectuales? Conversación con Régis Meyran.* Traducción de María de la Paz Georgiadis, Siglo XXI Editores, 2014.

Tuchmann, Barbara W. *The Proud Tower: A Portrait of the World before the War, 1890-1914.* Ballantine, 1996.

Tusell, Javier, y Genoveva García Queipo de Llano. *Los intelectuales y la República.* Nerea, 1990.

Ugarte, Michael. *Shifting Ground: Spanish Civil War Exile Literature.* Duke University Press, 1989.

«Un grupo de escritores y hombres de ciencia se dirige a la conciencia del mundo condenando la guerra.» *Fragua Social,* 23 de febrero de 1937, p. 3.

Urrutia, Jorge. *Poesía de la Guerra Civil española. Antología (1936-1939).* Fundación José Manuel Lara, 2006.

Valis, Noël. «When the Dead Are Always with Us: Ayala's *Diálogo de los muertos*». *Ayala Centennial,* número especial de *Hispania,* vol. 89, núm. 4, 2006, pp. 710-717.

Vela, Fernando. «Sociología de la crisis». *Revista de Occidente,* núm. 146, 1935, pp. 129-160.

Vicens Vives, Jaume. *España contemporánea (1814-1953).* Edición de Miquel Àngel Marín Gelabert, traducción de José Ramón Monreal, Acantilado, 2012.

Vilar, Pierre. *La guerra civil española.* Crítica, 2000.

Villacañas Berlanga, José Luis. «Abandonando toda apariencia de equipo. Acerca de un episodio de la correspondencia entre Max Aub y F. Ayala». *Encuentros de historia y literatura: Max Aub y Manuel Tuñón de Lara,* edición de María Fernanda Mancebo, Biblioteca Valenciana, pp. 87-116.

—, «El carisma imposible. Una crítica de los intelectuales españoles de primeros de siglo». *Pensar lo público. Reflexiones políticas desde la España contemporánea,* edición de Francisco Colom González, Universidad Pontificia Bolivariana, 2005, pp. 125-151.

—, *Historia del poder político en España.* RBA, 2014.

Villacañas Berlanga, José Luis. «Sobre la temprana recepción española del fascismo: un ensayo sobre el contexto de *Italia fascista* de Juan Chabás.» *Italia fascista (política y literatura)*, Biblioteca Valenciana, 2002, pp. 9-53.

Vincent, C. Paul. *A Historical Dictionary of Germany's Weimar Republic, 1918-1933.* Greenwood, 1997.

Vincent, Mary. *Spain 1833-2002: People and State.* Oxford University Press, 2007.

Viñas, Ángel. «Una carrera diplomática y un Ministerio de Estado desconocidos». *Al servicio de la República. Diplomáticos y guerra civil,* editado por Ángel Viñas, Ministerio de Asuntos Exteriores y de Cooperación / Marcial Pons Historia, 2010, pp. 267-424.

—, «La gran estrategia de política exterior de la República». *Al servicio de la República. Diplomáticos y guerra civil,* editado por Ángel Viñas, Ministerio de Asuntos Exteriores y de Cooperación / Marcial Pons Historia, 2010, pp. 54-88.

Viñas Piquer, David. *Hermenéutica de la novela en la teoría literaria de Francisco Ayala.* Alfar / Fundación Francisco Ayala, 2003.

«Visitará el país un autor español de claro prestigio». *La Nación,* 19 de mayo de 1936.

Volodarsky, Boris. *Stalin's Agent: The Life and Death of Alexander Orlov.* Oxford University Press, 2015.

Watson, Sean. «Policing the Affective Society: Beyond Governmentality in the Theory of Social Control». *Social and Legal Studies,* vol. 8, núm. 2, 1999, pp. 227-251.

Weber, Max. *Economy and Society: An Outline of Interpretive Sociology.* Edición de Guenther Roth y Claus Wittich, traducción de Ephraim Fischoff et al., vol. I, University of California Press, 2013.

—, *La ciencia como profesión,* edición de Joaquín Abellán, Biblioteca Nueva, 2009.

Weber, Max. *La política como profesión*, edición de Joaquín Abellán, Biblioteca Nueva, 2007.

—, «Religious Rejections of the World and Their Directions.» *From Max Weber: Essays in Sociology*, edición de H.H. Gerth y C. Wright Mills, Oxford University Press, 1946, pp. 323-359.

Williams, Raymond. *Keywords: A Vocabulary of Culture and Society.* Oxford University Press, 1985.

—, *Marxism and Literature.* Oxford University Press, 1977.

Xammar, Eugeni. *Crónicas desde Berlín (1930-1936).* Edición de Charo González Prada, Acantilado, 2005.

—, *L'ou de la serp.* Quaderns Crema, 1998.

Xirau, Joaquín. «Humanismo español (Ensayo de interpretación histórica)». *Cuadernos Americanos*, vol. 1, núm. 1, 1942, pp. 132-154.

Zambrano, María. *Horizonte del liberalismo.* Edición de Jesús Moreno Sanz, Morata, 1996.

Zola, Émile. *The Dreyfus Affair: «J'accuse» and Other Writings.* Edición de Alain Pagès, traducción de Eleanor Levieux, Yale University Press, 1996.

Zugazagoitia y Frías, Antonio. *Panfleto antiseparatista en defensa de España.* Compañía General de Artes Gráficas, 1932.

Zweig, Stefan. *El mundo de ayer. Memorias de un europeo.* Traducción de A. Orzeszek y Joan Fontcuberta, Acantilado, 2001.

Agradecimientos

Son muchas las deudas que he ido adquiriendo durante los años de convivencia con este libro. La primera de ellas es con el mismo Francisco Ayala, a quien tuve la suerte de entrevistar una calurosa mañana del mes de julio de 2004, cuando todavía estaba completando mi doctorado. Cuando entrevisté a Ayala no tenía pensado escribir un libro sobre sus intervenciones en una serie de debates públicos de los años treinta y cuarenta, pero en esa entrevista (publicada en el volumen VII de las *Obras completas* de Ayala, pp. 1616-1625) ya estaban presentes muchas de las cuestiones que el lector encontrará en estas páginas. Por eso, de alguna manera, el origen del libro está en ese encuentro y en la impresión, vivísima, que me causó el autor. Todavía recuerdo, y agradezco, su lucidez, su generosidad, su amabilidad y su buen humor.

A medida que los argumentos sostenidos en *Un intelectual en tiempos sombríos* fueron tomando cuerpo, resultó fundamental la investigación que llevé a cabo en la Fundación Francisco Ayala gracias a las ayudas del Center for Humanities and the Arts de la University of Colorado Boulder. En Granada también resultaron cruciales la fe y el entusiasmo que me transmitió el poeta Rafael Juárez, que fue el primer director de la Fundación. Desde el primer momento, Rafael creyó en el proyecto y, con su sabiduría y discreción, se convirtió en mi primer interlocutor cuando el libro no era más que un conjunto de ideas vagas y borrosas. Durante esa estancia en Granada, también tuve la suerte de conocer a Manuel Gómez Ros, hoy director de la Fundación y editor de este libro. A

Manuel le debo un apoyo constante, una profesionalidad impecable y una paciencia infinita.

En los inicios del proyecto, Raúl Antelo me puso sobre la pista de las intervenciones de Ayala en los debates sobre temas sociológicos auspiciados por la revista *Sur* de Buenos Aires. Más adelante, Jorge Marturano me invitó a presentar el capítulo dedicado a los intelectuales y las emociones en la Universidad de California Los Ángeles. Y en la última fase de elaboración del texto, varias personas lo mejoraron a través de sus valiosos comentarios y sugerencias: Anna Casas Aguilar, Carolina Castillo Ferrer, Carles Ferrando Valero, Leslie Harkema, José María Rodríguez García y José Luis Venegas. Ha sido y es un placer tenerlos de lectores y de interlocutores, y quiero dejar constancia de mi profundo agradecimiento a todos ellos.

Finalmente, habría resultado imposible escribir estas páginas sin la presencia de Virginia, Sebastián y Beatriz, y sin el afecto de la familia y de los amigos más cercanos, que siempre están donde tienen que estar.

Una primera aproximación al contenido del capítulo 4, ahora ampliado, fue el capítulo «La batalla por la hegemonía emocional durante la Segunda República (1931-1936)», publicado en *La cultura de las emociones y las emociones en la cultura española contemporánea (siglos XVIII-XXI)*, editado por Luisa Elena Delgado, Pura Fernández y Jo Labanyi, Cátedra, 2018, pp. 171-193. Algunos de los argumentos y materiales del capítulo 6 aparecieron en el artículo «Francisco Ayala's Postwar Liberalism: Ideology and Experience», *Anales de la Literatura Española Contemporánea*, vol. 41, núm. 4, 2016, pp. 219-243. Todas las traducciones de las citas en lenguas extranjeras son mías, a no ser que se indique otra cosa.